АЛЕКСАНДРА
МАРИНИНА

АЛЕКСАНДРА МАРИНИНА

ДРУГАЯ ПРАВДА

Том 1

МОСКВА
2019

УДК 821.161.1-312.4
ББК 84(2Рос=Рус)6-44
М26

Разработка серии и дизайн переплета *Андрея Саукова*

Иллюстрация на обложке *Ивана Хивренко*

Маринина, Александра.

М26   Другая правда. Том 1 / Александра Маринина. — Москва : Эксмо, 2019. — 352 с.

ISBN 978-5-04-104636-1

50-й, юбилейный роман Александры Марининой.

Впервые Анастасия Каменская изучает старое уголовное дело по реальному преступлению. Осужденный по нему до сих пор отбывает наказание в исправительном учреждении.

С детства мы привыкли верить, что правда – одна. Она – как белый камешек в куче черного щебня. Достаточно все перебрать, и обязательно ее найдешь – единственную, неоспоримую, безусловную правду... Но так ли это?

Когда-то давно в московской коммуналке совершено жестокое тройное убийство родителей и ребенка. Подозреваемый сам явился с повинной. Его задержали, состоялось следствие и суд.

По прошествии двадцати лет старое уголовное дело попадает в руки легендарного оперативника в отставке Анастасии Каменской и молодого журналиста Петра Кравченко. Парень считает, что осужденного подставили, и стремится вывести следователей на чистую воду. Тут-то и выясняется, что каждый в этой истории движим своей правдой, порождающей, в свою очередь, тысячи видов лжи...

УДК 821.161.1-312.4
ББК 84(2Рос=Рус)6-44

ISBN 978-5-04-104636-1   ООО «Издательство «Эксмо», 2019

ГЛАВА 1

Четверг

—Ты меня любишь?

Глаза Стасова, зеленые и озорные, окруженные сетью заметных морщин, смотрели на нее вопросительно и с каким-то явным подвохом. Но подвоха Анастасия Каменская не заметила, потому что при появлении шефа так и не оторвала взгляд от экрана компьютера, набивая текст очередного документа.

— Я тебя обожаю, — скучно ответила она. — Но бумага от моей страстной любви быстрее не напишется. Ты сам сказал, что заказчик явится к двенадцати, и к этому времени полный отчет должен быть готов. Если тебе так важна моя любовь...

Она сняла руки с клавиатуры, поискала в папке какой-то документ, уточнила информацию и с досадой поняла, что дважды ошиблась, указывая адреса, — вписала неправильный номер дома. Теперь придется тратить время на то, чтобы во всем отчете перепроверять ошибки. А ведь она была уверена, что запомнила все в точности. Привыкла полагаться на свою безупречную память, но ведь возраст... Черт!

— Если тебе так важна моя любовь, — со вздохом продолжила Настя, — ты бы попросил там, наверху,

чтобы распорядились напихать в час не по шестьдесят минут, а по сто двадцать. Короче, Стасов, давай
что-нибудь одно: или про любовь, или отчет к двенадцати.

— Забей.

— На любовь?

— На отчет.

Вот это уже неожиданно!

— И почему?

Настя оторвала наконец взгляд от экрана и внимательно посмотрела на Владислава Николаевича.
Что случилось? Заказчик отказался от их услуг и не
собирается получать отчет о полностью проделан-
ной работе, которую их частное агентство «Власта»
честно выполняло в течение без малого двух месяцев? Или случились какие-то крупные неприятности, в сравнении с которыми конфликт с заказчи-
ком покажется комариным укусом? Но в этом случае
Стасов не выглядел бы таким веселым...

— Заказчик придет к пяти, я с ним договорился.
А теперь еще раз ответь, только громко и внятно,
любишь ли ты меня, мою жену Таню и нашего сына
Гришу.

Она улыбнулась.

— Отвечаю громко и внятно: я вас обожаю.

— И готова ради нас на жертвы?

— Готова, — без раздумий ответила Настя и тут
же прикусила язык.

Жертвы? О чем это он?

— Настюха, а в отпуск хочешь?

Какой отпуск? Она же только недавно вернулась
на работу, отгуляв положенные четыре с хвостиком
недели. Правда, отпуском назвать этот месяц можно было весьма условно: они с Чистяковым смогли

наконец купить квартиру, и четыре недели оказались полностью посвящены приведению ее в вид, пригодный для проживания. И Настя, и Алексей изначально были категорическими противниками любых кредитов, в том числе и ипотечных, поэтому добросовестно годами копили деньги на новое жилье. Алексей мотался по городам и весям, читая курсы лекций то по два-три месяца, а то и по полгода, Анастасия хваталась за любые переводы, над которыми просиживала каждую свободную от работы минуту, и вот наконец желанная цель оказалась достигнутой: трехкомнатная квартира, «вторичка», в которой после многочисленных предыдущих жильцов нужно было сделать хотя бы косметический ремонт. В течение последних десяти лет хозяева эту квартиру сдавали, и квартиранты привели ее в состояние почти полной разрухи. Накопленных денег хватало как раз на покупку и самый недорогой ремонт, более приличное жилье они бы с имеющимися финансовыми ресурсами не потянули, а ждать еще несколько лет и снова копить уже не было сил. Их крошечная однокомнатная квартирка буквально задыхалась от бесчисленных книг и папок, которые давно уже складывались стопками на полу, потому что на полках место закончилось еще в прошлом веке.

Квартиру купили, оформили отпуска и провели месяц в попытках облагородить будущее жилье, при этом считали и экономили каждую копейку, но копейки эти почему-то исчезали с космической скоростью, а чистоты, порядка и удобства почти не прибавлялось. Солидные фирмы не брались за «бюджетный» ремонт, им нужен размах, финансовые вливания, строительство и отделка загородных домов, одним словом, масштаб, при котором можно побольше заработать и еще больше — просто украсть, а скромный косметический ремонт в городской квартире ни у кого интереса не вызывал. Выслушав пару десятков вежливо-брезгливых отказов, Настя и Алексей принялись сами искать рабочих и мастеров, но быстро выяснилось, что иметь дело со случайными людьми чревато нервотрепкой и скандалами, а также потерей денег и все того же времени. Проведя месяц в ремонтном развале с ежесекундной тратой нервных клеток, Настя радостно вернулась на работу. Надежду уложиться с ремонтом и переездом в один месяц пришлось похоронить, и было решено, что она потихонечку, не спеша, вдумчиво и серьезно будет искать бригаду нормальных мастеров, а Леша примет предложение поработать в Новосибирске над одним очень перспективным проектом, под который выделили солидный грант. На мебель, конечно, не хватит, да и на полный ремонт тоже, но хотя бы на половину... «Будем двигаться поэтапно, — сказал Чистяков. — Куда нам спешить? Мы с тобой тридцать лет прожили в «однушке», еще годик протянем, зато сделаем все по уму и потом будем коротать старость в человеческих условиях».

И вот теперь Стасов спрашивает, не хочет ли она в отпуск...

— Не хочу, — осторожно ответила она. — Я уже отгуляла, ты забыл?

— А вот я хочу, — со вздохом проинформировал ее Владислав Николаевич. — И не в абы какой отпуск, а в настоящий, семейный, с женой и сыном.

Она пожала плечами:

— Ну так поезжай, кто мешает-то? Ты шеф, хозяин, тебе никто не указ. Или ты хочешь меня посадить в свое кресло на это время? Ты эту жертву имел в виду?

— С ума сошла? — возмутился Стасов. — Из тебя начальник как из меня лилипут. Вместо меня Доценко поруководит.

— А что тогда? Владик, заканчивай тянуть из меня жилы, говори уже.

Он как-то странно завздыхал, перестал нависать над Настей и отвернулся к окну.

— Отпусти Таню.

От изумления Настя даже не нашла что ответить.

— Куда отпустить? — глупо спросила она.

— Со мной. Во Францию. По замкам Луары.

— А я-то при чем?

— Ты можешь ее заменить.

Татьяна помимо собственно писательской деятельности периодически проводила семинары с молодыми (впрочем, иногда и с не очень молодыми) авторами, вознамерившимися сделать карьеру на ниве создания детективов и желавшими хотя бы в первом приближении узнать, как устроена правоохранительная система, чтобы не наделать совсем уж грубых ошибок. Имея за плечами многолетний опыт работы следователем, Татьяна могла помочь будущим Конан Дойлам избежать очевидных косяков, которые приводят в бешенство читателей, более или менее знакомых с устройством и функционированием органов правопорядка. Подобные ошибки могут испортить впечатление даже от очень хорошо написанной книги с крепко закрученным сюжетом и яркими характерами.

Гриша Стасов вырос разумным и целеустремленным парнем, изучал политологию в Сорбонне, там же, в Париже, познакомился с девушкой, родители которой предложили устроить большой семейный выезд по замкам Луары, обещая показать и рассказать много интересного и познавательного, такого, чего не расскажут обычные платные экскурсоводы. Предложение поступило неожиданно, и нужно было торопиться с ответом, ибо по каким-то понятным только приглашающей стороне причинам сделать поездку поистине незабываемой можно лишь в том случае, если осуществить ее в течение ближайшего месяца. А Татьяна Образцова так давно мечтала посмотреть эти самые замки Луары... И они так давно никуда не ездили втроем...

Засада, однако, в том, что Татьяна, никак не ожидавшая подобного приглашения, заранее договорилась о проведении цикла индивидуальных занятий с молодым журналистом, решившим написать большой роман, основываясь на материалах реального уголовного дела. Журналист специально приедет из другого города, и отменить мероприятие, перенеся его на другое время, Тане неудобно.

— Он ведь тоже отпуск взял специально под это дело, — сокрушался Стасов, — и жилье снял в Москве, проплатил аренду. У Танюшки окаянства не хватит бортануть его. Если ты не согласишься, она вообще никуда не поедет. Опять же денежек заработаешь, лишними не будут. Зарплата за весь месяц, плюс гонорар, который Таня обычно берет за семинары, плюс можешь набрать переводов, времени у тебя будет вагон, пару часиков в день позанимаешься с этим Сименоном доморощенным — и свободна, как птица в полете!

— Стасов, по-моему, ты придумал какую-то глупость, — сердито ответила Настя. — Как я могу заменить Таню? Ну ты сам подумай! Таня — писатель, мастер, профессионал. А я кто? Чему я могу научить этого мальчика?

— Да не надо учить его сочинять детективы. Ему нужно научиться читать уголовное дело. А тут у вас с Таней уровень знаний одинаковый, у тебя даже и побольше, потому что Таня уже больше десяти лет в отставке, а ты только восемь, ты служила дольше. Ну? Настюха, ну выручи друзей, а?

Теперь зеленые глаза Владислава Николаевича смотрели не весело, как в самом начале, а умоляюще. Насте стало неловко. Отказывать старому другу не хотелось, она искренне любила и его, и Таню, знала обоих лет двадцать и была к ним глубоко привязана. Но и ввязываться в авантюру не хотелось тоже. А чем же еще, как не авантюрой чистой воды, стала бы попытка заняться на склоне лет тем, чему ее не учили и чего она никогда отродясь не делала? Причем заняться не в виде хобби, затаившись в темном уголке и никому не показывая результатов своей неумелой деятельности, а открыто, у всех на виду и за деньги, позиционируя себя крутым профессионалом. Нет, нет и нет. Ей уже пятьдесят восемь, не девочка, чай, подобные эксперименты ей не к лицу.

— Алэ чому самэ я? — неожиданно вырвалось у нее.

Стасов нахмурился, посмотрел недоумевающе.

— Что?

Настя рассмеялась.

— Извини, Владик, просто в голову вдруг пришло. Помнишь фильм «Мертвый сезон»?

— Конечно, это же мое детство. И что?

— Вот и мое тоже. Я его знала практически наизусть. Мы с родителями как-то отдыхали в Крыму, и там по телевизору шел этот фильм, дублированный на украинский язык. Ты же знаешь, я к языкам всегда питала слабость, и вот я сидела перед экраном, вспоминала реплики на русском и слушала, как они звучат по-украински, типа язык осваивала. Там в самом начале, когда героя Ролана Быкова вербуют в разведчики, он спрашивает: «Но почему именно я?» Помнишь?

— Ну да.

— Вот эту фразу я тебе и сказала. Так почему, Стасов? Неужели во всей Москве нет других людей, которые могут объяснить мальчику, что означает тот или иной документ в уголовном деле? Ни за что не поверю.

Стасов посмотрел на нее с жалостью, и Настя почувствовала себя недоумком.

— Во-первых, я хочу дать заработать именно тебе, а не чужому дяде. Во-вторых, Таня доверяет тоже именно тебе, а не кому-то из своих бывших коллег. И в-третьих, если оставить за. рамками обсуждения вопрос доверия, у тебя есть какой-никакой опыт. Ты и занятия в Высшей школе проводила, и Павлика Дюжина натаскивала, я же помню.

— Когда это было! — Настя махнула рукой. — Прошлый век. И потом, Павлика я учила оперативно-разыскной премудрости, а это совсем не то же самое, что преподавать уголовный процесс, да еще неподготовленному человеку, не имеющему минимального фундамента правового мышления. Даже сравнивать нечего!

В течение следующих десяти минут Владислав Николаевич, не жалея красок, расписывал Насте ее же достоинства, объясняя, почему с поставленной задачей лучше всех справится оперативник с многолетним стажем, светлой головой и уймой терпения.

— Давай я позвоню Тане, она подъедет, мы вместе сходим пообедать, и она тебе все объяснит, — наконец сказал он, видя, что все попытки пробить брешь в стене отказа ни к чему не приводят.

— Давай, — вяло согласилась Настя.

Она не собиралась сдаваться, но пользоваться аргументом «у меня не получится» почему-то стеснялась, и ей казалось, что если правильно построить разговор с Татьяной, то она сама откажется от своей идеи, поймет, что Настя для такой работы не годится.

Оставшись одна в кабинете, она немедленно позвонила мужу. Лешка — самый главный ее советчик. И самый лучший.

— Не понял, что тебя смущает? — произнес Чистяков, выслушав краткий пересказ диалога со Стасовым. — Работа по твоему профилю, с использованием твоих профессиональных знаний. Ты чего-то недоговариваешь?

— Да нет же, Лешик, просто... Я никогда не выступала в роли учителя. Я не умею объяснять на пальцах, коротко и понятно, для неподготовленных. Для этого нужно иметь особый талант, а у меня его нет. У Тани есть, а у меня нет, вот и все.

— А у Тани точно есть? — зачем-то спросил Алексей.

— Ну... Наверное, есть, коль она свои семинары ведет и деньги за это получает. Если бы она плохо обучала, у нее не было бы новых учеников, сейчас ведь эпоха интернета, информация мгновенно расходится.

— Это всего лишь твое предположение. Ты сама проверяла?

— Леш, я не пойму, к чему ты клонишь, — сердито отозвалась Настя.

— Но ты согласна, что любое предположение нуждается в проверке? Любая гипотеза, любая версия. Это же основа твоей профессии, разве нет?

— Да, — согласилась она.

— Вот и проверь.

— Проверить — что? Есть ли у Тани педагогический талант?

— Проверь, есть ли он у тебя. Неужели не интересно?

Настя улыбнулась и пожалела, что муж сейчас не видит ее. Наверное, его порадовала бы ее непроизвольная улыбка.

— Интересно. Но стрёмно. А вдруг облажаюсь?

— И что? Мир рухнет? Мало ли кто какие ошибки совершает.

— Но я уже в таком возрасте, когда облажаться стыдно, — неуверенно заметила она.

В трубке послышался смешок, и Настя попыталась представить себе мужа, сидящего в кабинете за письменным столом. Зная его привычки, она была уверена, что в этот момент он крутанулся в своем шикарном «кресле руководителя».

— Асенька, помнишь, несколько лет назад ты смотрела запись «Риголетто» с Пласидо Доминго. Я в опере ничего не понимаю, а ты мне все уши прожужжала о том, какая неудачная затея и как плохо спел Доминго.

— Да, помню. Доминго — тенор, взялся исполнить партию баритона и не справился, спел очень плохо, хотя драматически сыграл вполне достойно.

— Но насколько я помню, ты всегда любила этого вокалиста.

— Любила и до сих пор люблю. Просто одну партию он исполнил неудачно. И...

Она запнулась. Да, Лешка прав, впрочем, как всегда.

Если уж сам Доминго, звезда мировой величины, не побоялся попробовать себя в новом амплуа, выставив последствия своего опрометчивого шага перед всей мировой общественностью, то что говорить о никому не известной и никому не нужной Анастасии Каменской? Доминго ничего не потерял в глазах своих поклонников, не утратил их любви, не стал хуже оттого, что облажался. Даже напротив, приобрел известную долю восхищения своей смелостью. Откуда в голове появляется убеждение, что взяться за что-то и не справиться — стыдно? Это же полная глупость! Уверять окружающих, что ты легко справишься, хотя на самом деле никогда не пробовал, и потом облажаться и тем самым подвести людей, которые в тебя поверили и на тебя понадеялись, — это да, стыдно. Но что может быть стыдного, если честно предупреждаешь всех, что ты не умеешь, что это твой первый опыт и ты не гарантируешь результат? Ровным счетом ничего.

— Какой же ты умный, Лешка, — благодарно выдохнула она.

Решено. К двум часам приедет Таня, они пойдут в расположенное в соседнем доме кафе обедать, Настя подробнейшим образом выспросит, что от нее требуется и как это нужно делать, и поставит непременное условие: если процесс обучения журналиста тонкостям уголовного процесса застопорится или окончательно провалится, она просто не возьмет гонорар. Вот и все. Ничего сложного и ничего постыдного.

* * *

«Проблемы с парковкой — путь к здоровому образу жизни», — насмешливо думала Анастасия Каменская, проезжая мимо очередного магазина, в котором могла бы купить продукты, если бы можно было приткнуть машину где-нибудь поблизости. Машину придется поставить во дворе дома, где парковочные места распределены между жильцами, а въезд предусмотрительно перекрыт шлагбаумом для охраны от чужаков, после чего шлепать в магазин пешком. Имелся и другой вариант: делать закупки раз в неделю в больших торговых центрах с огромными многоэтажными паркингами, но Насте было безумно жаль тратить на это драгоценные часы выходного дня. Ничего, ходить пешком полезно.

Уже начало сентября, а лето словно в самом разгаре, радуется и буйствует, посмеиваясь над загулявшей где-то осенью. Если вдуматься, ситуация не так уж и плоха: через три дня Стасов и Татьяна уедут, на работу в контору ходить не нужно, погода прекрасная, подработка в виде переводов каких-то мутных договоров обеспечена (скучно невыносимо, зато объем огромный и платят неплохо). Правда, на следующей неделе приедет будущая звезда детективного жанра, но после сегодняшнего разговора с Татьяной картина представлялась Насте уже не столь пугающей.

— У него есть какой-то древний материал, в котором нужно помочь разобраться, — сказала Татьяна. — Самое главное — не давать ему возможность следовать журналистским инстинктам. Хочет стать писателем — пусть работает именно как писатель, а не как журналист.

— А есть разница? — удивилась Настя.

— Огромная. Журналист будет пытаться докопаться до правды, чтобы написать убойный материал. Писателю правда не нужна, он создает собственную реальность. Но поскольку это все-таки тоже реальность, она должна основываться на реалиях, а не на выдумках. Твоя задача — объяснить парню, как устроена система и как она работает, что бывает и чего не бывает, что можно, а чего нельзя. В чем разница между следователем и опером, между допросом и опросом, между экспертизой и исследованием. А любимые вопросы русской интеллигенции «кто виноват?» и «что делать?» надо оставлять за бортом и категорически пресекать любые попытки перевести процесс консультирования в журналистское расследование. Идея понятна?

— Вполне, — с облегчением ответила Настя. — А что за материал у него, не знаешь?

— Какое-то старое дело о тройном убийстве. Я так поняла, что кому-то удалось получить доступ в архив и перефотографировать дело.

— Зачем?

Татьяна пожала плечами.

— Да понятия не имею! Я специально не задавала ему лишних вопросов, чтобы не порождать иллюзию, будто истинные обстоятельства имеют какое-то значение. Не имеют. И ты должна стоять на этом, как на охране государственной границы.

— Танюша, а зачем он вообще приедет? Разве все вот эти консультации нельзя было проводить по скайпу, в вайбере, в вотсапе или еще как-то? Для чего все эти сложности: отпуск, поездка в Москву, съемная квартира? Мне казалось, так уже никто не поступает.

Татьяна расхохоталась.

— Я предложила ему этот вариант, но он сказал, что предпочитает обучаться очно. Бред, конечно, но подозреваю, что дело не в этом. Он вцепился в свой материал и боится выпустить его из рук, а если работать дистанционно, то ему придется прислать свою драгоценную добычу мне, и мало ли, кому еще я ее покажу или вообще отдам. Два варианта. Первый: парень действительно собирается написать крутой детектив, а в деле есть какой-то очень красивый сюжетный поворот, который он хочет использовать в собственной нетленке, и он боится, что при преждевременной огласке идею банально сопрут, что случается сплошь и рядом. И второй: мальчишечка привирает насчет будущего писательства, он все-таки намеревается провести журналистское расследование, и в этом деле мы ему никак не помощники. Тут все должно пресекаться на корню. Никакого героизма. В наше время героем имеет право становиться только одиночка, по которому никто не заплачет, а не мы с тобой, пенсионерки с семьями. Подставлять под удар себя — еще куда ни шло, но своих близких — ни в коем случае.

В такой постановке задача казалась Насте вполне выполнимой, и теперь, возвращаясь домой, она уже не совсем отчетливо понимала, чего так испугалась и почему столь яростно отказывалась от предложения Стасова. В конце концов, не боги горшки обжигают. Правда, оставалось еще одно, последнее, сомнение: согласится ли будущий ученик на замену учителя? Все-таки он просил о консультациях именно Татьяну, известного писателя, и именно ей готов был платить за потраченное время, а вовсе не какой-то там Анастасии Каменской. Но Таня заверила ее, что все в порядке, она предварительно поговорила с Петром (молодого журналиста из Тюмени, как выяснилось, зовут Петром Кравченко), объяснила ему ситуацию и встретила полное понимание с его стороны.

Вот и хорошо.

Дома Настя быстро обозрела содержимое холодильника и мысленно составила перечень необходимых покупок, старательно подавляя соблазн составить список на листке бумаги. Со списком, само собой, удобнее и надежнее, но память нужно поддерживать в рабочем состоянии. Воспоминание о допущенной сегодня ошибке с адресами отозвалось неприятной резью в душе. Анастасия Каменская никогда не была ипохондриком, не боялась заболеть, не подозревала наличия у себя страшных и неизлечимых недугов, но страх перед возможным возрастным ослаблением интеллекта и памяти с недавних пор поселился в ней и быстро пустил ветвистые корни.

Когда поздно вечером с работы приехал Чистяков, купленные продукты были оформлены в виде незамысловатого, но приготовленного с любовью ужина, неиспользованные остатки вместе с припасами на ближайшие дни аккуратно разложены по полкам и ящикам холодильника и кухонных шкафов, а сама Настя, босая и растрепанная, сосредоточенно перекладывала и передвигала по полу стопки книг и папок, расчищая пространство.

— Нужно же куда-нибудь посадить ребенка с его ноутбуком, — пояснила она мужу. — Господи, как мы с тобой жили столько лет в такой тесноте?

— Отлично мы жили, — улыбнулся Алексей. — В тебе проросли барские замашки?

Он ловко пристроил в шкаф снятый костюм с сорочкой и переоделся в шорты и футболку. Настя невольно залюбовалась его широкими плечами и длинными сухими ногами. «Какой же Лешка красивый!» — подумала она.

— И когда прибудет этот твой ребенок? — спросил он, поглощая ужин.

— На следующей неделе, в среду.

— О! И как раз в среду я улечу в Новосибирск. «Одна заря сменить другую спешит, дав ночи полчаса», — продекламировал он. — Живешь строго по Пушкину, Асенька. Велик ли ребенок?

— Не знаю. Таня сказала, что вроде бы ему двадцать с каким-то хвостом.

— Длина хвоста имеет значение, — усмехнулся Алексей. — Двадцать один и двадцать девять — разница существенная. Я, если помнишь, в двадцать один год был еще сопливым студентом, ну разве что подававшим некоторые надежды, а в двадцать девять уже выпивал на банкете по случаю присуждения мне ученой степени доктора наук.

Он поставил опустевшую тарелку в раковину.

— Спасибо, Асенька, было очень вкусно. И перестань так нервничать, хорошо? Если уж ты худо-бедно готовить научилась, то с ребенком из Тюмени как-нибудь справишься.

Она изумленно посмотрела на мужа.

— Разве я нервничаю?

— На первый взгляд — нет. Но скажи мне, любимая, какая такая неведомая сила могла заставить тебя, с твоей больной спиной, десятки раз наклоняться и поднимать тяжести? Только нервозность. Готовься, завтра будешь лежать пластом.

Леша посмотрел на ее ошарашенное лицо и рассмеялся.

— Я, конечно, и пожалею, и кофейку в постель принесу, и даже диклофенак тебе в попу вколю, так уж и быть, но все-таки разум-то сохраняй, ладно? У тебя в семье мужик есть, если ты забыла.

Да, Лешка прав. Почему-то он всегда и во всем прав. А она — дурочка. Надо же было такое удумать: стопки книг и папок тягать! Похоже, она действительно нервничает, сама того не замечая. Если спина вздумает жестоко отомстить за совершённую глупость, то пусть месть по длительности ограничится одним-двумя днями, ну пожалуйста! Хороша выйдет картинка, когда в среду явится гость из Тюмени Петр Кравченко, а Настя будет общаться с ним, лежа на доске. Зачем нужно было заниматься расчисткой пространства непременно сегодня? Завтра пятница, впереди два выходных дня, можно было все потихонечку сделать с Лешкиной помощью, до среды еще уйма времени... «Я глупею прямо на глазах, — с ужасом подумала Настя. — Неужели мои страхи оправдываются?»

ГЛАВА 2

Среда

П етр Кравченко оказался молодым человеком двадцати пяти лет, довольно рослым, полноватым, с ранними глубокими залысинами и редеющими вьющимися волосами. Симпатичным, но вполне обыкновенным. Настя сразу пригласила его на кухню выпить кофе и поговорить «для знакомства». Дверь в комнату она предусмотрительно закрыла, чтобы их разговоры не мешали Алексею, которому нужно было собраться в длительную поездку и еще «чуть-чуть поработать».

— Я вас даже знакомить не буду, чтобы тебя не отвлекать, — пообещала она. — Мы на кухне посидим, а ты спокойно занимайся своими делами.

Выяснилось, что материал, на котором Петр намеревался тренироваться, попал к нему в известной мере не случайно. Первоначально флешка с фотографиями страниц уголовного дела находилась у его бывшей однокурсницы, которая, к сожалению, в прошлом году скоропостижно скончалась от какой-то острой инфекции. После смерти девушки Петра разыскала ее тетка и уговорила продолжить работу в память о покойной подруге.

— Я же учился в Москве, на журфаке, — объяснил он. — А Ксюша была москвичкой, и тетка ее тоже здесь живет, так что мы были знакомы еще с университета.

Тетка, а не мама. И получается, что Ксюша приводила Петра в гости не в родительский дом, а к тете. Почему? Была сиротой? Возможно. Или рассорилась с родителями и ушла из дома. Тоже бывает.

— Почему ваша подруга заинтересовалась этим материалом? — спросила Настя. — И что собиралась с ним делать?

Петр посмотрел растерянно. Похоже, к такому вопросу он готов не был. Но ведь вопрос совершенно естественный... И ответ на него не должен вызывать ни малейших затруднений. Однако, судя по его реакции, затруднения есть. Странно.

Еще через полчаса пристрастного допроса картина стала приобретать более или менее внятные очертания. Петр и Ксения были «парой» на протяжении второго и третьего курсов, о свадьбе даже речи не было — вступать в брак в ближайшие годы ни один из них не планировал, и когда девушка увлеклась кем-то другим, Петя даже не особенно горевал, быстро переориентировался и подыскал себе новую подружку. После окончания учебы он вернулся в родную Тюмень, начал работать в местном издании и о Ксюше почти не вспоминал, пока неожиданно не возникла Алла Владимировна, та самая тетка, двоюродная сестра Ксюшиной матери, с сообщением о скоропостижной смерти девушки. Мать Ксюши погибла в автоаварии, когда девочке было лет десять-одиннадцать, до совершеннолетия Ксюша жила с бабушкой по материнской линии, ибо отец в этой семье не присутствовал вовсе, даже номинально. Алла жизнью маленькой племянницы особо не интересовалась, у нее имелись муж и сын и вообще своя жизнь, а с кузиной они никогда не были близки, хотя и жили в одном городе. Но к тому времени, когда Ксюша стала студенткой, ситуация переменилась: муж от Аллы ушел, сын вырос и уехал с друзьями в Словению организовывать собственный маленький гостиничный бизнес, и Алла вдруг вспомнила о дочери давно погибшей сестры. Начала звонить ей, приглашала на спектакли и концерты, иногда подбрасывала деньжат, одним словом, старалась вписаться в роль доброй заботливой тетушки. Руководить жизнью племянницы Алла не стремилась, на мозги не капала, ничего не требовала, и Ксюша совершенно не возражала против наличия старшей подруги, такой светской и элегантной, способной очаровать любого кавалера, вместе с которым девушка придет к ней в гости.

— Когда мы с Ксюшей расстались, я даже иногда ловил себя на мысли, что мне не так жаль наших отношений, как тех посиделок у Аллы, — усмехнулся Петр. — И когда она нашла меня и попросила в память о Ксюше написать книгу на основе тех материалов, с которыми та работала в последние недели своей жизни, я не мог отказать. Не считал возможным.

— Ксения собиралась написать детектив? — уточнила Настя.

— Не знаю, но вряд ли. Мы ведь с ней ни разу не общались после того, как дипломы получили. Тяги к романистике и вообще к художественной прозе в ней раньше не было, во всяком случае, я не замечал, да и сама она никогда ничего такого не высказывала. Ксюша бредила журналистскими расследованиями, громкими разоблачениями, хотела бросать вызов. Может, в последние годы она изменилась... Не знаю.

— То есть Алла Владимировна передала вам материалы племянницы и сказала: «Делай с ними что хочешь, но результат будет в память о Ксении»?

— Ну... да, примерно так.

— И что же вы решили захотеть?

— Напишу детектив.

— Сюжет уже придумали?

— Конечно!

Петр заметно оживился, разговоры о прошлом были ему явно скучны, а вот о своем будущем творении он готов был порассуждать с удовольствием. Он собирался написать роман о том, как ошибочно осужденный человек уже двадцать лет отбывает пожизненный срок и как молодой целеустремленный журналист докапывается до истины, находит настоящего преступника и добивается освобождения невиновного. Боже мой, как скучно! Как избито! Если бы мальчик Петя побольше читал книг и смотрел кино, он бы знал, сколько раз использовали и истоптали ногами этот сюжет.

Настя посмотрела на часы: пора заканчивать, для первого знакомства достаточно, парень только сегодня утром прилетел, пусть обустроится в съемной квартире, отдохнет, а ей самой уже через час нужно будет везти Лешку в аэропорт. Может быть, даже останется время, чтобы посмотреть материалы и подготовиться к первому занятию.

Однако Татьяна оказалась права: оставить ей флешку с фотографиями документов Петр отказался. Настаивать Настя не стала.

— Жду вас завтра в десять утра, — строго произнесла она на прощание. — Свой ноутбук не забудьте принести. Если вы так боитесь доверить мне флешку, то вставлять ее в мой компьютер вы тоже не позволите, я правильно понимаю?

Петр залился краской и сделался от этого отчаянно некрасивым. Насте даже стало жалко его. Закрыв дверь за гостем, она вернулась в комнату, где Чистяков, сидя рядом с раскрытым и полностью собранным чемоданом, просматривал на компьютере какие-то материалы.

— Ребенок не страшный, — объявила она, целуя мужа в макушку. — Думаю, я с ним справлюсь.

— Красивый? — рассеянно спросил Алексей, выделяя цветом какую-то фразу в тексте на экране.

— Обычный. Ты лучше, — улыбнулась Настя.

* * *

В последние восемь лет, после выхода в отставку, Анастасия Каменская старалась сама провожать Чистякова, пресекая его поползновения вызвать такси и не морочиться. Поездок всегда было много, но пока Настя служила, своему времени хозяйкой не была и проводить мужа удавалось крайне редко. Зато теперь, когда она работает у старого друга Стасова, можно в любой момент отпроситься и встретить полное понимание со стороны руководства. Проводить Алексея и встретить — душевная потребность, а вовсе не исполнение супружеского долга, и Стасов это прекрасно понимал. Брак с Татьяной был вторым, а в первом Владислав досыта наелся непонимания, насладился отсутствием тепла и теперь отлично знал, что действительно важно в семейной жизни.

Обычно на обратном пути из аэропорта или с вокзала Настя немного грустила, совсем чуть-чуть, но в этот раз на нее неожиданно, будто в темноте из-за угла, наскочила удушливая беспросветная тоска. Мысль о том, что придется возвращаться домой, вызвала необъяснимое отвращение. Почему? Она всегда так любила свою крошечную квартирку, куда мама и отчим отселили ее сразу же после окончания юрфака, как только Настя пришла на службу в милицию. Это произошло тридцать шесть лет назад... И все эти тридцать шесть лет Настя Каменская обожала свое жилище и считала надежным укрытием от всех бед и невзгод. Да, двум взрослым людям, каждый из которых нуждается в собственном рабочем месте, давно уже тесно и неудобно, но ведь в этих стенах так много общих воспоминаний, так много тепла и любви, столько слез пролито и столько маленьких и больших побед одержано! Умом понимая, что нужна квартира побольше, Настя всегда с болью думала о том, что переезд будет похож на предательство. «Ну как я расстанусь с этой квартирой? — спрашивала она себя. — Мне здесь все нравится, я все это люблю, я к этому привыкла... Я просто не смогу жить в другом месте».

Первый звоночек прозвенел в тот день, когда она перетаскивала книги, освобождая место для будущего ученика. Тогда в голове пролетело: «Почему это я не смогу жить в другом месте? Очень даже смогу». Мелькнуло и тут же забылось, оставив во внешнем мире почти незаметный отпечаток в виде вопроса, в сердцах брошенного мужу: «Как мы столько лет жили в такой тесноте?» Сегодня же из привычной грусти, вызванной расставанием с Лешей, внезапно проросло невесть откуда взявшееся желание поскорее переехать в более просторное жилье, и вообще — в другое, в новое. Нежелание покинуть старые привычные стены показалось странным и каким-то глупым. И возвращаться домой отчего-то совершенно не хотелось.

Навигатор послушно перестроил маршрут, и минут через сорок Настя уже ставила машину возле дома, где находилась недавно приобретенная квартира. Она долго бродила по пустому унылому помещению, то и дело задевая ногой валяющиеся остатки материалов. Да уж, работы предстоит еще много, жить здесь пока нельзя, но помечтать-то можно? Вообще-то они с Лешкой уже все распланировали и распределили: в самой маленькой комнатке сделают спальню, в средней по величине — кабинет Чистякова, а рабочее место для Насти оборудуют в большой комнате, в уголке, рядом с окном. Этот уголок она сама облюбовала в первый же день, как только увидела квартиру, еще на показе с риелтором. Вот здесь, у этой стены, будет стоять удобный диван, непременно раскладывающийся, чтобы было где устроить на ночь гостей, а на противоположной стене они повесят большую плазму и будут смотреть кино, сидя рядышком... Места для встроенных шкафов-купе тщательно вымерены, благо прихожая достаточно просторная, а все оставшееся пространство займут книги. В новом жилище будет уютно и удобно, но настанут сии сладостные времена еще очень не скоро.

Приятных мечтаний надолго не хватило, они быстро растаяли под натиском мысленных перечислений того, что предстояло сделать. Проводку всю поменять обязательно, трубы тоже, ибо неизвестно, как и из каких материалов делали их прежние хозяева, и часто случается, что при въезде в приобретенную «вторичку» новые жильцы сталкиваются со старыми проблемами, разрешить которые возможно лишь при условии уничтожения только что законченного ремонта. Стеклопакеты придется поменять. Стены нуждаются в выравнивании. Единственное, что удалось Насте и Чистякову за месяц отпуска, это привести в порядок пол и заделать огромные трещины в стенах.

Ей стало скучно. Надо ехать домой, нечего бродить тенью отца Гамлета по просторам далекой мечты, от бессмысленного шатания между пустыми стенами эта самая мечта ближе не станет.

* * *

Я смотрю на себя в зеркало каждое утро и каждый вечер. Это обязательный ритуал, как для некоторых — бесконечное повторение мантр. На мантры у меня нет времени, слишком много дел и забот, но дважды в день несколько минут, проведенных наедине со своим отражением, дают мне возможность почувствовать уверенность в себе и насладиться ею. У меня прямой и открытый взгляд, глаза большие и светлые, и когда я улыбаюсь, мне никто не может отказать. Я все смогу, у меня на все хватит сил, терпения и выдержки. Я никогда не сдаюсь. Я преодолею любые препятствия и любые трудности. И пусть есть люди, которые в этом сомневаются. Просто они еще не знают меня. Они думают, что мы похожи, мы из одного теста слеплены, они — такие же, как я. А вот и нет. Они — жертвы обстоятельств, покорные рабы мифов о финансовом благополучии, которое якобы способно обеспечить благополучие внутреннее. Заработай денег — и будет тебе счастье! Накачай мышцы, надуй силиконом губы и груди, купи виллу в Майами, попади в верхние строчки Форбса... Глупцы. Тупые и недалекие ослы, послушно плетущиеся за морковкой, которой их манят, при этом еще и хвостиком радостно помахивающие. Все эти люди не понимают, в чем настоящее удовлетворение.

Оно в том, чтобы прогнуть жизнь под себя. В том, чтобы сделать то, чего не смогли другие. Впервые журнал «Форбс» опубликовал список богатейших американцев сто лет назад, в далеком 1918 году. Сколько человек за сто лет попадало в этот список? Да тысячи! Что выдающегося может быть в том, чтобы оказаться одним из многих тысяч? Ровным счетом ничего. Очередное стадо. А Ник Вуйчич — один. Он уникален. Он сделал то, чего не смог больше никто.

Конечно, я далеко не Ник Вуйчич, и природа пощадила меня, не наградив тетраамелией, у меня все конечности на месте и здоровье отличное. Но пример Ника учит меня: если люди вокруг говорят, что «это невозможно», — не верь. Просто делай. Когда не получается — не опускай руки, возьми паузу, сядь и подумай, почему не получилось, где ошибка в расчетах и что нужно сделать по-другому, чтобы все-таки получилось.

Так, и только так.

Говорят, что у врачей, особенно у практикующих хирургов, со временем вырабатывается комплекс Бога, им начинает казаться, что они властны над смертью и могут по собственному желанию заставить ее отступить, продлевая жизнь.

Я не врач, и желания быть хирургом у меня никогда не было. Но вера в то, что «я могу», — была. И есть.

И ужасно забавно, что ни один человек в моем окружении об этом не знает. Никто меня не чувствует. Все полагают, что мы из одного теста.

Интересно, как они отреагируют, когда узнают? Представляю, как вытянутся их физиономии...

ГЛАВА 3

Четверг

П етр Кравченко позвонил в дверь без пяти минут десять. Не опоздал. Это хорошо. Клетчатая сорочка с короткими рукавами открывала мощные бицепсы, которые вчера под легкой ветровкой Настя не разглядела. Висящая через плечо сумка с ноутбуком и немного робкий вид делали Петра похожим на студента, пришедшего на пересдачу ранее проваленного экзамена.

Ну что ж, начнем. Настя полагала, что самый эффективный способ обучения — на собственных ошибках. Если давать вначале голую теорию, то без практического применения она все равно в голове не отложится, только время впустую потратишь. Поэтому пусть молодой журналист сперва сам расскажет, какие выводы он сделал из прочитанных материалов, а потом Настя попробует объяснить, в чем он оказался прав, а в чем ошибался и почему.

Если Петр и удивился такому плану, то вида не подал, послушно кивнул и принялся излагать. В 1998 году в Москве, в одной из коммунальных квартир в центре столицы, были убиты супруги Даниловы и их шестилетняя дочь. Через два с половиной месяца после убийства в милицию явился сосед Даниловых по коммуналке и написал явку с повинной. Сотрудничал со следствием, давал показания, потом начал путаться, а на суде от показаний отказался, заявил, что в милиции его били и заставили признаться в убийстве, которого он не совершал. Однако суд к его словам не прислушался и впаял парню пожизненное лишение свободы, которое он и отбывает по сей день.

Это те факты, которые содержались в изложении Петра. Все остальное, как показалось Насте, основывалось на логических построениях самого журналиста.

— Вы уверены в невиновности осужденного? — спросила она. — Или мне показалось?

— Уверен. Думаю, что Ксюша работала именно над этой линией. Ну ясно же, как божий день, Анастасия Павловна: трех человек убили, милиция за два с половиной месяца преступление не раскрыла, начальство дергает, требует результат, вот они и прижали первого попавшегося, кто послабее, забили до помрачения рассудка, запугали и заставили признаться. И перед начальством отчитались, дескать, тройное убийство раскрыли.

— Понятно, — кивнула она. — Сколько томов в деле?

— Семь.

— И вы прочитали все семь?

Глаза Петра метнулись в сторону, но всего лишь на мгновение.

— Нет, — признался он, — только приговор.

— А что так?

— Я начал, но быстро запутался. Там все так сложно, и я не понимал, какие документы нужно читать, а какие можно пропустить.

— Что ж, давайте посмотрим. Только сначала выполним маленькое вводное упражнение.

Настя протянула ему листок бумаги.

— Садитесь к столу и пишите крупными печатными буквами.

Петр молча пересел с дивана за стол и взял ручку.

— «Один и тот же набор фактов может породить совершенно разные истории», — мерно диктовала она. — Кавычки закрыть. Джеймс Кэрол. Кавычки открыть. «Хищница». Кавычки закрыть. Написали?

— Да.

— Теперь возьмите кнопки, они вон там, на подоконнике, в коробочке, и прикрепите этот листок так, чтобы он постоянно был у вас перед глазами.

«Интересно, спросит он, зачем это нужно? Или молча выполнит указание?» — подумала Настя.

Петр ничего не спросил. Мальчик не опаздывает и не задает лишних вопросов, есть все основания полагать, что он действительно хочет чему-то научиться.

Она села рядом с Петром, положила на колени пластиковый планшет, подсунув под скобку зажима изрядную стопку чистой бумаги.

— Открывайте первую фотографию.

Щелчок — и на экране появилась корочка уголовного дела с указанием имени и фамилии обвиняемого, перечнем статей Уголовного кодекса и датами начала и окончания.

— Дальше.

На второй фотографии оказалась еще одна корочка, с точно такой же информацией, но заполненная совсем другим почерком. На третьей — опись документов первого тома.

— Дальше.

Теперь перед Настей было окончание описи. Она записала на листке: «стр. 1 — 35 документов, стр. 3 — 1 док., стр. 2 пропущена. Всего: 74 док., на 337 стр.»

— Дальше листаем? — спросил Петр.

Она отрицательно покачала головой.

— Вернитесь в проводник, пожалуйста.

— Зачем?

— Объясню. Вернитесь. А теперь скажите мне, сколько файлов в первом томе.

Петр растерянно посмотрел на нее.

— Не знаю... Надо посчитать.

— Ну так считайте. Я подожду.

«Если ответ последует быстро, значит, мальчик сообразительный, но при этом может оказаться глупым, а может и умным. Есть два способа получить быстрый ответ, но один из них правильный, а другой — неправильный. Правильный способ должен повлечь за собой новые вопросы, ответ на которые потребует дополнительного времени. Если будет считать долго, стало быть, он умнее, чем я думаю. Посмотрим».

Она вышла на кухню в надежде на лучшее: Петр все-таки окажется умным и будет считать долго и тщательно, за это время она успеет выпить чашку кофе. Но надежды не оправдались: кофемашина еще не успела нагреться, как из комнаты раздался голос:

— Четыреста двадцать!

Настя вздохнула, вставила капсулу, нажала кнопку.

— Кофе хотите?

— Да, спасибо, если можно.

Послышались шаги, Петр появился на кухне.

— Анастасия Павловна, я не понял, почему файлов четыреста двадцать.

Она усмехнулась и достала из шкафа вторую чашку с блюдцем, а из коробки — еще одну капсулу.

— А сколько должно быть?

— Триста тридцать семь.

— Триста тридцать девять, — поправила она. — Две фотографии корок, они в описи не учитываются.

— Ну да... Но все равно не четыреста двадцать! Откуда четыреста двадцать-то взялись?

— Держите, — Настя подала ему чашку, — сахар на столе, если нужно. Молока и сливок нет, не обессудьте. Как считали? По номерам?

Вопрос, конечно, риторический, ей и без того понятно, что если ответ последовал так быстро и число столь велико, значит, Петр посмотрел на номера первой и последней фотографий и из большего числа вычел меньшее, то есть выбрал неправильный способ. Примитив!

— Ну да... А как еще посчитать? Не вручную же?

— Именно что вручную. Если не хотите вручную, то там внизу сбоку есть такая строчечка, на которой указано количество элементов в папке, можете туда посмотреть.

— Ёлки... Ну точно, как же я забыл!

Петр быстро поставил чашку на кухонный стол и метнулся в комнату.

— Двести пятьдесят девять, — растерянно проговорил он, после чего снова появился в кухне. — Ничего не понимаю. Почему цифры так пляшут?

Настя взяла свою чашку, и они вернулись в комнату.

— На листочек посмотрите, — она с улыбкой ткнула шариковой ручкой туда, где красовался лист с собственноручно выполненной Петром надписью. — Вот вам первый маленький набор фактов, даже не фактов, а просто чисел. Количество листов в первом томе, количество сделанных фотографий, количество файлов. Я пока покурю, а вы придумайте мне как минимум две разные истории, в которые достоверно вписываются все три числа.

Петр в задумчивости смотрел на экран, машинально листая фотографии.

— Вообще-то понятно, почему кадров сделано больше: дело толстое, плохо раскрывается, фотографировать неудобно, и не все кадры получаются удачными. Чтобы переснять триста тридцать девять объектов, пришлось потратить четыреста двадцать кадров. Неудачные не используются, но номера-то остаются.

— Разумно, — согласилась Настя. — Продолжайте.

— А вот почему файлов меньше, чем переснятых объектов... Первый вариант: человек сфотографировал не все объекты. То есть не все страницы. Хотя нет, так не получится, номера-то в счетчике идут последовательно. Если что-то пропускали при пересъемке, номера все равно шли бы подряд, и последний номер минус первый должен давать результат, равный числу фотографий.

— Хорошо. Еще варианты?

— Человек сфотографировал все страницы, а когда формировал флешку, некоторые пропустил.

— Почему?

— По невнимательности.

— Еще?

— Вирус в компьютере сожрал часть файлов.

— Еще?

— Кто-то, кто был заинтересован, тайно влез в компьютер этого человека или завладел его фотоаппаратом и уничтожил некоторые файлы.

— Еще?

— Флешка формировалась пристрастно...

Петр выглядел озадаченным.

— Погодите, Анастасия Павловна, но ведь получается, что по этим материалам нельзя анализировать дело. Если только в одном первом томе не хватает почти восьмидесяти страниц, то скольких же недостает во всех семи томах?

— Дело анализировать нельзя, — с улыбкой согласилась Настя.

— Выходит, я напрасно приехал? Напрасно все это затеял?

— Вовсе нет. Если вы искренни, конечно. Нам с вами ничто не мешает посмотреть имеющиеся документы, и, если у вас возникнут вопросы, я объясню вам, почему документ составлен так, а не иначе, и что означает в нем каждое слово, и вообще зачем этот документ нужен. Татьяна Григорьевна именно так изложила мне цель наших с вами консультаций. А вот если вы собрались проанализировать дело в полном объеме и написать громкую разоблачительную статью, то с этим — не ко мне. Моя задача — проконсультировать вас как начинающего автора детективов, а не помогать вам в журналистском расследовании.

Петр выпрямился и посмотрел на нее прямо и даже с вызовом. Теперь он совсем не был похож на робкого студента, дрожащего в преддверии страшного экзамена.

— А как же истина, Анастасия Павловна? Как же идея справедливого правосудия? Неужели вам все равно?

Она вздохнула. Милый наивный мальчик с головой, набитой мифическими идеалами... Сколько болезненных ударов и разочарований ждет его впереди!

— Дорогой Петр, в ваших словах содержатся целых три позиции. Об истине, о справедливости правосудия и о моем равнодушии. Обсуждать все три пункта сейчас мы не будем, а об истине поговорим завтра.

— Почему не сегодня? — набычился молодой человек.

— Хорошо, — Настя проявила неожиданную покладистость, — давайте сегодня. Не далее как час тому назад вы мне рассказывали о том, какая милиция беспомощная, два с половиной месяца не могла раскрыть убийство и от отчаяния выбила явку с повинной из первого попавшегося невиновного. Я правильно излагаю?

— Ну... Я понимаю, конечно, что схватили не совсем первого попавшегося невиновного, так не бывает. Берут кого-то, кого реально можно подозревать, например, ранее судимого, или доставленного за пьяную драку, или за наркоту, в общем, такого, на кого уже что-то есть, и додавливают. Но в целом — да, все правильно.

— Хорошо, — она кивнула. — Когда произошло убийство?

— Двадцатого июня девяносто восьмого года, — ответил Петр, ни секунды не раздумывая. — В приговоре эта дата повторяется неоднократно, поэтому я точно запомнил.

— А когда возбуждено уголовное дело?

— Не знаю... А где посмотреть?

Настя улыбнулась.

— Где посмотреть, — насмешливо повторила она. — Вы эту дату видели сегодня как минимум два раза. На корках дела. Так вот, оно возбуждено третьего сентября. И закончено второго июля следующего года.

— Ну да, как раз третьего сентября и была написана явка с повинной. Что не так-то?

— Да все не так! Откуда вы можете знать, что по убийству в течение двух с половиной месяцев ничего не было сделано, если дело не возбуждалось? Почему оно не возбуждалось? Когда был обнаружен сам факт убийства? Когда? В тот же день? На следующий? Через неделю? Милицию вызвали, но дело не возбудили? Вы так себе это представляете? Плохих сериалов насмотрелись?

Настя разозлилась и даже не старалась это скрыть.

Петр молчал.

— Ваша истина, за которой вы так стремитесь угнаться, не более чем красивая история, которая вам нужна, чтобы прославиться, — продолжала она уже спокойнее. — Я сейчас скажу одну вещь, которая покажется вам ужасной и даже кощунственной, и обсуждать ее мы пока не будем. Пусть мои слова полежат в вашей голове, обживутся в ней, и через пару дней мы сможем продолжить нашу дискуссию. Готовы?

— Готов.

— Так вот, дорогой мой Петр: истина как таковая, сама по себе, никому не нужна. Для каждого человека истина — всего лишь инструмент для достижения какой-то личной цели. Те, кто утверждает обратное, либо глупцы, либо лжецы и лицемеры. Все, философская часть сегодняшнего урока закончена, переходим к практике. Открываем следующий лист дела и читаем вслух.

— Почему вслух? — не понял Петр.

— Потому что вы не даете мне флешку, чтобы я могла читать на своем компьютере. А сидеть с вами рядом и смотреть в ваш ноутбук сродни подглядыванию из-за плеча. Если вы так боитесь за свои материалы, могу предложить вам компромиссный вариант: каждый документ, с которым мы будем подробно работать, вы распечатаете, принтер вон там, в углу стоит. Распечатки будете забирать с собой. Тогда у вас будет полная гарантия, что я никому ничего не передам.

Журналист залился краской, точно так же, как накануне, когда уходил, и Настя почти смутилась. Чего она так наехала на парня? Напугала только... Мягче нужно, спокойнее.

Петр, похоже, обиделся. Пока подключал принтер к ноутбуку и печатал первый документ, не произнес ни слова. Взяв еще теплый лист, Настя примирительно улыбнулась:

— Не сердитесь, Петр. Если я не стану проявлять жесткость и начну гладить вас по головке, то за месяц мы с семью томами не разберемся, поверьте. Вы пришли за положительными эмоциями или за результатом? За эмоциями — это туда же, куда и за журналистским расследованием, то есть никак не ко мне. Если за результатом — то начинайте читать вслух, а я буду смотреть глазами по распечатке.

— Постановление о возбуждении уголовного дела, — разнесся по комнате торопливый говорок Петра, — Москва, третье сентября тысяча девятьсот девяносто восьмого года... старший следователь прокуратуры... юрист третьего класса... ознакомившись с поступившими в его распоряжение материалами, а именно: с явкой с повинной Сокольникова Андрея Александровича... согласно которой он двадцатого июня тысяча девятьсот девяносто восьмого года в помещении квартиры... дома номер... по улице... города Москвы совершил убийство Данилова Г.С. и Даниловой Л.И... Учитывая, что указанная явка с повинной является достаточными данными, указывающими на признаки преступления, предусмотренного статьей сто пятой, частью второй, пунктом «а» УК РФ... а потому, руководствуясь статьями... постановил: возбудить по указанному выше поводу уголовное дело по признакам статьи...

Петр дочитал постановление и сделал паузу.

— Там внизу еще приписка есть от руки.

— Да, я вижу, — отозвалась Настя.

Под текстом постановления красовалось выведенное перьевой ручкой: «Продолжите расследование», и дата — 01.01.1999. Первое января, вся страна отдыхает после праздничной ночи, а человек службу несет, в чужих делах разбирается. Не позавидуешь.

— Это дежурный прокурор срок следствия продлевал.

— Откуда вы знаете? Здесь нигде не написано, что он дежурный.

— На дату посмотрите. Первое января — нерабочий день. Кстати, совет на будущее: если вы хотите написать художественное произведение, обязательно обращайте внимание на место и время составления документа, не забывайте смотреть в календарь и фиксировать дни недели, праздники и выходные. Иначе вы никогда не сможете составить в голове правдоподобную картину, в которой поведение людей объяснялось бы достаточно логично.

— А-а, ясно... Про сроки следствия расскажете?

— Не вопрос.

Она достала с книжной полки Уголовно-процессуальный кодекс. Первая мини-лекция началась.

ГЛАВА 4

Пятница

Неожиданно для самой себя Настя сведничала и велела Петру выполнить домашнее задание: сличить описи каждого из семи томов с имеющимися файлами и составить список отсутствующих либо частично представленных документов.

— Не пытайтесь успеть непременно к завтрашнему дню, — смилостивилась она, заметив выражение ужаса в глазах журналиста, — никакой спешки нет. Но сделать это нужно.

Конечно, радужные картинки, нарисованные Стасовым, согласно которым «два часа позанимались — и весь день свободна», оказались весьма далеки от реалий, ибо первый же документ — постановление о возбуждении уголовного дела — потребовал массы разъяснений и дополнительной информации. Прозанимавшись почти до пяти вечера, Настя выпроводила Петра, потому что устала и стала хуже соображать. А вот Петр, в отличие от нее, был полон сил, ни капельки не устал и горел энтузиазмом. Ах, молодость, молодость... Когда-то и она, Настя Каменская, была такой же неутомимой, жадной до работы, могла сутками не спать. Теперь не то.

Второй день занятий начали со следующего документа, которым оказался протокол явки с повинной.

— Оперуполномоченный второго отдела... — снова забубнил Петр, передав Насте распечатку, — майор милиции Шульга С.В. на основании статьи сто одиннадцать УПК РФ составил настоящий протокол в том, что гражданин Сокольников Андрей Александрович... тысяча девятьсот семьдесят первого года рождения... уроженец... проживает... не работает... явился с повинной в органы милиции и, будучи предупрежден об уголовной ответственности за заведомо ложный донос по статье триста один УК РФ... дальше пропуск и какая-то подпись...

— Это Сокольников расписался, чтобы подтвердить, что его действительно предупредили, — пояснила Настя. — Вообще-то полагается оформлять отдельным документом, но иногда делали и так, потому что процессуальные документы имеет право составлять только следователь, а оперативник таких прав не имеет, вот и выходили из положения. Давайте дальше.

— ...показал, что двадцатого июня тысяча девятьсот девяносто восьмого года совершил убийство в квартире... дома номер... по улице... мужа и жены Даниловых, совершивших до этого убийство своей дочери, Даниловой Наташи, шести лет. При этом Данилову Людмилу он убил из пистолета-авторучки, а Данилова Георгия ударил по голове газовым ключом в процессе обоюдной борьбы. Трупы всех трех членов семьи Даниловых на своей автомашине «Мазда» он вывез в Троицкий район Московской области и закопал в лесном массиве. Дальше другим почерком: «С моих слов записано верно, мною прочитано». Дальше: «Явку принял», подпись Шульги.

Петр сильно щурился, напрягая глаза, и Настя поняла, что дело не в плохом зрении, а в необходимости разбирать рукописный почерк. На ее взгляд, почерк у майора Шульги был отличным: четкий, выработанный, ровный, легко читаемый, но... Нынешнее поколение молодых благодаря бурному развитию новых технологий не имеет навыка читать и разбирать рукописные тексты, да и писать ручкой скоро разучатся. Сережа Шульга... Она его помнила, хотя и не знала близко, просто сталкивались пару раз, когда ее отдел на Петровке подключали к оперативному сопровождению расследования преступлений, совершенных на той территории, где работал Сергей. Он был грамотным и профессиональным, но Настя видела, какие часы он носит на запястье и на какой машине ездит, и понимала, что этот оперативник, увы, уже не из старой гвардии. Девяносто восьмой год! Как давно это было! Кажется, в начале двухтысячных она слышала, что Шульга умер. Не погиб при исполнении, а именно умер, причем как-то нелепо: в обрывках разговоров, всплывших в памяти, фигурировали баня, паленая водка и какие-то криминальные авторитеты.

— Прошу вас, — Настя сделала приглашающий жест рукой. — Я слушаю.

Петр растерялся, взглянул вопросительно.

— Что я должен сказать?

— Все, что считаете нужным. Мы изучили два документа: постановление о возбуждении дела и протокол явки с повинной. Что заметили? На что обратили внимание? Что непонятно? Может быть, что-то смущает?

Молодой человек пожал плечами, бросил еще один взгляд на экран ноутбука.

— Да нет, все понятно. Дело возбудили, явку приняли.

— Наоборот, — поправила она, — сначала явку приняли, потом дело возбудили. Подшито не в том порядке, потому что постановление о возбуждении дела всегда идет вначале, а все остальное уже потом. Так положено. Так что, вопросов нет?

— Нет.

— Хорошо, тогда идем дальше. Какой там следующий документ?

— Допрос Сокольникова, где он рассказывает, как все произошло.

— Читали?

— Пытался, но там... В общем, там не все страницы есть, много пропущено. И от руки написано. Я начал, но быстро сломался.

— Распечатывайте, — вздохнула Настя.

Первый допрос задержанного Сокольникова выглядел и впрямь более чем странно: титульная страница отсутствовала, текст начинался с разъяснений прав: не свидетельствовать против себя и близких родственников; иметь защитника с момента объявления протокола задержания; а также разъяснения, в каком именно преступлении подозревается допрашиваемый. Кстати, о протоколе задержания... В описи, насколько Настя помнила, он числился под номером 3, между протоколом явки с повинной и протоколом первого допроса.

— Нет, — сказал Петр, — в файлах протокола задержания нет.

— Как думаете, почему?

— Наверное, там нет ничего важного.

Может быть, может быть... Ладно, посмотрим.

Итак, задержанный после явки с повинной Андрей Сокольников, двадцати семи лет от роду, подробно и последовательно рассказывал о том, как все произошло. С семьей Даниловых он соседствовал по коммунальной двухкомнатной квартире в течение трех с половиной лет, отношения первое время были нормальными, вполне дружескими, даже строили совместные планы ремонта стремительно ветшавшей жилплощади; затем отношения стали портиться, Даниловы начали злоупотреблять спиртным, не оплачивали телефон, не платили за коммунальные услуги, не выносили мусор, не мыли плиту, не производили уборку мест общего пользования... Перечень претензий к соседям был длинным и подробным, с описанием каждого имевшего место конфликта, и занимал несколько страниц, на которых живописно рисовались картинки от «несмывания за собой в туалете» до «Данилов бросился на меня с ножом». Затем страницы отсутствовали, и повествование возобновлялось с убийства Людмилы и Георгия в ходе обоюдной драки, при этом начало конфликта тоже оказалось пропущено, и было совершенно непонятно, с чего началась ссора и — самое главное! — как погибла шестилетняя девочка. Затем шел рассказ о том, как Сокольников вывозил за город трупы и закапывал их. Затем снова пропуск, после которого имелась лишь самая последняя страница протокола, на которой сверху от руки было написано: «Иных замечаний и дополнений на данный момент не имею», подпись Сокольникова, подписи старшего следователя и заместителя прокурора. Все.

— Как вы думаете, что было на последних пропущенных страницах? — спросила Настя.

У нее имелись предположения, но ей было важно, чтобы Петр сам начал думать.

— Трудно сказать... Трупы вывез, закопал, одежду сжег... Вроде он все рассказал, а судя по номерам, там еще три страницы должны быть.

— Думайте. Поставьте себя на место следователя. Перед вами сидит молодой человек, который рассказывает, как два с половиной месяца назад убил целую семью и теперь пришел с повинной. О чем вы его спросите?

— Не знаю. Мне кажется, следователь спросил все, что нужно.

Она вздохнула.

— Плохо, Петр. Существуют как минимум еще три обстоятельства, которые следователю необходимо было прояснить в ходе допроса. Первое: убийства в том виде, как они описаны Сокольниковым, должны были породить обильные следы крови. Понятно, что человек не станет жить два с половиной месяца среди кровавых следов, особенно такой человек, как наш Андрей Александрович, — приверженец чистоты и порядка. Значит, он следы уничтожал и квартиру отмывал. Как? Чем? Когда? Второе: три человека внезапно исчезают, и что, никто этого не заметил? Никто их не искал? Наверняка искали, и звонили по телефону им, и домой приходили, но заявления в милицию о розыске никто, судя по всему, не подавал. Это означает, что Сокольникову довольно ловко удалось убедить всех интересующихся, что все нормально, люди уехали, например, в отпуск, благо дело было летом.

— Рискованно, — заметил с сомнением Петр. — Им же могли позвонить на мобильный, чтобы убедиться, что они в отпуске, и забеспокоиться, когда ни один номер не отвечает.

Настя рассмеялась. Боже мой, как быстро все меняется!

— В девяносто восьмом году мобильные были далеко не у всех, по тем временам такое удовольствие считалось дорогим. Это сейчас можно купить аппарат практически на любой карман, а если серый — так и вовсе за копейки, а тогда за трубку нужно было выложить приличную сумму, да и разговоры были не дешевыми. Если хотя бы половина того, что Сокольников рассказал на допросе, правда, то есть муж и жена Даниловы регулярно попивали и постепенно опускались, то я готова голову дать на отсечение, что у них не было не только мобильников, но и пейджеров. Так что слова об отъезде в отпуск, например, куда-нибудь в деревню, проверить невозможно. Следователь обязательно должен был задать соответствующие вопросы.

Она сделала паузу, вернулась к первой странице протокола, усмехнулась.

— А третий пункт вы должны сформулировать сами, дорогой Петр. Направление мысли я вам задала, думайте.

— Ну Анастасия Павловна, так нечестно! Я же не специалист в уголовном процессе, я ничего в нем не понимаю, а вы хотите, чтобы я догадался. Хоть подскажите: мне нужно что-то в кодексе посмотреть? В каком разделе?

— Вопрос не на знание права, а на знание жизни. Думайте. В кодекс смотреть не нужно, достаточно просто напрячь извилины.

Настя посмотрела на обескураженное лицо журналиста и рассердилась на себя. Взрослый парень, самостоятельный, получил высшее образование, работает, к чему-то стремится, хочет написать книгу, а она с ним разговаривает, как с малолетним недоумком. Стыдно. Не выйдет из нее педагог, зря Таня на нее понадеялась.

— Начните с первой страницы, с листа разъяснений, — посоветовала она, смягчив тон. — Обратите внимание на разъяснение права на защиту.

Петр защелкал мышкой, листая фотографии, нашел нужную, пробежал глазами.

— В настоящее время я готов дать показания без защитника, от последнего отказался не по материальным соображениям, — прочел он вслух. — Это?

— Да, — кивнула она. — А теперь последнюю страницу посмотрите.

— Так там же ничего нет! — удивился Петр. — Замечаний и дополнений не имею, и три подписи.

— Там есть одно очень важное слово: «иных». Читайте внимательно. «Иных замечаний и дополнений на данный момент не имею». Значит, на предыдущей, пропущенной, странице есть как минимум одно замечание к протоколу. А возможно, и не одно.

— Это означает что-то важное? — в голосе Петра зазвучала напряженная настороженность.

— Как знать... Давайте на минутку представим себе, что вы правы в своих первоначальных предположениях и все было именно так, как вы мне рассказывали. Андрей Сокольников — удобная легкая жертва милицейского произвола. На допросе он говорил о том, что дважды обращался к участковому по поводу ненадлежащего поведения соседей, и участковый предложил им разъехаться, коль уж они не могут ужиться под одной крышей. В описи материалов первого тома пропущена вторая страница, и я готова сделать немыслимое допущение, что именно на второй странице указаны документы, из которых следует, что информация о загадочном исчезновении семьи Даниловых у милиции была задолго до того, как их сосед явился с повинной. Я просила вас сделать сверку материалов по описям. Сделали?

— Только первый и второй том пока.

— Ну и как? Есть там такие материалы?

— Во втором томе точно нет, там опись полностью сфотографирована. А насчет первого тома не уверен, потому что многие файлы пропущены, а второй страницы описи нет, и невозможно определить, чего не хватает.

— Хорошо, сегодня я буду доброй и проявлю чудеса доверчивости: в милиции знали, что Даниловы пропали, их искали, подозревали убийство, опрашивали свидетелей. Дошло дело и до участкового по месту жительства Даниловых, и тот вспомнил, что имел место длительный конфликт с соседом, даже парочку заявлений от этого настырного соседа показал. Молодой, задиристый, неуживчивый, неработающий — просто золотое дно для выбивания явки с повинной. Протокола задержания, как мы помним, нет, он благоразумно пропущен, поэтому я делаю следующий шаг доброй воли вам навстречу и допускаю, что плохие злые дяди-милиционеры ворвались в квартиру, схватили Сокольникова, выкрутили ему руки, стали бить тяжелыми ботинками в живот, надели наручники и увезли в околоток, где продолжили физические и моральные издевательства, пока окончательно не сломили его волю и не заставили признаться в убийстве. Если вы не можете поставить себя на место следователя, то поставьте себя хотя бы на место задержанного. Представьте, что вы действительно невиновны, никого не убивали, ваши соседи куда-то уехали, но поскольку отношения с ними натянутые, чтобы не сказать плохие, они вас ни о чем не предупреждали, а сами вы вопросов им не задавали. Вы вообще почти не разговаривали. Вы живете своей спокойной жизнью, и вдруг посреди полного здоровья к вам врываются, избивают, сажают в обезьянник и заставляют признаться в убийстве. Вы полностью деморализованы, следователь вас допрашивает, допрос длится очень долго... Жаль, что пропущена титульная страница, там проставляется время начала и окончания допроса, так что теперь о его длительности можно судить только предположительно, но, — она снова взяла в руки опись, — протокол занимает восемь листов дела, это шестнадцать страниц. Немало. Допрос долгий. Представили?

Петр откинулся на спинку дивана, прикрыл глаза, о чем-то размышляя.

— Вы хотите сказать, что в таком состоянии человеку будет не до замечаний к протоколу? — задумчиво пробормотал он.

— Именно, — улыбнулась Настя. — Чтобы принести замечания, Сокольникову нужно было внимательно и вдумчиво прочитать шестнадцать страниц рукописного текста, ну хорошо, пусть пятнадцать, учитывая, что на последней странице почти ничего нет, и сформулировать как минимум одну поправку. В показаниях Сокольникова очень много деталей. Если он не убивал, значит, должен был выучить все эти подробности наизусть, потом проверить, насколько правильно они отражены в протоколе, найти неточности и указать на это следователю. Как вы считаете, это реально? Сначала тебя неожиданно задерживают, потом бьют и запугивают, потом ты заучиваешь наизусть довольно сложную картину, потому что обоюдная драка — это всегда очень сложно, в отличие от заранее спланированного убийства, потом выдерживаешь длинный допрос и не путаешься, а потом еще перечитываешь протокол и находишь ошибки. И все это происходит в течение одних суток. Вижу по вашему лицу, что вы согласны: это полная чушь. Все было совсем не так.

— А если следователь был очень умным? — задал Петр неожиданный вопрос.

— Вы хотите сказать, он был в сговоре с операми? Написал протокол так, как нужно, а не так, как показывал Сокольников, потом сам же подсказал замечания на умышленно сделанные ошибки, чтобы протокол выглядел пристойно. Теоретически это возможно, но, как говорится, дьявол кроется в деталях. Умные и даже очень умные следователи в конце девяностых еще имелись, это правда. Но если не было трупов и никто не видел места происшествия, то откуда оперативникам и следователю были известны эти самые многочисленные детали, отраженные в протоколе? Каждое слово, сказанное Сокольниковым по поводу события преступления, будет проверяться многочисленными экспертизами. Нельзя выбивать из человека явку с повинной в том, что он кого-то, например, застрелил из пистолета, а потом судебно-медицинская экспертиза покажет, что потерпевший был задушен или сбит автомобилем. Так никто не работает, это сказки. Для вашей красивой истории о выбивании признания из невиновного у правоохранительных органов должна быть полная картина преступления, в которой не хватает только одной маленькой детали — личности преступника. Все остальное они знают достоверно: время, место, способ, последовательность действий, даже мотив. А в случае с Сокольниковым, похоже, они заранее не знали вообще ничего. У них даже трупов не было. Ну как, сообразили, каков третий пункт, по поводу которого следователь должен был задавать вопросы?

— Кажется, да. Почему Сокольников именно сейчас пришел с повинной? Что заставило его признаться, если все было тихо, Даниловых никто особо не искал, милиция его не беспокоила? Совесть замучила? Или что?

— Правильно, — Настя одобрительно кивнула. — Перерыв на кофе, и продолжим.

Она снова бросила взгляд на опись. Дальше пойдут постановление о производстве выемки, протокол выемки документов, какая-то справка, постановление о создании бригады, постановление о принятии дела к своему производству, ордер защитника... Ничего сложного. Если у Петра и будут вопросы, то чисто процедурные. А насчет защитника Сокольников, выходит, все-таки передумал, пригласил адвоката. Любопытно, почему отказался от него при первом допросе и почему изменил свое мнение. Неужто и впрямь совесть загрызла, и он пришел в милицию, имея твердое и непреклонное намерение во всем признаться, покаяться и смиренно принять положенное наказание! Он был честен, оправдываться, защищаться и уклоняться от ответственности не собирался, шаг совершил обдуманный и добровольный, поэтому изложил все детали и хладнокровно проверил правильность протокола. Никто его не бил, никто ему ничем не угрожал. Но через какое-то время Андрей Александрович одумался, опомнился, былая решимость испарилась, тут и защитник появился, и, если верить Петру, показания начали меняться. Хотя верить Петру, пожалуй, не стоит, материалы он не читал, а приговор только просмотрел по диагонали.

Впрочем, все это не имеет никакого значения. Что произошло? Как произошло? Почему? Да какая разница! Ее задача — документы и процессуальные действия.

За кофе, который они пили на кухне, грызя печенье, говорили о техническом прогрессе. Документы, собранные в первом томе, большей частью выполнены либо от руки, либо на пишущей машинке.

— Когда я вчера делал сверку, — говорил Петр, — то обратил внимание, что заключения экспертов напечатаны на матричном принтере, значит, у них компьютеры были, а у следователей, получается, не было? Почему?

— Бюджет, — неопределенно ответила Настя. — В девяностые годы даже зарплату далеко не всегда вовремя выдавали, что уж говорить о техническом оснащении. Сколько лет вам было в девяносто восьмом? Пять? Значит, об этом периоде вы имеете очень слабое представление. В то время люди жили не просто «иначе». Мы жили «принципиально иначе».

— Еще я хотел спросить... — Петр замялся. — Вчера вечером я, когда сверял опись с файлами, наткнулся на один документ, прочитал, ничего не понял и решил посмотреть в законе, что это за статьи, на которые следователь ссылается. И еще больше запутался. Документ про одно, а статьи закона как будто вообще про другое. Как так может быть? Следователь ошибся, не тот номер статьи указал?

О как! В законе он посмотрел! Интересно, в каком?

— В Уголовно-процессуальном кодексе, — недоумевающе ответил Петр. — Вы же сами мне велели в кодекс почаще заглядывать.

Да, велела, но кодекс ему с собой не давала. И где ж он его взял? Оказалось — в интернете. Ну ясное дело... Молодежь!

— Дорогой Петр, — сказала Настя, давясь от смеха, — вы смотрели в новый УПК, который принят только в начале двухтысячных. А в девяносто восьмом году вся страна жила по старому кодексу, существовавшему аж с шестидесятых годов прошлого века, правда, со множеством всяких демократических дополнений. Но все равно это совершенно другой кодекс, с другой структурой и другими номерами статей. Так что если соберетесь дома что-то проверять, ищите в интернете старый УПК, он там есть. Вы что же, не обратили внимания, какого года издания тот кодекс, который я вам показала?

— Не обратил, — сокрушенно признался журналист. — Но спасибо за науку, буду иметь в виду.

После кофе быстро разобрались с документами, касающимися выемки, и споткнулись о справку, составленную старшим инспектором-дежурным первого отдела. Текст справки, на которой было указано точное время составления — 4 сентября 1998 года, 12 часов 30 минут, гласил: «Мною, старшим инспектором-дежурным УССМ при ГУВД капитаном милиции Варенцовым В.Б., 04.09.1998 г. около 08 час. 50 мин. для адвоката Самоедова Виктора Ивановича по пейджинговой связи (тел. 239-90-02, доб. 4528) была направлена информация о необходимости связаться с дежурным УССМ. До 09 час. 45 мин. звонок от адвоката Самоедова в дежурную часть не поступал. Когда помощником дежурного старшиной Песковым В.С. Самоедову В.И. была повторно направлена информация, то он перезвонил в УССМ около 10 час. 20 мин. В разговоре мною Самоедову была передана просьба гр-на Сокольникова А.А. об оказании юридической помощи, т.к. Сокольников задержан в порядке ст.122 УПК. Самоедов дал согласие, уточнил адрес, куда необходимо явиться. До 12 час. 30 мин. в УССМ Самоедов не пришел.

По указанному гр-ном Сокольниковым А.А. второму телефону 539-33-37 адвокат Филимонов Николай Николаевич не отвечает».

Очень интересно! И еще более интересными оказались две другие справки. Одна, составленная оперативником майором Шульгой, информировала о том, что 4 сентября в 11.00 адвокат Самоедов позвонил в УССМ и сказал, что занят и проводить следственные действия в течение 4 сентября не может. Другая же справка, написанная все тем же Шульгой, но спустя пять дней, 9 сентября, утверждала: «При проверке по учетам адвокатуры города Москвы адвоката Филимонова Николая Николаевича не значится. Единственный адвокат по фамилии Филимонов — Николай Ильич, умер два года назад. Телефон 539-33-37 по базе данных МГТС не значится». Подпись Шульги, ниже — заверительная подпись Сокольникова, дескать, со справкой ознакомлен.

Это несколько меняло всю картину. Сокольников 3 сентября является с повинной, явку принимают, следователь тут же возбуждает дело и выносит постановление о задержании подозреваемого, утром нужно допрашивать, но Сокольников хочет отвечать на вопросы следователя в присутствии знакомых адвокатов. Их разыскивают, но не вполне успешно: один не является, ссылаясь на занятость, второй и вовсе не находится. Сокольникову предлагают воспользоваться услугами дежурного адвоката за государственный счет, но он гордо отказывается. Мол, или мои, доверенные-проверенные, или никакого не надо. Ну ладно, хозяин — барин. Хотя на поведение человека, твердо решившегося на обдуманный и осмысленный, но очень трудный шаг, это мало походило. Если уж ты набрался моральных сил пойти в милицию и признаться в совершенном тяжком преступлении и при этом считаешь, что тебе понадобится защитник, то должен позаботиться об этом заранее, тем более что знакомые адвокаты у тебя есть и ты даже наизусть помнишь номера их телефонов. Почему не договорился с ними предварительно, если считал, что адвокат будет нужен? А если полагал, что прекрасно обойдешься без защиты, то с какого перепугу начал их вызванивать перед первым допросом? Или все-таки договорился заранее, а они тебя кинули? Оба сразу?

Сплошные вопросы.

— Распечатайте-ка мне все ордера из первого тома, — попросила Настя. — Не нравится мне эта суета с адвокатами. Что-то тут не то.

Через несколько минут, когда Петр протянул ей распечатанные листы, картина начала проясняться. В первом же ордере стояли две фамилии: адвокат Елисеев Р.И. и некто «пом. Самоедов В.И.». Помощник, что ли? Но это более чем странно. Официально должность «помощник адвоката» появилась в 2002 или в 2003 году, в новом Законе об адвокатской деятельности. На 1998 год действовал еще старый Закон, 1980 года, в котором никакие помощники адвокатов не упоминались. Разумеется, в реальной жизни они были, Настя это хорошо помнила, но чтобы оказаться вписанным в ордер... У них же не было никаких процессуальных прав, помощники периода девяностых были в основной своей массе просто мальчиками на побегушках, подай-принеси, отвези-привези, напечатай-распечатай, свари кофейку.

— Посмотрите, пожалуйста, на каких следственных действиях присутствовал адвокат Елисеев, — сказала она.

— А где смотреть?

— В ближайших к ордеру материалах. Что там дальше? Допрос? Обыск? Выемка? Осмотр?

— Сразу после ордера идет бумага от следователя на имя начальника ИВС, что он разрешает свидание подозреваемого Сокольникова с его защитниками — адвокатами Елисеевым и Самоедовым.

— В тот же день?

— Да, ордер от шестого сентября и разрешение тоже.

Прелестно! Следующий ордер, подшитый в дело, датирован 10 сентября, в нем значится совсем другая фамилия. А вот и еще один ордер, выписанный 4 сентября, но вовсе не Елисееву и не Самоедову.

— Постановление об оплате адвоката есть? — спросила она.

— Где смотреть?

— Где-нибудь поближе к документам четвертого или пятого сентября.

Снова щелчки мышкой...

— Есть, пятого сентября.

— Давайте посмотрим, где какие адвокаты присутствовали и что делали, а то я окончательно запуталась.

Глаза молодого журналиста внезапно загорелись, щеки порозовели.

— Вы считаете, что здесь какой-то подвох? — возбужденно заговорил он. — Какие-то нарушения закона, чтобы скрыть шероховатости в версии следствия? Может, Сокольников действительно невиновен, а следователи пытаются навесить на него...

— Ничего такого я не считаю, — резко ответила Настя. — И мне совершенно не интересно, виновен ваш Сокольников или нет. Моя задача — объяснить вам ход предварительного следствия и научить разбираться в документах, а участие защитника — важный элемент процесса, и пока мы не внесем ясность в этот вопрос, мы не можем двигаться дальше. Читайте вслух.

— Но тут много всего, — растерянно проговорил Петр, которому затея чтения вслух малопонятных документов, написанных канцелярским слогом, явно не нравилась.

— У вас были варианты, и вы свой выбор сделали, — сухо сказала она. — Персональный компьютер является частью личного пространства человека, и читать с вашего ноутбука я не стану, я уже предупреждала.

«Опять я вредничаю, — с неудовольствием отметила про себя Настя. — Неужели у меня начал портиться характер? Неужели вот так проявляются возрастные изменения, которых я так боюсь?»

Чего она вцепилась в этих сменяющих друг друга адвокатов? Объяснила мальчику, зачем нужен ордер и какова процедура его получения, рассказала об оплате адвокатов по назначению и по приглашению — и всё, иди дальше, не пытайся установить истину по делу двадцатилетней давности на основании неполного комплекта документов, это пустая затея, тем более что никто тебя об этом не просил.

Чутье, однако, подсказывало ей, что именно в этой дурацкой ситуации с защитниками кроется что-то очень важное. Она не собиралась идти на поводу у Петра и докапываться до правды, но с любовью к решению задачек ничего поделать не могла. «Я ничего ему не скажу, — твердила себе Настя, слушая монотонное бормотание журналиста, быстро читающего документы. — Но сама для себя попытаюсь понять».

Итак, 3 сентября уголовное дело по обвинению Андрея Сокольникова в убийстве Даниловых возбуждается, подозреваемый задерживается. Происходит это, судя по всему, поздно вечером, в противном случае первый допрос провели бы сразу, в тот же день. Подтверждение можно найти в протоколе выемки, на нем проставлено время: 4 сентября 1998 года, начало выемки в 04 часа 10 минут, окончание выемки в 04 часа 30 минут. Изъяты паспорта на имя Данилова Г.С. и Даниловой Л.И. Иными словами, человек до такой степени продуманно явился с повинной, что даже паспорта своих жертв с собой прихватил.

Проведя несколько часов в камере, Сокольников вдруг озаботился поисками защитника, продиктовал дежурному номера телефонов и попросил позвонить. Следователю нужно начинать допрос, но он добросовестно ждет, когда у подозреваемого появится защитник. Время идет, защитники не появляются, один из них, Самоедов, вроде бы выразил готовность приехать, но потом перезвонил и отказался, второй, Филимонов, вообще непонятно где находится, к телефону не подходит. Терпение заканчивается (интересно, у кого? У Сокольникова? Или у следователя?), допрос начинается, в протоколе появляется отказ подозреваемого от участия защитника в данном следственном действии. Сразу после окончания допроса происходит выезд на место захоронения трупов, и тут уж без участия адвоката никак нельзя, вызывают дежурного из консультации в порядке статьи 49 УПК. О том, что участвовал адвокат именно по назначению, а не по приглашению, свидетельствует постановление об оплате. Услуги защитников по приглашению оплачивают сами клиенты, работа же защитников, «выполняющих сорок девятую», оплачивает государство. На следующий день, 5 сентября, выносится постановление и производится обыск в квартире, где проживали потерпевшие Даниловы и подозреваемый Сокольников, титульного листа опять нет, но есть последняя страница, на которой перечислены участники следственного действия, своими подписями заверяющие, что протокол ими прочитан, замечаний и дополнений не имеется: двое понятых, специалист в области криминалистики, специалист в области судебной медицины, мастер РЭУ, два старших следователя прокуратуры. Подписи адвоката нет, и непонятно, присутствовал ли он на обыске. И, наконец, 6 сентября появляется тот самый Самоедов, которого столь упорно разыскивали по просьбе задержанного. Только никакой он не адвокат, а вовсе невразумительная личность, обозначенная в ордере буквами «пом.». Но как бы его ни обозначали, разрешение на встречу с Сокольниковым следователь ему дал. Почему-то... И в своем разрешении назвал его «защитником». Позволил себя уговорить? Или взял деньги? Или же оказался настолько безграмотным, что не видел юридической разницы между адвокатом и помощником адвоката? Надо будет предложить Петру все три варианта, а он уж сам пусть решает, какой из них использовать в своей будущей нетленке.

А дальше все развивается совсем интересно: 6 сентября Елисеев и Самоедов встречаются и беседуют с Сокольниковым, после чего вплоть до 10 сентября никаких следственных действий, требующих участия защитников, не производится. Следователь планомерно допрашивает свидетелей — родителей и старшую сестру задержанного, производит выемку каких-то находящихся у них предметов... А 10 сентября при повторном осмотре местности, где захоронены трупы, появляется новый защитник, с ордером, все как положено. И снова в порядке статьи 49, то есть по назначению. Выходит, Елисеев и Самоедов банально соскочили. Когда адвокат Елисеев принял решение отказаться от участия в деле? На каком основании? Понятно, что официально он сослался на внезапную болезнь или еще какой-то форс-мажор, но в чем настоящая причина? Скорее всего, в деньгах. Сокольников числился неработающим, стало быть, вряд ли у него был постоянный источник солидного дохода, в противном случае он не стал бы мучиться в коммуналке с соседями, вызывающими у него непрерывное раздражение и отвращение. На оплату услуг адвоката по приглашению у него просто не оказалось средств. На что же он рассчитывал, когда столь упорно добивался приглашения Самоедова или Филимонова? Не подозревал, что услуги адвоката столь дороги? Ожидал каких-то финансовых поступлений в ближайшее время? Или полагал, что они по дружбе будут защищать его бесплатно? Ну и надолго ли хватило этой дружбы? Всего лишь на одну встречу в изоляторе временного содержания. Более того, Андрей Сокольников, судя по всему, был уверен, что его приятели Самоедов и Филимонов — самые настоящие полноценные адвокаты, хотя они на самом деле находились в сомнительном статусе «помощников». Потому и в реестре Московской коллегии Филимонова не оказалось. Получается, они обманывали Сокольникова? А он оказался чрезмерно доверчивым?

На протяжении всего сентября адвокаты меняются каждые несколько дней, то есть на следственные действия при необходимости вызывают дежурного из консультации, после чего наступает период относительной стабильности. Похоже, родственники Сокольникова, скорее всего родители, нашли деньги и пригласили защитника по договору.

Ладно, с этим вопросом вроде бы разобрались, хотя внутренний голос настойчиво шепчет Насте Каменской: именно здесь, в истории с помощниками адвокатов, закопано маленькое зернышко. Что за зернышко? И что должно из него прорасти?

Надо перестать думать об этом. Лучше подумать о протоколе осмотра местности, потому что с ним все еще более непонятно, нежели в истории с чехардой адвокатов.

Что мы имеем по документам? В 11 часов утра помощник адвоката Самоедов посредством телефонного звонка уведомляет, что не сможет из-за большой загруженности принять участие в допросе Сокольникова. О том, что он всего лишь помощник и что на самом деле речь должна идти о его шефе Елисееве, господин Самоедов предусмотрительно умалчивает, в противном случае оперативник Сергей Шульга обязательно указал бы это в справке. Следователь начинает допрос, Сокольников подписывает согласие давать показания без участия защитника. 15 страниц протокола, написанных от руки, — немало. Сказано было как минимум раза в три больше. Титульной страницы, как уже отмечалось, нет, время начала и окончания определить невозможно, но зато есть титульная страница протокола осмотра местности, где указано, что осмотр проводился 4 сентября, начался в 14.00, окончен в 20.00. Вероятно, в конце девяностых следователям московской прокуратуры выдавали в личное пользование ковры-самолеты. В 11 утра еще даже допрос не начался, а через три часа вся бригада вместе с задержанным уже находилась в Троицком районе Московской области. Лихо!

— Как такое может быть? — недоуменно спросил Петр, когда Настя по минутам разложила ему первую половину дня 4 сентября и показала на карте маршрут от здания, где проходил допрос, до указанной в протоколе осмотра территории. — Такой большой сложный допрос... Что же, его за полчаса провели?

Она одобрительно кивнула.

— Хороший вопрос. Но сейчас вы удивитесь еще больше. Что у нас с протоколом осмотра местности?

— По описи — семь листов, в файлах — только пять. Первая и вторая страницы протокола, потом пропуск двух страниц, и еще три листа с фотографиями.

— И что на фотографиях?

— Люди... В подписях к фотографиям сказано, что подозреваемый Сокольников указывает направление движения... Больше ничего.

— Вот и скажите мне, будущий писатель, что вы-
ехавшая на место бригада делала с двух часов дня до
восьми вечера? Ну, сделали несколько фотографий,
это пять минут, а еще что?

— Как — что? Трупы искали, это же очевидно. Для
этого и выезжали.

— И где же фотографии этих трупов и мест их
захоронения? Они должны быть, а их нет. Почему?

— Но в протоколе же, наверное, все подробно
описано, просто эти страницы пропущены, — растерялся Петр. — Я не знаю, что делают на таких
мероприятиях, это вы мне должны рассказать. Вы
должны меня учить, а вы только экзаменуете!

В его голосе зазвучала плохо скрытая злость.
«Опять я зарвалась, — с досадой сказала себе Настя. — Почему я не могу взять себя в руки и быть белой и пушистой?»

— Я не экзаменую вас, — проговорила она как
можно мягче. — Если вам так показалось, то приме-
те мои извинения. Я пытаюсь помочь вам настроить
мышление на создание реалистичного сюжета. Вы
придумаете свою книгу, и в ней будет все так, как вы
захотите, но при этом вы будете более или менее
отчетливо представлять, как все происходит в реальной жизни.

— Но для того, чтобы придумать и написать свою
книгу, мне необходимо выяснить, что произошло на
самом деле с этим Сокольниковым! Как же вы не понимаете!

Она усмехнулась. Журналист. Не писатель.

— Понимаю. Прекрасно вас понимаю. Но я дей-
ствую строго в рамках поставленной передо мной
задачи. Я не являюсь действующим офицером полиции и не работаю в прокуратуре, у меня нет ни пол-

номочий, ни внутренней потребности разбираться в деле двадцатилетней давности. Меня попросили помочь с экспресс-курсом уголовного процесса по старому кодексу — я помогаю. И не нужно пытаться мной манипулировать, взывая к чувству справедливости. В каждом сомнительном месте я буду предлагать вам варианты объяснений: что и как могло происходить, исходя из реалий того времени. Если к концу наших с вами консультаций вы научитесь самостоятельно придумывать такие варианты, то я буду считать, что свою задачу выполнила.

Злость в глазах Петра Кравченко сменилась веселым азартом.

— Я могла бы, как и вы, начать с изучения приговора, — продолжала Настя. — Но в этом случае вы не сможете поставить себя мысленно ни на место следователя, ни на место оперативника. Мы будем читать дело последовательно, и не так, как оно сшито, а строго хронологически, чтобы вы смогли представить себе, какая информация и откуда поступает, как ее обдумывают и анализируют, как принимают решения. В конце концов, вам нужно получить хотя бы приблизительную картину того, из чего состоит работа сотрудников правоохранительных органов и какие бумаги им приходится составлять. Уверяю вас, веселого в этой работе мало, особенно если учесть, что речь идет о девяностых годах, когда компьютеры в органах внутренних дел и в прокуратуре были огромной редкостью. Это сейчас все поголовно ходят с флешками и перекидывают один и тот же текст с компьютера на компьютер, из документа в документ. А раньше все было иначе. Дольше, кропотливее, труднее. Так как, Петр? Вы еще не оставили свой замысел о поисках истины в деле конца девяностых? Я имею в виду, разумеется, замысел детектива, а не журналистского расследования.

Он посмотрел на часы.

— Давайте на сегодня закончим, я к завтрашнему дню постараюсь составить перечень файлов в хронологическом порядке. Вы правы, Анастасия Павловна, я надеялся прояснить все вопросы наскоком, но теперь вижу, что так не получится. И у меня появилось встречное предложение. Можно?

— Валяйте, — разрешила она с улыбкой.

— Давайте завтра встретимся в центре, на той улице, где находилась эта коммуналка. Погуляем, посмотрим, что там и как, близко ли метро, а вы мне расскажете, как все было в девяносто восьмом году.

Настя нахмурилась. Для журналистского расследования такое желание вполне объяснимо, но для художественного произведения выглядит надуманным. Понятно, что молодой человек собирается в своей книге описывать Москву конца девяностых и хочет понять, каким был город, но для этого подойдет любое место, и вовсе не обязательно тащиться в центр столицы и шататься по переулку, поименованному в уголовном деле по обвинению Сокольникова.

— Вы так и не оставили надежду объехать меня на кривой козе? — усмехнулась она. — Гонят в дверь — пытаетесь влезть в окно?

— Да нет же, Анастасия Павловна! Ничего такого делать я не пытаюсь, просто у меня фантазия слабовата, и мне будет легче, если я посмотрю на тот дом, погуляю по двору, по улице, и когда буду читать дело, смогу все это себе представлять. Ну пожалуйста!

Глаза у журналиста были в этот момент вполне честными. Или по крайней мере казались такими.

Никуда ехать Насте не хотелось, но она понимала, что любое общение, даже учителя с учеником, требует компромиссов и взаимных уступок.

Тяжело вздохнула и согласилась.

Собрала распечатанные листы, чтобы вернуть Петру, сверху положила лист с описью, машинально скользнула по нему глазами. Да, все так, протокол осмотра местности на четырех листах и к нему фототаблица на двух листах. Идиотизм! По делу о трех трупах и, соответственно, трех захоронениях так не бывает! А вот и второй протокол осмотра местности, на пяти листах, и фототаблица к нему занимает восемь листов. Это уже ближе к истине. До распечатывания второго протокола дело сегодня не дошло, Петр собрался уходить, ноутбук выключил. Ладно, в следующий раз посмотрим, что там и как. Но странно, что журналист так легко согласился прервать обсуждение на столь непонятном месте. Хотя... Возможно, он просто не понимает, насколько оно странно выглядит, это непонятное место. Ну, протокол — и протокол, чего такого-то?

— Я задержу вас еще на пару минут, — сказала она, уже стоя в прихожей. — К завтрашнему дню попробуйте придумать историю, которая объясняла бы, почему осмотр местности продолжался шесть часов, а в фототаблице наличествуют только фотографии, где подозреваемый «указывает направление движения».

Петр посмотрел на нее удивленно.

— А что еще он должен указывать?

— Например, место захоронения трупов. Должны быть фотографии этого места, фотографии раскопов, самих трупов. Где они? Почему их нет?

— Они есть во втором протоколе, я видел, когда пытался дело прочитать.

— А в первом почему нет? — настойчиво спросила Настя. — На дату второго осмотра вы, конечно, внимания не обратили?

— Не обратил, — признался он. — Я же тогда не знал, что это важно. Хотите, я включу ноут и мы прямо сейчас посмотрим?

— Не нужно. Дома посмотрите и завтра мне скажете. В любом случае картина получается такая: выезжают на место, проводят там шесть часов, но трупы не находят. Почему? Придумайте историю, которая объясняла бы ситуацию. Кому-то из участников осмотра могло стать плохо, например. Все засуетились, вызвали «скорую» и так далее. Второй вариант — погода. Могла начаться гроза с ураганным ветром, все спрятались по машинам и ждали, когда непогода утихнет, но не дождались. Еще вариант: кто-то из участников осмотра ехал на другой машине или другим маршрутом, попал в аварию, его ждали, но он так и не приехал, а без него начинать нельзя было. Подумайте, какие еще причины могли быть для того, чтобы в итоге получилось так, как получилось: шесть часов провели на местности, результата нет. В протоколе это обязательно должно быть отражено, но вам повезло: этих листов нет, и у вас теперь полная свобода творчества.

— А если в архиве дело посмотреть? Анастасия Павловна, вы же наверняка можете...

Ну вот, снова-здорово! Он глухой, что ли, этот Петр Кравченко? Или тупой?

— Нет, — быстро и резко ответила она.

Возможно, слишком быстро и слишком резко. Почему ее так бесит этот парень с его неуемным стремлением выяснить, как все было на самом деле? Потому что похож на нее саму, какой она была в его годы? Или она, Настя Каменская, становится с возрастом нетерпимой и раздражительной? Плохой из нее учитель, не хватает терпения и спокойствия на бесконечные повторения одного и того же.

Она разозлилась на себя. Пришлось сделать глубокий вдох, чтобы успокоиться.

— Мы с вами не ищем истину, Петр. Мы пробегаем галопом по верхушкам Уголовно-процессуального кодекса, используя ваши материалы в качестве модели, учебного дела. Если вы хотите выйти за обозначенные рамки — ваше право, ищите ходы в архив, но не через меня.

Молодой человек выглядел удрученным и разочарованным. Похоже, он все-таки надеялся вывести их совместные занятия в колею журналистского расследования и использовать связи своего консультанта. Что, в Тюмени не нашлось ни одного следователя, который мог бы справиться с поставленной задачей не хуже, а то и лучше? Зачем нужно было обращаться к Татьяне, тратить отпуск на то, чтобы приехать, расходовать деньги на съемную квартиру, когда все то же самое можно было сделать на месте? Пете нужна Москва, нужны связи московских следователей, архив Мосгорсуда, нужна местная информация.

— Не сердитесь, — миролюбиво добавила Настя. — Ваша задача — не «узнать, как было на самом деле», а придумать объяснение, как и почему могло так получиться. Так сказала Татьяна Григорьевна, а ее слово в данном случае имеет силу закона. Поэтому узнавать мы с вами ничего не будем.

— Ладно, я понял, — недовольно пробормотал Петр.

* * *

— Кать! Катя! Он опять мою форму для физры перепрятал! Ну скажи ему!

— Не «он», а Женя, — строго поправила Катя, с трудом пряча улыбку. — Сколько раз я тебе повторяла: нельзя употреблять личные местоимения и говорить «он» или «она» о человеке, который находится рядом с тобой. Это неприлично. Нужно называть по имени.

— Ну ладно, пусть Женя, но он же перепрятал! — с возмущением отозвалась девятилетняя Света.

Жене уже почти двенадцать, скоро день рождения будут отмечать. Взрослый парень, а подшутить над младшей сестренкой случая не упускает. Катя никогда не сердилась за это на детей, ведь шутка — это улыбка, а улыбка — это радость. Разве плохо, что в жизни ребенка есть радость? Да и вообще, она никогда не сердилась на детей, ни на этих — брата и сестру своего мужа, ни на других, с которыми постоянно имела дело. Она просто не знала, как это — сердиться на детей. Не умела. И искренне не понимала, почему другие люди сердятся, да еще так часто и сильно. Зачем сердиться? Нужно просто понимать, как ребенок думает, как он чувствует, и тогда все его поступки будут выглядеть логичными и оправданными и сердиться будет уже не на что. Беда в том, наверное, что люди в большинстве своем давно забыли, как работали их малышовые мозги, и ждут от детей разумного взрослого поведения. Они не помнят, какими сами были в пять лет, в восемь, в тринадцать... А Катя помнит. Помнит очень хорошо. Поэтому умеет не только любить детей, но и понимать их, и находить с ними общий язык.

Конечно же, высокий не по годам Женя ухитрился засунуть сестренкину форму для физкультуры на самую верхнюю полку, куда Катя с ее росточком дотянуться не могла. Пришлось звать на подмогу рослого мужа, который, как и его младший брат, породой пошел в деда по материнской линии. Майка и шортики чистые, выстиранные и выглаженные, но такие заношенные... Надо бы прикупить Свете новую маечку, а лучше — две-три, потому что после каждого урока приходится стирать, и ткань быстро теряет цвет и вид. Но с деньгами пока очень трудно, хотя муж старается изо всех сил, подрабатывает всюду, где только может. У самой Кати зарплата крохотная, ее хватает только на оплату коммунальных услуг, спортивной секции для Жени и танцевальной студии для Светочки, при этом и секция, и студия — из самых непритязательных и дешевых.

— До выхода — две минуты, — громко объявила Катя, взглянув на часы. — Все собрались, оделись, не забыли сменку, построились у двери.

— Я давно готов, — лениво протянул Женя. — Это Светка копается как всегда.

Утро у Кати расписано по минутам, нужно вовремя отправить детей в школу, мужа Славу — на учебу или на работу, в зависимости от дня недели, и самой не опоздать. На десять утра назначена встреча с представителем фирмы, выразившей готовность бесплатно поставить в хоспис медицинское оборудование, в половине первого — репетиция нового спектакля в их самодеятельном театре, и с шитьем костюмов нужно разобраться и помочь, девочки не справляются. После репетиции надо мчаться на работу, сегодня придет группа волонтеров-новичков, и никто, кроме Кати, не сможет провести инструктаж и правильно организовать их работу. Домой она вернется поздно, не раньше десяти вечера, поэтому до выхода из дома на встречу с организацией-благотворителем необходимо приготовить еду для Славика, Жени и Светы, и еще хорошо бы успеть погладить выстиранное накануне постельное белье.

Она успела сделать все, что запланировала на это утро, мысленно похвалила себя и ровно в двадцать минут десятого вышла из квартиры, сияя удовлетворенной улыбкой. По всем расчетам выходило, что дорога до места назначенной встречи займет не больше тридцати пяти минут, и целых пять минут остается на всякие непредвиденные задержки. Она молодец!

На полу лестничной площадки, возле самой двери их квартиры, лежала роза. Белая, свежая, полураспустившаяся, с сочными упругими лепестками и насыщенно-зелеными листьями. «Опять, — подумала Катя, ощущая, как растет в груди ласковое тепло. — Это уже пятая... Или шестая?»

У нее не было поклонников, ни тайных, ни явных, у нее был только муж, единственный и горячо любимый. И эти розы, которые с недавнего времени стали появляться перед ее порогом, Катя воспринимала исключительно как знак одобрения и поддержки. Кто-то оценил ее работу. Кто-то испытывает благодарность и восхищение. Желает ей добра, сил и удачи. Может быть, это кто-то из спонсоров, благотворителей, а возможно, кто-то из родственников детишек, лежащих в хосписе. Какая разница, кто приносит эти розы? Важно, что нашелся человек, который счел нужным это сделать. Человек, который понял и оценил. И пусть он пока один-единственный на всем свете, кроме, разумеется, самой

Кати и ее мужа Славика. Любая гроза начинается с первой капли дождя, любая самая длинная дорога — с первого маленького шага...

Она несколько секунд постояла, размышляя, как лучше поступить: вернуться и поставить розу в воду или унести с собой. Открыла дверь, которую еще не успела запереть, прошла в комнату, взяла узкую простенькую вазочку из прессованного стекла, в кухне налила воду, оставила вазочку с розой на кухонном столе. Что и говорить, приятно было бы прийти на деловую встречу с белой розой в руке и вообще весь день смотреть на нее и радоваться, но самой розе это вряд ли понравится. Пусть стоит в воде.

Катю всегда считали странной. В этом мнении сходились и учителя, и одноклассники, и — что самое неприятное — ее родители. Впрочем, мнение родителей можно было с полным основанием подвергать сомнению, ибо в глазах Катиного отца, Виталия Владимировича, нормальным ребенком мог бы казаться только сын, интересующийся экономикой, финансами и менеджментом. Катя не была сыном и ничем таким никогда не интересовалась. Матери же вообще было наплевать, какой растет ее дочь. Таблетки, порошки, шприцы и иглы, кайф и дозы, приходы и ломки — вот что наполняло ее мир. К счастью, все это началось уже после рождения Кати и на здоровье девочки не сказалось. Виталий Владимирович терпел недолго, у него и вообще по части терпения было не очень, быстро оформил расторжение брака и лишение супруги родительских прав, оплатил лечение в европейской клинике и закрыл для себя вопрос, сказав: «Я сделал что мог. Оградил ребенка от дурного влияния матери-наркоманки, саму мать отправил на лечение и реабилитацию, дальше пусть сама разбирается со своей жизнью».

Был Виталий Владимирович Горевой человеком резким, решения принимал быстрые и радикальные и никогда, как правило, от них не отступался. Первые большие деньги сделал на рубеже девяностых на импорте компьютеров, ошалел от открывшихся возможностей красивой жизни, немедленно бросил жену — тихую милую женщину, бывшую одноклассницу, в которую был влюблен чуть ли не с седьмого класса, вбил себе в голову, что жена должна быть как на картинке из заграничного журнала и чтоб непременно родила ему сына, а лучше — двух или даже трех. Деньги-то в руках уже сейчас огромные, невиданные, а через пару лет он, Виталик, и вовсе миллионером станет, нужно заранее озаботиться достойными наследниками.

В первом браке у Виталия Владимировича родилась дочь, женился он очень рано, и к моменту развода девочке было уже три года. Второй брак не заставил себя ждать, подходящая невеста отыскалась быстро, беременность наступила тоже довольно скоро, но Горевого ждало разочарование: снова родилась девочка. «Ничего, — говорил он, — вторым будет мальчик. И третьим — тоже». Однако красивая, как на картинке из журнала, вторая супруга этих его намерений не разделяла. Начитавшись глянцевых глупостей, она твердо полагала, что одного ребенка более чем достаточно, чтобы накрепко привязать к себе денежного мужа, а рисковать идеальной фигурой и рожать еще раз ей не с руки. Горевой настаивал, жена втихаря принимала противозачаточные таблетки, а когда обман случайно раскрылся, Виталий Владимирович, по обыкновению, принял решение скорое и радикальное. Красивая супруга вместе с полуторагодовалой дочерью и немалыми средствами была отправлена «в развод». На всю историю со второй женитьбой у Горевого ушло чуть больше двух лет.

Здоровье подводило, и, несмотря на молодость, сексуальные возможности резко шли на убыль. Если он хочет сыновей, кровных наследников, то следовало торопиться. Новую свадьбу сыграли столь же скоропалительно, как и вторую, и опять родилась дочка, Катя. Уже третья. Бизнес набирал обороты, открывались оглушительные возможности, Виталий крутился, решал вопросы, придумывал схемы, не переставал мечтать о сыне, но ни времени, ни сил на реализацию мечты уже не хватало. «Ладно, — думал он, — пусть девчонка, выращу, воспитаю, дам хорошее образование, отправлю учиться за границу, в Англию или в США, в бизнес-школу какую-нибудь. Мужа хорошего ей подыщу, с мозгами, с деловой хваткой. Внуки родятся. Будет кому все оставить».

Но маленькая Катя надежд не оправдывала. Она росла самой обыкновенной и при этом самой настоящей девочкой: обожала играть в куклы, наряжать их, лечить, учить, могла часами, сидя в своей комнате, вполголоса разговаривать о чем-то со своими целлулоидными подружками. Никаких конструкторов типа «Лего» она не признавала, спортом не интересовалась, конкурировать не любила и быть хоть в чем-то первой и лучшей не стремилась. «Это временно, — утешал себя Горевой. — Она еще маленькая. Подрастет — поймет, в чем суть, возьмется за ум, научится любить дело и деньги, которые оно приносит».

В десять лет Катя попала в больницу. Болезнь была неопасной, но требовала врачебного надзора и ежедневных капельниц. От медицинского персонала Виталий Владимирович вдруг узнал, какая чудесная девочка Катенька Горевая, какая добрая и умная, как целыми днями, если не находится под капельницей, помогает с лежащими в отделении малышами, развлекает их, утешает, подбадривает, играет с ними и даже учит читать и писать, если кто не умеет. Медсестры и санитарки души в Катюше не чаяли. «Глупости, — отмахнулся тогда Виталий Владимирович. — Привыкла в куклы играть. Перебесится».

Незадолго до этого бизнесмен Горевой понял, что с женой у него проблемы и нужно что-то решать. Он и решил. Как всегда, быстро и необратимо. Денег у него много, так что ему удалось и расторжение брака при наличии несовершеннолетнего ребенка, и лишение родительских прав, и отъезд бывшей супруги на лечение в закрытую клинику в Швейцарии организовать и оформить в самые сжатые сроки. К тому времени как раз закончилось строительство роскошного загородного дома, куда Виталий Владимирович переехал вместе с дочерью. Хватит ей жить в Москве, ходить по одним улицам с нищебродами, не умеющими зарабатывать деньги, и сидеть с их детьми за одной партой. Чему она научится в такой обстановке? От возможного влияния матери отец Катю оградил, теперь нужно сменить обстановку и перевести ребенка в другую школу, элитную, пусть девочка почувствует вкус настоящей богатой жизни, ее удобства и преимущества, и поймет, что нужно приложить определенные усилия, если она хочет такую жизнь для себя сохранить.

Перемены в своей жизни Катя перенесла легко. Во всяком случае, Виталий Владимирович был в этом уверен. Он не счел нужным скармливать десятилетней девочке сказки про уехавшую в длительную командировку неработающую маму, сказал честно и прямо:

— Мама любит наркотики больше, чем нас с тобой, поэтому она больше не будет жить с нами.

На что Катя, глядя прямо ему в глаза, ответила:

— Да ладно, она и так уже давно с нами не живет. Думаешь, я не вижу?

«Умненькая не по годам, — с одобрением подумал тогда Горевой. — Наблюдательная. Выдержанная. Из нее выйдет толк».

Толк, однако, все никак не выходил. Сменявшиеся один за другим репетиторы по математике и английскому не смогли обеспечить отличные или хотя бы хорошие оценки в дневниках, а без знания этих дисциплин о какой бизнес-школе в англоговорящей стране может идти речь? Гувернантку, которая по просьбе Кати отвела девочку в детскую театральную студию, Виталий Владимирович немедленно уволил, дочь из студии забрал. Та же судьба постигла и другую гувернантку, когда Горевой узнал, что Катя постоянно посещает разные мастер-классы: то рисования на песке, то лепки, то вышивания бисером, то еще какого-то рукодельного ремесла. Третья гувернантка, на попечение которой отец оставлял девочку вплоть до ее четырнадцатилетия, никакого своевольничанья себе не позволяла, указания хозяина выполняла досконально, после уроков сразу привозила Катю в загородный дом. Виталий Владимирович, наученный горьким опытом, регулярно пристрастно допрашивал шофера и охранников и всегда слышал в ответ, что Катя после школы сразу вернулась домой и больше никуда не уезжала. Выходить — да, выходила, вместе с гувернанткой, но за территорию поселка шагу не сделала. В самом поселке не было ничего, кроме жилых домов, никаких секций, учебных центров, студий и кружков, стало быть, если и выходила, то просто погулять, голову проветрить. Отцу, полностью поглощенному своим бизнесом, властному и самоуверенному, даже в голову не приходило задать себе вопрос: почему девочка, которой уже почти четырнадцать, так спокойно воспринимает затворничество, ни о чем не просит, не скандалит, не требует купить куртку из новой коллекции, телефон последней модели или отправить ее с компанией сверстников на каникулы в какую-нибудь экзотическую страну, не пытается убежать, чтобы провести время с мальчиками или подружками? Ведь именно так ведут себя дети его друзей и знакомых. Когда Горевой слышал горестные рассказы о чьем-нибудь отпрыске, который «опять не пришел», «опять связался с...» и вообще совершенно неуправляем, он только усмехался и говорил:

— Моя Катерина не такая. У нее есть голова на плечах. Никаких подружек, никаких мальчиков, никаких глупостей. Только учеба, школа и дом.

И в ответ слышал:

— Надо же... Странная она у тебя. Нынешние дети такими не бывают.

Катя же, как и ее отец, тоже умела учиться на собственном опыте, поэтому после увольнения первых двух гувернанток ошибок уже не допускала. Быстро добилась полного взаимопонимания с третьей, после чего через мало кому известную дыру в заборе, окружавшем огромную охраняемую территорию, обе почти каждый день покидали поселок, проезжали пару остановок на автобусе и направлялись в детскую больницу, где Катя занималась тем, что любила больше всего на свете: болеющими детками. Подолгу разговаривала с ними, развлекала, играла, рассказывала сказки, вселяла надежду, помогала кормить их и переодевать, держала за ручку, пока медсестры делали инъекции. Гувернантка тоже не сидела без дела: у нее за плечами был опыт школьного преподавания географии, о своем предмете она умела рассказывать удивительно интересно, а среди детей в больнице всегда есть школьники. Катю интересовали только малыши, гувернантка же занималась теми, кто постарше.

— Если твой папа узнает, головы нам не сносить, — то и дело вздыхала Катина наставница.

— Не узнает, — решительно отвечала девочка. — Я все продумала. Те, кто живет в нашем поселке, лечат своих детей в совсем других больницах или вообще за границу отправляют. С простыми людьми папа не контактирует и никак с ними не пересекается.

— Мне не нравится, что мы обманываем. Я тебя покрываю, а это непедагогично.

— И что вы предлагаете? — прищурилась Катя. — Сказать правду и получить скандал и ваше увольнение? Я все равно буду делать то, что мне нравится, а не то, что нравится папе. Но сейчас мы по крайней мере живем тихо и мирно, папа занимается своими делами, обо мне не беспокоится и нас с вами не трогает и не сильно проверяет. Хотите, чтобы все изменилось?

Перемен гувернантке хотелось меньше всего. До четырнадцатого дня рождения Катюши оставались считаные месяцы, а Виталий Владимирович с самого начала предупредил, что с четырнадцати лет собирается приучать дочь к полной самостоятельности и ответственности. Значит, получать большую зарплату за спокойную комфортную работу больше не придется, если только не освежить знания в области экономической географии. В этом случае есть надежда задержаться у Горевых еще на какое-то время. Деньги так нужны! Да и к девочке она привязалась.

Виталий же Владимирович, ослепленный длительным периодом спокойствия и послушания дочери и ее наставницы, пришел к выводу, что девочка у него и в самом деле выросла странная, к делу ее вряд ли удастся приставить, поэтому следует предпринимать необходимые усилия к тому, чтобы сделать ее невестой, привлекательной для подходящего жениха. Требовался энергичный деловой зять с хорошими мозгами, но такие парни вряд ли позарятся на странноватую молчаливую девицу, обладающую к тому же весьма средненькой внешностью. Катя Горевая и в самом деле не была красавицей. Конечно, есть теория о том, что красота — в глазах смотрящего, и если эти глаза смотрят с любовью, то и самый страшный урод кажется прекрасным принцем. Наверное, в глазах Виталия Горевого было мало этой самой любви. Или ее и вовсе не было... Он разучился любить людей, а может быть, и не умел никогда. Он любил только свой бизнес и свои деньги. Ну и себя самого, разумеется, свои планы, свои расчеты.

Гувернантка оказалась достаточно умной, чтобы вывести разговор в нужное русло, когда Виталий

Владимирович бросил невзначай фразу: «Девочку нужно обтесать, она дикая совсем, с приличными людьми общаться не умеет». Через пару недель, в течение которых капля точила камень, все образовалось наилучшим образом, гувернантку оставили при Кате, и им разрешено было вернуться в Москву и жить в городской квартире, но с условием, что всю хозяйственную домашнюю работу девочка будет выполнять сама.

— Вы не домработница, — строго наставлял Горевой, — ваша обязанность — помогать Кате учиться и следить, чтобы она не наделала глупостей. В бытовых вопросах пусть приучается быть самостоятельной и ответственной. Если она чего-то не умеет — научите, но ничего не делайте вместо нее. Это понятно? И подумайте, как привести ее в человеческий вид, чтобы в моде разбиралась, выглядела нормально, могла разговор поддержать. Водите ее на фитнес, в СПА-салоны, куда там еще, не знаю... Сами разберетесь.

— В четырнадцать лет посещать СПА-салоны рановато, — невозмутимо заметила гувернантка. — А вот театральную студию я бы порекомендовала. Там Катюшу научат красиво ходить и пластично двигаться, сделают голос более выразительным. И еще...

Но Горевой перебил, не дослушав:

— Вы педагог, вам виднее. Делайте, что считаете нужным, но выдайте мне результат.

Может быть, именно в этом и состоял секрет успеха его бизнеса: Виталий Владимирович никогда не стремился к полному контролю, не диктовал, кому что и как делать. Главным для него в любом деле, в решении любой задачи был только результат.

Если задача решена и результат достигнут, то какая разница, какими средствами и каким способом?

И для Кати началась совсем другая жизнь. Получать высшее образование ей не хотелось, к наукам она способностей в себе не чувствовала и интереса не испытывала, однако поступление в институт развязывало ей руки: отец еще пять лет не будет нависать над ней, а свободного времени — куча, особенно если учиться не на бюджетном отделении, а на коммерческом. Да она и не поступит на бюджетное, это Катя и сама понимала, знаний не хватит. Единственный предмет, которым она занималась бы с удовольствием, — дошкольная психология. Но если для того, чтобы иметь возможность работать с малышами, нужен какой-нибудь диплом, придется поднапрячься и получить его. И после окончания школы Екатерина Горевая стала студенткой Московского областного педагогического университета, поступив на факультет специальной педагогики и психологии. Сначала она собиралась подавать документы на другой факультет — психологии, — но выяснилось, что на спецпедагогике ей дадут необходимые знания именно по проблемам нездоровых деток, то есть те самые знания, которые ей нужны, чтобы заниматься тем, к чему рвалась ее душа.

Вплоть до окончания школы Катя действительно посещала театральную студию, однако вовсе не для того, чтобы научиться владеть телом и голосом (этому она тоже училась, но без фанатизма). У нее была совсем другая цель, и уже к окончанию первого курса Катя стала активным участником и организатором самодеятельного театра, выступающего в детских больницах и хосписах. У болеющих малышей так мало радостей... Пусть хотя бы на час-полтора забудут о боли и страданиях, о перевязках и мучительных процедурах, пусть испытают восторг, увлекутся сказочной историей!

Когда она была на третьем курсе, начали постепенно появляться спонсоры, готовые оплатить поездку труппы в другие города, ведь не в одной только Москве дети тяжело болеют. К этому времени Катя уже жила одна, надобности в гувернантке ее отец больше не видел, а что касается поездок, то Виталий Владимирович, свято убежденный в честности и послушности дочери, легко верил кратко поданной информации: «Наша студия выезжает с гастрольным спектаклем».

В одной из таких поездок Катя и познакомилась со Славой, волонтером в областном детском хосписе. Слава, как быстро выяснилось, был одной с ней крови: волонтерствовал с двенадцати лет, сначала ухаживал за умирающим младшим братом, а после его смерти так и продолжал помогать тем, кто мужественно боролся с неизлечимыми недугами. В семье Славы было четверо детей, он — старший, и кроме рано ушедшего братишки были еще Женя и Светочка. Отец имел за плечами две судимости, мать — только одну, и ту условную: гуманный суд проявил снисхождение к беременной подсудимой. Оба родителя очень любили выпить и очень не любили работать. Слава места себе не находил, думая о том, какими в такой семье вырастут его любимые младшенькие. Их нужно увозить от родителей, и чем дальше, тем лучше. Но куда? Он хотел стать врачом, педиатром, а лучше — детским онкологом, он старался изо всех сил и поступил-таки в мединститут, но общежития не было, на занятия из своего райцентра приходилось ездить каждый день на электричке, а Женя и Света так и продолжали жить с пьющими родителями.

Кате исполнился двадцать один год, Слава на два года младше, но молодых людей, нашедших друг в друге полное единодушие и готовность к взаимной поддержке, это нимало не смущало.

— Я увезу вас всех, — решительно заявила Катя, когда через несколько месяцев после знакомства поняла, что хочет быть рядом со Славой до конца жизни. — Мы поженимся, и вы переедете в Москву.

Она предполагала, что отец будет не очень доволен, но не думала, что все обернется так ужасно.

— Малолетний пацан! Сопляк! — орал Виталий Владимирович. — Он младше тебя на два года! Судимые родители-алкоголики! Ты вообще соображаешь, что собираешься сотворить? Привезти сюда эту ораву провинциальных бомжей! Поселить их в шикарной квартире в элитном доме! Нет, нет и нет!

— Да! — твердо отвечала Катя. — Я его люблю и выйду за него замуж. И все они будут жить здесь, со мной.

Виталий Владимирович, как обычно, не проявил склонности к долгим разговорам и затягиванию конфликта в надежде, что как-нибудь всё само собой уляжется и рассосется. Видя, что его грубые окрики не принесли желаемого результата в течение первых двух-трех часов, он принял решение.

— Ты мне больше не дочь. Последнее, что я для тебя сделаю — оплачу твою учебу до конца и куплю однушку на окраине Москвы, самую захудалую, чтобы никто не смог меня упрекнуть, что я выкинул за порог родную дочь и оставил без крыши над головой и без образования. Крыша у тебя будет. Диплом будет, если дотянешь. Но больше не будет ничего.

Живи как знаешь, живи с кем хочешь. С этого момента ты не имеешь ко мне никакого отношения. На глаза мне не показывайся и помощи не проси.

— Хорошо, не покажусь и не попрошу, — кивнула послушная дочь. — Спасибо.

С тех пор прошло два года. Катя и Слава поженились и теперь жили вчетвером в маленькой однокомнатной квартире. Слава перевелся в один из московских мединститутов, брал бесконечные подработки, пытаясь обеспечить семью хотя бы минимально необходимым, Катя получила диплом психолога-дефектолога и немедленно оформилась на работу в хоспис, где неофициально, в свободное время, трудилась уже давно.

Было трудно. Да что там трудно — тяжело. Денег мало, жилье тесное, ответственность за Женю и Светочку огромная. Много чего у Кати не было, но зато и многое было. Были навыки обустройства быта и ведения хозяйства. Была несгибаемая твердость и поистине нечеловеческое упрямство. Была цель. Был любимый муж, который думал так же, как она, и стремление к этой цели поддерживал. И была вера в то, что все получится, нужно только проявить упорство и терпение.

После получения документов на квартиру она не видела отца ни разу. Не приходила к нему, не звонила. Он же сказал, что Катя ему больше не дочь, и велел не показываться на глаза. А она хоть и не дочь теперь, но послушная. Более того: похожая на своего папу как две капли воды, и внешне, и по скорости принятия решений и неумению их пересматривать и отменять.

В особенно тяжелые минуты, когда пересчитывание оставшихся до зарплаты рублей показывало ужасающий результат, Слава иногда осторожно говорил:

— Катюня, может, все-таки попробуешь поговорить с отцом? Столько времени прошло, он наверняка уже не сердится...

— Нет, — спокойно и твердо отвечала Катя. — Если у моего отца нет дочери, значит, у меня нет отца.

— У меня сердце разрывается, когда я вижу, как ты бьешься как рыба об лед. Ты ужасно устала, у тебя уже сил нет ни на что!

— Ты тоже устал, — возражала она. — И ты тоже бьешься и колотишься из последних сил, спишь урывками, потому что постоянно берешь сутки, санитаришь, таскаешь носилки с лежачими больными. И что теперь?

— Я — мужчина, я должен.

— А я — женщина, твоя жена. И я тоже должна. Ты что, сомневаешься, что мы сами справимся?

Она смотрела на мужа широко открытыми удивленными глазами. Если у Славы и появлялись порой некоторые сомнения, то хватало ума и выдержки не делиться ими.

ГЛАВА 5

Суббота

«Интересно, сколько дней еще простоит такая дивная погода», — думала Настя Каменская. Ей почему-то на мгновение стало жаль заезжать с залитого солнцем Чистопрудного бульвара на большой подземный паркинг рядом со станцией метро. Как в темную дыру проваливаешься... Конечно, это преувеличение, паркинг хорошо освещен, никакой он не темный, но по сравнению с солнечным бульваром все равно кажется дырой.

Петр приехал вовремя и ждал ее возле памятника Грибоедову.

— Я уже посмотрел, — радостно сообщил он. — Это совсем рядом. Вы помните, как тут все было в девяносто восьмом?

Настя неопределенно пожала плечами. Что-то она помнила неплохо, а чего-то не помнила совсем. Двадцать лет — срок немалый даже для ее памяти.

— Памятник был, это точно, — усмехнулась она. — За все прочее не поручусь. Нет, вру, выход из метро «Чистые пруды» тоже был, а вот станции «Тургеневская» еще не было. И кругом сплошь стояли палатки и киоски с шаурмой, всякие «Теремки» с блинами, «Крошки-картошки». Выходишь из метро и словно на базар попадаешь, торговля вовсю шла. Для тех, кто целыми днями по городу мотался, весь этот общепит был настоящим спасением, если нет времени зайти в кафе.

— Вкусно было?

В голосе Петра зазвучало живое любопытство.

— Очень, — улыбнулась Настя. — Или, может быть, нам тогда так казалось.

Да уж, она была моложе на целых двадцать лет, изысканным вкусом буфетных блюд не избалована, и вкус горячего картофеля с соусом из майонеза казался ей поистине небесным. Новизна, помноженная на молодость, делала жизнь ярче. Даже такую непростую жизнь, какая была в то время.

Она вспомнила 1998 год и содрогнулась. Они тогда искали убийцу, которого условно называли Шутником и который бросил вызов именно ей, Каменской. Но в памяти остались совсем другие чувства, с поиском преступника никак не связанные. У Юрки Короткова умирала теща, и он судорожно пытался наскрести денег на похороны. Денег в ту осень ни у кого не было, над страной разразился дефолт, насчет которого президент буквально накануне твердо пообещал, что его не будет ни в коем случае. Все поверили. Ну, наверное, не все, существовала тонкая прослойка особых людей, хорошо информированных, которые успели принять меры и не только сохранить финансы, но и приумножить их. Но подавляющее большинство населения пострадало, и пострадало серьезно. Банк, в котором Чистяков разместил только что полученный солидный гонорар за работу за границей, лопнул окончательно и бесповоротно, все деньги сгорели, а через несколько месяцев предстояло выплатить подоходный налог с этой суммы. И где взять деньги? Идиотизм ситуации зашкаливал, и Настя хорошо помнила и свое отчаяние, и свою злость. А вот радости от поимки Шутника не помнила совсем. Ну, вычислили, ну, нашли, и ладно, это их работа. Наверное, радость или хотя бы просто удовлетворение все-таки были, но в памяти не остались. И еще Настя хорошо помнила, как испугался Коротков, когда она спросила, нет ли у него знакомого нотариуса, чтобы оформить завещание. Именно в ту осень, занимаясь делом Шутника, она вдруг отчетливо осознала слова Булгакова о том, что человек не просто смертен, а внезапно смертен. Конец может наступить в любой момент, и лучше, если твои дела останутся в порядке и твоим близким не придется морочиться с оставшейся после тебя собственностью. Надо же, самого Шутника она едва может вспомнить, даже и не скажет сейчас, каким он был, как выглядел, как разговаривал, а вот страх внезапной смерти, посеянный в ней выходками этого человека, помнит отлично.

— Нам сюда, в арку, — сказал Петр. — Я разведку местности успел провести.

Этот тихий московский дворик Настя смутно припоминала. Кажется, раньше через него был сквозной проезд на улицу Чаплыгина. Теперь не проедешь: арка перегорожена шлагбаумом, как и во множестве других дворов в городе, и въезжать и парковаться могут лишь те, у кого есть или ключ, или заветный телефонный номер. Никаких посторонних, только «свои».

Она молча стояла и думала о своем, пока Петр внимательно осматривал стоящий внутри двора пятиэтажный одноподъездный дом дореволюционной постройки, делал фотографии и что-то быстро записывал в телефон. Минут через пятнадцать он подошел к ней.

— С домом вроде уяснил. Пойдемте теперь окрестности обозрим, а потом я приглашаю вас на кофе с пирожными.

— Вы, поди, уже и место присмотрели, — усмехнулась она.

Этот парень ей все-таки нравился. Да, его стремление докопаться до истины ей в данном случае не по душе, это верно, и его упрямое желание заставить ее сделать совсем не то, о чем договаривались с Татьяной, тоже вызывает отторжение, но зато в Петре нет безалаберности и разбросанности, он умеет управляться со временем, не опаздывает и проявляет склонность к четкости и планированию. Такие люди всегда вызывали у нее симпатию и уважение.

— Мест даже несколько, — рассмеялся Петр. — Чтобы у вас был выбор. И чтобы столики стояли на улице, где можно курить.

Они вышли из арки на бульвар и направились в сторону театра «Современник». Здание закрыто на ремонт, труппа уже года два дает спектакли в другом помещении, где-то на Яузе, но большая растяжка на фасаде обещает, что отремонтированное здание примет зрителей уже к Новому году. Господи, опять Новый год! Вроде совсем недавно он был, и вот снова, всего через три с лишним месяца. Двадцать лет назад год казался неимоверно долгим сроком, тянулся и тянулся, и все никак не заканчивался, и до отпуска было еще так далеко... А теперь месяцы летят со скоростью минут. Старость приближается, что ли? Не зря же говорят, что до определенного возраста человек движется в гору, а потом до самой смерти — под горку. Под горку-то оно всегда быстрее получается.

Дошли до пересечения с Покровкой, перешли на противоположную сторону и двинулись назад, к станции метро. Настя рассказывала, что помнила: вот эта библиотека здесь еще с советских времен, вот здесь был продуктовый магазин, вот в этом здании — мастерская металлоремонта, в которой она однажды делала копию ключа, а вон тот дом был ужасно обшарпанным и, казалось, вот-вот рухнет. И трамвай ходил, как сейчас. Та самая «Аннушка». «Макдоналдс» на углу вроде бы тоже уже открыли, но точно она не скажет, возможно, он появился чуть позже. По этим улицам Насте пришлось много ходить в начале нулевых, когда они работали по убийству в доме на Сретенском бульваре, а вот в конце девяностых часто бывать здесь не довелось. Петр внимательно слушал ее рассеянные краткие пояснения, продолжая на ходу делать записи в телефоне. «И как они ухитряются смотреть в телефон, набирать текст и при этом не спотыкаться? — удивлялась она. — Я так уже не могу. Если мне нужно написать эсэмэску, я останавливаюсь. Ну что ж, они — молодые, а я — старая. Ну ладно, не старая. И даже не пожилая. Возрастная. Хороший эвфемизм придумали для таких, как я».

Все три кафе, заблаговременно присмотренные журналистом, находились как раз на Сретенском, а не на Чистопрудном, причем два из них располагались прямо друг за другом, и если бы не разный цвет зонтов, можно было бы подумать, что это одно и то же заведение. Третье стояло на противоположной стороне. Когда Настя Каменская раскрывала убийство домработницы писателя Богданова вон в том доме, никаких кафе тут не было.

Место она выбрала, ориентируясь на цвет зонтов, ибо о качестве кофе и пирожных в данных заведениях представления не имела. Не приводили ее ни жизнь, ни работа в последние годы на Сретенку. Только на машине мимо проезжала, а в кафе посидеть случая не представилось. И тут же вспомнилось, что чуть подальше, на Рождественском бульваре, в таком же тихом дворике, как и тот, где жила убитая семья Даниловых, в ходе разбойного нападения был убит подпольный продавец виагры. Да, точно, как раз в девяносто восьмом году, когда на Западе этот препарат сертифицировали и официально разрешили к продаже, а в России сертификация еще не состоялась, и волшебными таблетками торговали на черном рынке по цене, десятикратно превышавшей ту, по которой они продавались в аптеках Европы и США. По этому преступлению работали на территории, в главк на Петровку оно не попало — масштаб не тот, но информация, конечно же, разнеслась по всей московской милиции, вызвав огромное количество пошловатых шуток-прибауток на грани откровенной похабщины.

Они уселись, сделали заказ, Настя попросила две чашки кофе и кусок торта, а Петр изучил меню и заказал полноценный обильный завтрак.

— Вы мне грозились разговором о правде, — напомнил он.

Настя вздохнула. О правде...

— Хорошо, поговорим о правде. Но сначала я немножко расскажу вам про девяносто восьмой год. Вам было пять лет, и ничего этого вы тогда не понимали, а к тому времени, когда уже могли что-то понимать, то есть спустя лет десять, жизнь сильно изменилась, многое стерлось из памяти, и вряд ли кто-то вам что-то объяснял, да вы ведь наверняка и не спрашивали.

— Ну зачем вы так? — Петр почти обиделся. — Все-таки историю нам в универе преподавали. Что ж вы из меня совсем безграмотного делаете!

— Вот именно, вам преподавали историю, то есть факты из области политики и экономики, а я вам попытаюсь в двух словах обрисовать, что это всё означало для жизни людей. Обычных людей, таких же, как я и мои коллеги. Тех людей, которые родились и выросли при советской власти. Мы с самого детства видели и знали, что существует прогнозируемость карьерного и профессионального роста. Иными словами, есть правила, есть ряд условий, которые нужно соблюдать, а нарушить их мог только тот, у кого была сильная административная поддержка. Например, чтобы стать министром, нужно лет тридцать отпахать в этой профессии или в этой области деятельности, пройти путь с самого низа до высокого управленческого уровня, и на этом уровне себя хорошо зарекомендовать, в идеале — несколько лет просидеть в кресле заместителя министра. Ну и, разумеется, быть членом партии, без этого вообще никуда по карьерной лестнице не продвинешься. И еще было одно незыблемое правило, которое все очень хорошо понимали: руководство страны может сколько угодно врать о наших производственных достижениях, о том, что мы семимильными шагами движемся к коммунизму, при котором напрочь исчезнет преступность, или о том, что создана новая историческая общность «советский народ», в которой все друг другу друзья и братья и связаны нерушимой взаимной любовью, но если от имени Совета Министров СССР людям что-то обещали, можно было быть уверенным, что это выполнят. Пообещали, к примеру, с первого февраля повысить цены на такие-то товары на столько-то процентов — повысили все с точностью до копейки. Пообещали повышение зарплаты в какой-нибудь отрасли — повысили. Предупредили заранее, что с определенной даты что-то разрешат или, наоборот, запретят, — сделали. Неважно, хорошее обещали или плохое, экономически и политически обоснованное или волюнтаристское. Важно, что, если давалось конкретное обещание, оно выполнялось. Речь идет именно о конкретных обещаниях, разумеется, а не о сотрясании воздуха на тему, что к восьмидесятому году мы будем жить при коммунизме и у каждой советской семьи будет отдельная квартира. И прежде чем я перейду к девяносто восьмому году, прошу вас отметить в голове эти два пункта: закономерности карьерного роста и доверие к конкретным обещаниям руководства страны, сделанным публично. С самого начала перестройки данные пункты начали постепенно расшатываться. Примеры нужны?

— Хотелось бы, — кивнул Петр.

— В самом конце восьмидесятых министром внутренних дел стал профессиональный строитель. В девяносто первом начальником ГУВД Москвы назначили молодого физика в возрасте чуть за тридцать, не имевшего ни малейшего представления о правоохранительной деятельности. В экономике нас провели через так называемую шоковую терапию, обещая с высоких трибун и от имени руководства страны, что это поможет и скоро всем нам станет легче. Обманули. Легче не стало, стало тяжелее. На протяжении десяти лет психологический эффект от расшатывания устоев накапливался, а к девяносто восьмому году количество перешло в качество, согласно законам материалистической диалектики. Смотрите, что произошло. В конце марта ни с того ни с сего, без видимых причин и без каких-либо внятных объяснений отстраняют от должности премьер-министра, просидевшего в этом кресле пять лет, и назначают никому не известного молодого человека, тридцати пяти лет от роду. Народ в недоумении. Дума тоже в недоумении и дважды отклоняет внесенную президентом кандидатуру. Народ снова удивлен: мыслимое ли дело в прежние времена, чтобы парламент хоть в чем-то не соглашался с решениями Генсека? Однако если кандидатуру нового премьера отклонить в третий раз, президент имеет право распустить Думу и назначить новые выборы. И думцы дрогнули, молодого премьера утвердили. И что? Спустя пять месяцев его снимают и предлагают вновь назначить на должность прежнего премьера. Это что же получается? Что высшее руководство принимает непродуманные решения? Вот просто так, с бухты-барахты? Дальше — больше. В начале мая президент подписывает указ, согласно которому шахтерам будет выплачена огромная задолженность по зарплате. Им к тому времени уже давно не платили за их тяжелый труд, связанный с риском для здоровья и жизни. Шахтеры поверили. Двух недель не прошло — и выясняется, что правительство под руководством нового премьера, того, молоденького, никак не может изыскать средства, чтобы погасить задолженность. То есть слова президента, руководителя нашей страны, оказались пустым звуком, пшиком. Иначе говоря — ложью. После этого началась рельсовая война, сотни тысяч человек вышли на железнодорожные пути и перекрыли транспортные магистрали. Слышали об этом?

Лицо Петра выражало неуверенность. Ну да, что-то такое, наверное, когда-то на лекциях говорили, но он, скорее всего, особо не вникал.

— Понятно, — кивнула Настя. — Слышали, но забыли. Идем дальше. В середине августа президент твердым голосом перед телекамерами обещает, что девальвации рубля не будет, он этого не допустит. Через пару дней случился дефолт, крах российской финансовой системы. Это стало последней каплей. Вернее, тем последним зернышком, которое «некучу» превратило в «кучу». Чтобы вы лучше меня поняли, поясню еще один момент: в девяностые годы коммерческие банки росли как грибы, при этом обещали достаточно высокую доходность вкладов. Люди верили, приносили туда деньги, а затем приводили своих друзей, знакомых, коллег. У артистов и людей искусства был свой излюбленный банк, который рухнул во время дефолта, и все остались без денег. Такой же «любимый» банк был и у правоохранительных органов, очень многие работники системы МВД и прокуратуры доверили ему свои средства. Ну и он, само собой, тоже погиб под обломками. Курс доллара резко скакнул вверх, похлеще, чем в приснопамятный «черный вторник». Банковские вклады не выдаются, кредитные карты заблокированы, а ведь август — время отпусков, многие россияне остались за границей без денег. Финансисты, банковские менеджеры, брокеры, турагенты, люди, занятые в рекламном бизнесе, — все они и многие другие оказались выброшенными на улицу. Они больше не нужны, работы нет, зарплаты нет. А ведь очень многие из этих новых безработных были членами семей как раз работников правоохранительной системы. Это, так сказать, в самых общих чертах.

Настя отломила ложечкой кусочек шоколадного торта, отправила в рот, сделала пару глотков кофе. Торт был слишком приторным, она такой вкус не любила, а вот кофе оказался очень хорошим.

— А дальше что было? — с горячим интересом спросил Петр.

— А дальше — тишина, — усмехнулась она. — Примерно на месяц. Все замерло в ужасе и отчаянии, никто не понимал, что делать и как жить дальше. Представьте себе гипотетическую семью, в которой один супруг — следователь или прокурор, другой — сотрудник банка, а ребенок либо маленький, либо взрослый и занят в туристическом бизнесе. Люди чувствуют себя вполне состоятельными, жизнь удалась, в сентябре предстоит отпуск, который они проведут за границей, отель уже забронирован, билеты на самолет оплачены, проценты по банковскому вкладу капают, и проценты очень немалые, зарплата в банке и в турфирме высокая, так что скоро можно будет улучшить жилищные условия и себе, и ребенку, и стареющим родителям, а там, глядишь, и домик за городом отстроить. Если ребенок маленький, можно еще помечтать о том, как его отправят учиться в Англию, это было очень модным. Могу предложить вам и вариант похуже, потяжелее: в семье кто-то серьезно болен, и скоро накопится нужная сумма, чтобы лечить человека в европейской, израильской или американской клинике, потому что в России это заболевание не лечится, или лечится пока еще плохо, или такие операции не делаются. И вдруг в один момент у всех всё рухнуло. Работа потеряна, доходы утрачены, страна катится непонятно куда, руководство не владеет ситуацией, ничем на самом деле не руководит и ни на что не влияет, верить никому нельзя, и что будет завтра — неизвестно. Планы, надежды, ожидания, чувство уверенности, ощущение хотя бы минимального контроля собственной жизни — рухнуло всё. Поездка в отпуск отменяется, больного ребенка не будут лечить, разъехаться с родственниками не удастся, работа есть пока только у одного члена семьи, и на эту единственную зарплату будут жить все. Мне зимой девяносто девятого довелось столкнуться с двумя молодыми брокерами, которые, оставшись без работы, торговали на улице картошкой. В жуткий мороз стояли с мешком и весами, и мало кто у них покупал. А теперь вспомните, какого числа ваш Сокольников явился с повинной.

— Третьего сентября, — быстро ответил Петр и осекся. — Ну да, вы сказали, что психологический шок длился около месяца, а дефолт случился в середине августа. Значит, как раз тогда...

Настя отодвинула тарелку с недоеденным тортом, взяла вторую чашку кофе.

— Не совсем так, — поправила она. — Месяц длилась экономическая тишина и пустынность, все замерло. А психологический шок длился еще очень долго, от двух-трех месяцев до года, в зависимости от тяжести ситуации. У кого сгорели деньги, отложенные на черный день, но осталась работа, тот легче перенес потерю и быстрее пришел в себя, а вот те, кто потерял и высокооплачиваемую работу, и надежду на лечение близкого человека или даже самого себя, справлялись с потрясением гораздо дольше. И прежде, чем вы начнете выискивать недочеты в работе следователя или оперативников и обвинять их в предвзятости и непрофессионализме, вам хорошо бы представить себе их тогдашнюю жизнь и их внутреннее состояние.

Петр, уже расправившийся со своим омлетом и блинчиками с творогом, посмотрел на нее скептически и даже как будто слегка надменно.

— Вы хотите сказать, Анастасия Павловна, что тяжелые личные обстоятельства могут оправдать плохую работу и осуждение заведомо невиновного? Или вы считаете, что в такой ситуации следователь мог легко брать взятки и это можно посчитать объяснимым и нормальным? Вы меня призываете, как это нынче модно, понять и простить, что ли?

— Ни в коем случае. Я предлагаю вам учитывать то, что принято называть человеческим фактором. Предлагаю вам помнить, что люди могут совершать ошибки. Любые люди и на любых должностях. Количество этих ошибок зависит не только от профессионализма, образования и опыта, оно напрямую зависит от психологического состояния работника, от его нервно-психической стабильности. Я просто обрисовала вам ситуацию на момент осени девяносто восьмого года, когда количество психотравмирующих факторов на единицу времени и в пересчете на душу населения буквально зашкалило. Вы же собрались создавать художественное произведение про события этого периода, вам без обоснования психологии персонажей никак не обойтись.

«И снова я вредничаю, — мелькнуло у Насти в голове. — Петя отправился в поход за правдой, а я делаю вид, что не понимаю, и упорно толкаю его в сторону художественной литературы».

— Я с вами не согласен, — заявил журналист. — Вас послушать, так идея правосудия должна была давным-давно умереть, потому что политические и экономические катаклизмы происходят по всему миру постоянно. Но эта идея, однако же, жива-здорова. Как вы это объясните?

Настя улыбнулась. Какой же он еще молодой!

— Идеи — идеальны, — ответила она. — А жизнь — реальна. Ни одна идея, касающаяся сути политических или экономических решений, не была воплощена в жизнь в том же прекрасном виде, в каком существовала в умах ее авторов. Ни одна, поверьте мне. Именно потому, что никогда не угадаешь, что будет происходить в реальной жизни, ибо реальная жизнь состоит из поступков множества конкретных людей, а поступки эти диктуются таким многообразием мыслей, решений и чувств, что не поддаются никакому прогнозированию.

Петр смотрел на нее озадаченно, широкие брови чуть сдвинулись к переносице.

— Получается, что вор не должен сидеть в тюрьме? Или все-таки должен? Уж от вас-то я подобных рассуждений никак не ожидал, вы же столько лет ловили этих самых воров...

— Воров я не ловила, — со смехом поправила его Настя, — этим занимался отдел по борьбе с кражами и ОБЭП. Я ловила убийц и насильников. Выискиванием ошибок и злоупотреблений в работе следствия и прокуратуры я тоже не занималась, для этого существовали совсем другие службы.

— Вы уклоняетесь от ответа, — недовольным тоном заметил Петр. — Так должен вор сидеть в тюрьме или нет?

Она вздохнула, достала из сумки сигареты и зажигалку. Неужели она тоже была когда-то такой же, как этот молодой человек, и видела мир только в черно-белых красках? Наверное, была. Краски приходят с годами, по мере проживания и осмысления событий собственной жизни. Чем больше прожито, тем больше красок и оттенков, нюансов и полутонов.

— Хотелось бы, конечно, чтобы преступник был изобличен, осужден и наказан. Но в Уголовном кодексе предусмотрен учет смягчающих вину обстоятельств. И если мы готовы учитывать эти обстоятельства по отношению к преступнику, то логично было бы не забывать о них, когда мы говорим о следователях. Они — точно такие же люди, и у их поступков могут быть самые разные мотивы. О событиях девяносто восьмого года я вам рассказываю именно для того, чтобы вы как автор будущего художественного произведения могли представить себе хотя бы часть подобных мотивов. Вы прочли несколько страниц из многотомного уголовного дела, ничего не поняли, но эти материалы изучала ваша коллега, журналистка, и вы уверены, что взялась она за это не просто так, не из чистого любопытства, потому что почитать больше было нечего. И сделали вывод: коль старое дело заинтересовало журналиста, стало быть, с ним что-то не так, осужден невиновный. Следователи плохие и злые, прокуроры тупые, а человек за решеткой страдает ни за что. Правильно?

— Ну... В общем, да. Вы можете опровергнуть?

— Не могу. Но хочу сразу вас предупредить: выискивать доказательства ошибок следствия или фальсификации материалов дела я не буду. Вполне возможно, что по мере изучения материалов я и увижу что-то такое, что подтвердит ваше предположение. Но материалы у нас с вами неполные, фрагментарные, и делать какие-либо серьезные выводы на их основании нельзя. Свою работу я буду делать добросовестно, постараюсь научить вас читать документы и понимать их суть, чтобы в своей книге вы допустили поменьше ляпов и смогли грамотно цитировать формулировки, не путая постановления с ходатайствами и решениями, а протоколы со справками. Такую задачу поставила передо мной Татьяна Григорьевна, ее я и собираюсь выполнять. Никаких походов в архивы, никаких поисков тех, кто вел следствие или осуществлял оперативное сопровождение.

— Но почему, Анастасия Павловна?

В его темных глазах плескалось упрямство, смешанное с непониманием. Как, ну как ему объяснить? Тогда, в конце сентября девяносто восьмого, застрелился следователь, с которым Насте довелось несколько раз поработать. Через пару недель покончила с собой зампрокурора одного из административных округов Москвы. В течение четырех-пяти лет после дефолта в стране вырос и уровень самоубийств, и уровень смертности, это открытая статистика, никаких секретов. Но кроме статистики есть еще и жизнь, и в этой жизни — Настя Каменская помнила очень хорошо — намного чаще, чем прежде, звучали разговоры о чьих-то внезапных смертях. Инфаркты, инсульты, суициды... Всего сорок два года, какой ужас... Или пятьдесят один... Или тридцать девять... Конечно, есть вещи принципиальные, с этим она не спорит. Умышленно, из корыстных побуждений фальсифицировать материалы уголовного дела — плохо. Брать взятки —

плохо. Осудить и отправить на пожизненное лишение свободы невиновного — плохо. Но пытаться выискать ошибки следствия, сделанные осенью девяносто восьмого, она не будет. Она, Анастасия Каменская, — кто угодно: лентяйка, трусиха, частный сыщик, дочь, жена, сестра, любительница тишины и одиночества, аналитик, может, еще кто-то. Но не судья. И тем более не судья своим коллегам, пусть и бывшим.

Она уже собралась было ответить, когда заметила, что выражение лица молодого журналиста изменилось, а взгляд метнулся куда-то за ее спину.

— Вот вы где! — раздалось приятное глубокое контральто.

Настя резко обернулась и увидела мужчину и женщину, пробиравшихся к ним мимо столиков.

— Петя сказал, что вы будете пить кофе где-то на Сретенке, — пояснила дама, протягивая руку. — Я — Алла Владимировна, можно просто Алла, покойная Ксюша была моей племянницей. А это Владимир Юрьевич, мой старый друг.

— Анастасия, — представилась Настя.

Ай да Петя! «Будете пить кофе где-то на Сретенке...» Выходит, он даже не сомневался, что она примет приглашение посидеть в кафе. Что, Алла Владимировна, пришли осуществлять контроль? Решили лично убедиться, что ваш Петенька действительно разбирается с материалами вашей любимой племянницы? Или вы пришли проконтролировать меня? Оценить, так сказать, профессиональный уровень нанятого вами репетитора по уголовному процессу?

— Вы позволите? — мужчина, представленный старым другом, взялся за спинку стула.

Настя молча кивнула и потянулась за следующей сигаретой. Занятная парочка! Алла — яркая блондинка с очень густыми, хорошо постриженными в длинное каре волосами, карими глазами и роскошной фигурой. Тонкая талия, высокая полная грудь. Сочетание светлых волос и темных глаз в природе встречается нечасто, но похоже, что дама — световолосая именно от природы. Конечно, крашенная, седину в ее годы никто не отменял, но в цвет, максимально близкий к натуральному. Спутник ее выглядел более чем обыкновенно, все в нем было средненьким и невзрачным, он даже ростом ниже Аллы. Трудно поверить, что у них роман. Может, и в самом деле друг?

Немедленно появился официант, протянул меню новым гостям. Алла сориентировалась быстро, попросила принести фруктовый салат и зеленый чай, Владимир Юрьевич заказал только воду без газа.

— Вы нас извините, Анастасия, — он обезоруживающе улыбнулся, — мы прервали вашу беседу. Петя сказал вчера, что вы согласились прогуляться с ним по, так сказать, местам боевой славы, а Аллочка ему подсказала, что нужно быть вежливым. Если уж вытаскиваешь даму на длительную прогулку, то следует позаботиться о том, чтобы угостить ее чем-нибудь и дать возможность отдохнуть. Вот так и появилась идея выпить вместе кофе, заодно и познакомиться. Аллочка очень привязана к Пете, ведь он был близок с Ксенией, и не может пустить на самотек его работу с Ксюшиными материалами, вы понимаете?

— Вполне, — коротко кивнула Настя.

Значит, красотка Алла собралась контролировать и Петра, и его консультанта. Ну, как говорится, бог в помощь.

— А я, — Владимир Юрьевич чуть понизил голос и бросил веселый взгляд на журналиста, — пришел поддержать лично вас.

Настя не сумела скрыть изумление.

— Меня поддержать? В чем же?

— Петр на вас жалуется, говорит, что вы не хотите выяснять, кто в действительности совершил тройное убийство и что там произошло на самом деле. Я считаю, что вы абсолютно правы, а вот Петя этого не понимает. Он у нас правдоискатель, это хорошее качество, но в данном случае оно только мешает, это я вам говорю как писатель.

— А вы писатель? — скептически осведомилась она.

Что-то многовато писателей вокруг нее сегодня. Петр, Владимир Юрьевич, да еще дом этот, где жил Глеб Богданов, популярный автор прекрасных жизнеописаний известных людей.

— Я-то? — весело переспросил Владимир Юрьевич. — Ну такой... ненастоящий. Всю жизнь был чиновником, а потом решил пофантазировать и обнаружил, что за мои фантазии даже платят деньги. Не бог весть какие, но все-таки прожить можно. Пишу в жанре фэнтези для старших подростков. В основном про попаданцев. Поэтому мне близка и понятна мысль о том, что в художественном произведении важна не правда, а идея и стройность ее подачи. Вы согласны?

— Я-то согласна, а вот Петр, как мне кажется, — нет.

— А мы его переубедим. Нас теперь двое, — решительно заявил старый друг красавицы Аллы.

Через несколько минут разговор за столом стал общим и оживленным, и Настя совершенно забыла об острой неприязни, возникшей в первый момент знакомства. Алла оказалась громкой говорливой собеседницей, Владимир же изящно оттенял поток ее речей остроумными и точными репликами, заставляя Настю и улыбаться, и смеяться, и признать, что при всей своей невзрачности и обыкновенности этот человек невероятно обаятелен и даже харизматичен. «Наверное, писатели и должны быть такими, — думала она. — Ничего удивительного, если у Аллы роман с ним. Я была не права в своих первых впечатлениях».

Когда в Настиной сумке зазвонил телефон, она вытащила его, глянула на дисплей — Леша, нельзя не ответить, а то волноваться начнет. Она быстро поднялась и с телефоном в руке отошла от столика, сделала несколько шагов и спустилась с настила веранды на тротуар. Место оказалось неудачным: именно в эту точку был направлен динамик, из которого лилась довольно громкая музыка, да еще вдобавок рядом стояла машина с опущенными стеклами, и оттуда оглушительно разносился какой-то хеви-метал. Пришлось отойти еще дальше, чтобы нормально поговорить.

— Ты там не скучаешь, — заметил Алексей. — Музычка веселенькая, машинки мимо проезжают. В гульбу ударилась, жена, пока муж на ниве науки вкалывает?

— Ага. Предаюсь разврату в обществе молодого журналиста и стареющего писателя, пока не определилась, с кем из них закрутить, — отшутилась она. — Правда, там еще дама имеется, весьма хороша собой, так что, возможно, я и не выдержу конкуренцию.

— Дама? Молодая?

— Выглядит лет на сорок, но на самом деле ей должно быть прилично за полтинник, если учесть, что ее сын давно вырос и уехал куда-то за границу делать бизнес.

— А писатель каков из себя?

— Мелкий, — рассмеялась Настя. — Я таких не люблю. Но на безрыбье, как говорится... Хотя, может быть, я остановлю свой взор на журналисте, он мне нравится.

— Ну, журналист для меня не опасен, слишком молод. А вот про писателя давай подробнее. Как фамилия?

— Понятия не имею, спросить неудобно было, мы только-только познакомились.

— Но имя-то хотя бы назвал?

— Владимир Юрьевич.

— Что пишет?

— Говорит, что фэнтези для старших подростков.

— Подожди, я сейчас погуглю. Ты-то небось постеснялась сразу при нем в интернет лезть.

Из трубки глухо донеслись щелчки клавиатуры.

— Страшненький такой, с бородавкой возле ноздри? — спросил Чистяков.

— Ага, он.

Действительно, у Владимира Юрьевича на лице была не то крупная родинка, не то бородавка, располагавшаяся у левой ноздри, и он действительно не был писаным красавцем, но после получасовой беседы этот человек, с его остроумием и обаянием, уже не казался Насте ни страшненьким, ни даже просто сереньким. Ей на мгновение стало обидно за «старого друга» красавицы Аллы.

— Владимир Климм, написал четыре книги, если верить интернету. Издается в «Матадоре», это издательство, специализирующееся на литературе для детей и подростков, — доложил Алексей.

Климм... Что за фамилия? Наверное, псевдоним, и на самом деле он — Климентьев, Климчук, Климов или еще что-то в этом роде.

Она разговаривала с Лешей, рассказывала о том, как корпит над переводом и как пытается в свободное время найти мастеров «с рекомендациями», при этом посматривала на столик, за которым сидели Петр, Алла и ее друг. Вот к ним подошел официант... Неужели они собрались еще что-то заказывать и продолжать посиделки? Нет, официант положил на стол коробочку-книжку, Владимир достал оттуда счет, протянул официанту карту. Значит, закончили, слава богу. Несмотря на то что общество было довольно приятным, Насте ужасно хотелось остаться одной и вообще оказаться дома. «Теряю социальные навыки, — пронеслась в голове сердитая мысль. — Перестаю наслаждаться групповым общением, раздражаюсь от шума и громких голосов и постепенно превращаюсь в бирюка. Безобразие!»

Она договорила с мужем, попрощалась и оценила деликатность своих новых знакомых, которые, выйдя из кафе, не подошли к ней вплотную, а терпеливо стояли в сторонке и ждали, когда Настя закончит разговор.

— Анастасия Павловна, мы сегодня будем заниматься? — спросил Петр, когда она присоединилась к компании.

— Вообще-то я не планировала. Но если вы настаиваете...

— Просто мы очень медленно двигаемся, застряли на начале первого тома, а время-то идет, — озабоченно проговорил Петр.

— Дальше будет легче и быстрее, — пообещала она. — Это сейчас мы подолгу разбираемся с каждым документом, а потом вы освоитесь, все запомните, да и сами документы начнут повторяться, так что нам не придется тратить время на их формальную сторону и на разъяснения всяких процессуальных моментов. Но если вы настаиваете, то, конечно, давайте позанимаемся.

— Нет, я не настаиваю, просто Владимир Юрьевич предложил мне одно мероприятие... Мне интересно посмотреть, как оно проходит, и если вы уверены, что мы не выбиваемся из графика и все успеваем, то я бы поехал.

— Кстати, Анастасия, я и вас приглашаю, — с улыбкой добавил писатель Климм. — Это благотворительный аукцион, организованный издательством «Матадор», тем самым, которое взяло на себя риск публиковать мои скромные труды. Вы, скорее всего, не в курсе, что «Матадор» ориентирован на детскую и подростковую аудиторию и их родителей.

«Ага, — подумала Настя. — Не в курсе, конечно. Спасибо Лешке, просветил».

Но в ответ лучезарно улыбнулась.

— Вы правы, я, увы, не принадлежу к целевой аудитории ни по возрасту, ни по семейному статусу.

— На аукционе будут продаваться книги с автографами авторов, причем сами авторы должны присутствовать и подписывать каждую книгу адресно, с указанием имени того, кто выиграл лот. Кроме того, издательство заказало различную продукцию — открытки, календари, игрушки, брелоки, наклейки и многое другое с изображениями самых любимых и популярных героев детских книг. Все это тоже предназначено для торгов. Приглашены и авторы издательства, и читатели — родители с детьми, и просто те, кто имеет возможность и желание поучаствовать в благотворительной акции. Вырученные средства планируется перевести детским хосписам. Ну как, Анастасия, я вас уговорил?

Настя поблагодарила и отказалась. Ей и без того есть чем заняться дома. Но благотворительность в пользу детского хосписа — дело нужное, полезное и благородное. Она вытащила кошелек и протянула Петру несколько купюр.

— Поручаю вам выиграть какой-нибудь лот от моего имени.

— А если этого хватит только на наклейку? Я не знаю, какой там уровень... — неуверенно произнес журналист.

— Значит, завтра принесете мне наклейку, — рассмеялась она. — Главное, внесите мою лепту в благое дело. И если беспокоитесь, что мы медленно продвигаемся в занятиях, можем заниматься дольше, только вам придется приносить с собой обед. Готовить я не люблю и полноценно накормить молодого здорового мужчину с хорошим аппетитом не смогу.

— Да не вопрос, — обрадовался Петр. — Завтра принесу пиццу. Хотя...

Он замялся и тревожно взглянул на Настю.

— Завтра воскресенье, вы, наверное, будете отдыхать.

Она с улыбкой покачала головой.

— Не буду. У меня отпуск, как и у вас, так что дни недели значения не имеют.

— Отлично!

Машина писателя стояла на той же парковке, где Настя оставила свой автомобиль, так что еще какое-то время шли по бульвару все вместе. Тротуар не широкий, пришлось разбиться на пары: Алла с Петром чуть впереди, Настя с Владимиром Юрьевичем — за ними.

— Как вам ученик? Толковый? Или мучаетесь с ним? — тихонько спросил Владимир, аккуратно взяв ее под локоть.

— Нормальный, — неопределенно ответила Настя. — Мне не с чем сравнивать, я никогда прежде подобного рода обучением не занималась. Вы давно знаете Петра?

— Давно, — кивнул он. — Но не очень близко. Я знавал его еще в те времена, когда он вместе с Ксюшей приходил к Аллочке.

Значит, с Аллой у этого писателя отношения многолетние. Ладно, учтем.

— Он и тогда был таким же упрямым? — поинтересовалась она.

— О нет, — рассмеялся ее собеседник, — в те годы Петя был проще, легче. Я бы сказал — поверхностнее. Несколько лет живой работы его заметно закалили. Петя будет, извините за грубость, переть к своей цели со всей мощью танковой бригады, его не свернуть. Но я уверен, что у вас это получится.

— У меня? — удивилась Настя. — Почему вы решили, что у меня получится?

— Я уверен, — негромко и твердо повторил Владимир Юрьевич. — Поверьте мне, у меня феноменальное чутье на людей, я всегда точно знаю, чего от кого можно ожидать, кто на что способен.

— И никогда не ошибаетесь?

— Никогда.

Ей показалось? Или с ответом что-то не так? Не то он прозвучал с едва уловимой задержкой, не то, напротив, слишком быстро... Но всё объяснимо: безошибочных людей не бывает, даже самые талантливые и феноменально одаренные совершают ошибки и промахи, и писатель Климм наверняка вспомнил сейчас те неверные и неточные оценки, которые он давал людям. Но решил не признаваться в этом. Что ж, тоже объяснимо: сейчас его цель — вселить в Настю уверенность, и любые колебания и сомнения могут достижению данной цели помешать.

* * *

В начале мероприятия предполагалась небольшая пресс-конференция, во время которой приглашенные журналисты имели возможность задавать вопросы организаторам аукциона и представителям хосписов, в то время как остальные гости прогуливались по холлу, угощались закусками и напитками и рассматривали развешанные на стенах детские рисунки. Петр был отчего-то уверен, что в мероприятии будут участвовать московские толстосумы, и удивился, увидев большое количество детей, пришедших с родителями, причем, если судить по одежде, были они не из самых состоятельных слоев.

— Да уж, публика тут у вас... — разочарованно протянул Петр. — Не похоже, что удастся собрать большие суммы.

— Чем человек богаче, Петенька, тем меньше он сочувствует бедности, — назидательно проговорил Владимир Юрьевич. — Книги «Матадора» покупают семьи, где есть дети, и если мое издательство выставляет на аукцион свою продукцию, то было бы по меньшей мере странным, если бы в аукционе участвовали совсем не те, кто с этой продукцией знаком. Пусть ребенок захочет книгу или игрушку, а уж папа с мамой позаботятся о том, чтобы это устроить. В данном случае дело не в сумме, а в инициативе. Пусть денег соберут мало, зато у мероприятия будет хорошая пресса, интернет подхватит, в дело вступят новые благотворители... Да что я тебе объясняю, будто ты сам не понимаешь. Извини, я отойду, мне нужно с издательскими ребятами переговорить.

Петр остался в обществе Аллы, которая, рассматривая детские рисунки, говорила без умолку. К рисункам журналист был равнодушен, а вот послушать, что происходит на пресс-конференции, ему очень хотелось. Много ли журналистов пришло? Какие вопросы задают? И кто и как на них отвечает? Алла отнеслась к его желанию с пониманием, быстро нашла в толпе гостей своего писателя, что-то спросила у него, кивнула и вернулась к Петру.

— Поднимайся на второй этаж, — сказала она, — в конференц-зал. Аккредитацию не проводили, так что можешь сам поучаствовать, если захочешь, вход свободный.

Он легко нашел конференц-зал на втором этаже, осторожно открыл дверь и прошел поближе к первым рядам. В первый момент ему показалось, что журналистов — человек десять, то есть довольно много для подобного мероприятия, но почти сразу Петр понял свою ошибку: половина присутствующих щелкала фотокамерами. За длинным столом лицом к прессе сидели двое мужчин и три женщины. Таблички перед ними оповещали присутствующих, что на вопросы готовы отвечать руководитель отдела маркетинга издательства «Матадор», заместитель руководителя какого-то департамента Минздрава, один из спонсоров и два представителя двух, соответственно, детских хосписов. Мужчинами были сотрудник издательства и спонсор. «Как всегда, — насмешливо подумал Петр. — Деньги у мужчин, а забота о здоровье — на женщинах».

Он внимательно выслушал пространный ответ спонсора, который рассказывал о том, как и почему стал выделять в порядке благотворительности средства для хосписа, не забывая при этом к месту и не к месту рекламировать продукцию собственного бизнеса. А вот следующий вопрос Петра изрядно удивил.

— Вопрос Екатерине Волохиной, — громко произнесла молодая женщина, сидевшая во втором ряду, и подняла руку. — Насколько нам известно, ваша девичья фамилия — Горевая и ваш отец — крупный бизнесмен Виталий Горевой. Это так?

Табличка с надписью «Екатерина Волохина, хоспис "Луч надежды"» стояла перед девушкой в очках на слишком длинном носу. И девушка эта ну никак не соответствовала представлениям Петра о том, как должна выглядеть молодая дочь крупного московского бизнесмена. Наверное, журналистку дезинформировали.

Но, к его огромному изумлению, девушка по фамилии Волохина невозмутимо ответила:

— Да, это так.

— Он разделяет ваше стремление помогать тяжело больным детям и их семьям? Он участвует в благотворительных программах для вашего хосписа?

— Нет, — все так же спокойно ответила Волохина. — Мой биологический отец Виталий Владимирович Горевой к моей деятельности отношения не имеет. Два года тому назад он отказал мне от дома, поскольку я не оправдала его надежд. С тех пор мы не общаемся и ни с какими просьбами я к нему не обращаюсь.

Как Петр и ожидал, эти слова очень оживили журналистов. Ведь куда интереснее писать о скандале в семье богатого предпринимателя, чем о страданиях больных детей и их семей. Камеры защелкали с удвоенной частотой. Теперь вопросы посыпались один за другим, и все они были адресованы Екатерине и касались исключительно ее семейной ситуации и взаимоотношений с отцом. Девушка отвечала кратко, все с тем же угрюмым спокойствием.

— Вы назвали Горевого биологическим отцом. Означает ли это, что вы росли в другой семье и считаете своим отцом другого человека?

— Нет, я росла в семье Виталия Горевого и прожила с ним всю жизнь, за исключением двух последних лет.

— Как ваша мать относится к тому, что вас отлучили от семьи?

— У меня с десяти лет по закону нет матери, она лишена родительских прав.

— За что?

— Таково было решение моего отца. Все вопросы на эту тему — к нему.

— Почему вы поменяли фамилию?

— Я вышла замуж.

«Ого, — подумал Петр с некоторым даже удивлением. — Такая несимпатичная девочка — и нашла себе мужа».

— А вы не думали о том, что если бы вы оставались Горевой, вам было бы легче находить спонсоров в деловых кругах? Виталий Горевой — личность известная в мире бизнеса.

— Я думала о том, что люблю своего мужа и хочу до конца жизни быть рядом с ним и носить его фамилию.

— У вас есть братья или сестры? Вы единственный ребенок Горевого?

— У Горевого есть еще две дочери от двух предыдущих браков.

— Вы поддерживаете с ними отношения?

— Нет, я с ними не знакома.

— Горевой оказывает им финансовую поддержку?

— Насколько мне известно, он поддерживал их до их совершеннолетия.

— А как бы вы отнеслись, если бы узнали, что ваш отец им помогает, в то время как вас он лишил всякой поддержки?

— Я не обсуждаю чужие решения и никак к ним не отношусь. Я могу объяснять только собственные поступки.

Внутри у Петра все кипело от негодования. Да как они смеют?! Чего они прицепились к девчонке?! Ведь невооруженным глазом видно, что ей неприятно отвечать на все эти вопросы, и вообще, они собрались, чтобы поговорить о том, как и чем можно помочь больным детям и их родителям, а на самом деле всем интересно только грязное белье благородного семейства.

Внезапно Екатерина Волохина подняла руку, не дослушав очередной вопрос любопытствующего субъекта, и встала. В руках у нее была белая роза, а на лице сияла улыбка, мгновенно превратившая длинноносую девицу в очках в неописуемую красавицу.

— Я понимаю ваш интерес к семейной ситуации Виталия Горевого, но думаю, что все вопросы вы сможете задать непосредственно ему, если захотите. Сегодня же мы просим вас обратить особое внимание на проблемы оказания паллиативной помощи. У государства нет средств на достойную поддержку больных детей, это не секрет. Мы — частная организация, и мы существуем на деньги спонсоров, поскольку зарабатывать нам не на чем. Мы готовы оказывать услуги на коммерческой основе, но те, кто может произвести полную оплату, предпочитают получать лечение за рубежом. Семьи наших маленьких пациентов — люди среднего и небольшого достатка, и мы оказываем им услуги или за чисто символическую плату, или вообще безвозмездно. У нас совсем крошечный стационар, всего десять коек, и еще пятнадцать коек дневного стационара. Основная масса пациентов — почти пятьсот человек — обслуживается выездными бригадами на дому. Сотрудники хосписа — энтузиасты, преданные своему делу, и если на счету нет денег, мы все работаем бесплатно, в ожидании, когда деньги поступят. Но если на счету нет денег, то мы не можем покупать препараты и медицинскую аппаратуру, а больные не могут ждать, пока поступят средства. Поэтому нам так необходима помощь спонсоров, и мы горячо благодарим издательство «Матадор» за то, что они придумали и организовали сегодняшний благотворительный аукцион. Полагаю, представитель издательства может поведать вам немало интересного о том, как родилась эта инициатива и с какими трудностями они столкнулись, пока придумывали и разрабатывали план мероприятия. Здесь присутствует руководитель маркетинговой службы издательства, от которого лично я в свое время узнала много нового и неожиданного о том, как протекала работа над проектом.

Выражение лица у Волохиной при этом было такое, что Петр ни на секунду не усомнился: человеку из издательства действительно есть что рассказать журналистам, чтобы удовлетворить их жажду «горяченького и вкусненького».

«Какая молодец! — восхищенно подумал он. — Просто умница! Не грубила, не хамила, не отводила вопросы, честно ответила на каждый, но при этом максимально кратко и без эмоций. И пресса довольна, и времени потеряно немного. А потом ловко переключила внимание на другого».

Он слушал вопросы и ответы и прикидывал: поучаствовать или воздержаться? С одной стороны, можно было бы набрать информации и сделать неплохой материальчик, особенно если сравнить с ситуацией в его родном городе, но с другой стороны, тема не согласована с редакцией, заказа нет, и вообще, он в отпуске и задачи на ближайший месяц стоят перед ним совершенно другие. С недавних пор Петр Кравченко понял, что журналистика — это не для него. Да, у него хорошо получается эта работа, его хвалят и даже поощряют, но... Душу не греет. Он хочет стать писателем, и не таким, как Владимир Климм, заштатным, которого никто не знает, кроме кучки подростков, а настоящим, известным, завоевавшим широчайшую популярность. Он не хочет проводить журналистские расследования, опираясь на факты, как того требует его нынешняя профессия, он хочет сочинять романы-притчи с элементами фэнтези, писать что-то похожее на прозу Хорхе Букая, но не коротенькое, малоформатное, а большое и красочное. У него, Петра, уже есть в голове идея первого романа, и он горит желанием и нетерпением взяться за него. Однако рост популярности чего бы то ни было всегда стоит на законах распространения информации, и один из них, чуть ли не самый главный, — закон волшебного первого пинка. Если ударить по мячу, лежащему на земле, конечная точка траектории будет в одном месте, а если с точно такой же силой послать в полет мяч, лежащий в ямке, далеко ли он улетит? А вот если мяч изначально находится на высоте, то место его приземления окажется... Ух! Даже страшно подумать, где он может оказаться. Но в любом случае понятно, что у мяча в ямке перспективы намного хуже, чем у мяча, брошенного вперед с высоты. Для Пети Кравченко сия аллегория означала только одно: чтобы прославиться с первой же книги, нужно быть «известным журналистом», стоящим на высоте, а не «новым никому не известным автором из темной ямки». И флешка с материалами умершей подруги несла в себе в этом смысле огромный потенциал. Раскопать старое дело, разоблачить взяточников и коррупционеров, эдаких беспредельщиков от правосудия, которые за двадцать лет наверняка достигли немалых успехов, завоевали крепкие позиции и заработали огромные деньги. Какой красивый можно будет сделать материал! Какой раздуть скандал! А если удастся при этом освободить из тюрьмы невиновного — то вообще супер! О нем, Петре Кравченко, заговорит вся страна, а то и все русское зарубежье. И вот тут-то, на самом пике известности, он и выдаст свой первый роман. Тогда популярность ему обеспечена на долгие годы. Его уже не забудут. Надо будет только псевдоним придумать покрасивее, чтобы и у нас звучал, и за границей. Вот Владимир Юрьевич удачно придумал, «Климм», хотя на самом деле он Климанов, и звучит по-европейски, и корень настоящей фамилии сохранен. Петр тоже что-нибудь такое изобретет. К примеру, «Питер Крафт». Или «Крофт».

Разве плохо? Книги Владимира Юрьевича ни на один иностранный язык не переведены, никому он не интересен за пределами нашей страны, и зачем ему такой красивый звучный псевдоним? Наверное, тоже на мировую славу надеялся, да просчитался. Нельзя было приходить в литературу с низкой позиции обыкновенного чиновника, из ямки мяч далеко не улетит. Петр все сделает по уму, из дела об убийстве семьи Даниловых смастерит настоящую бомбу, которая выполнит роль вышки.

Он так увлекся любимыми мечтами, что перестал слушать вопросы и ответы и опомнился, когда участники пресс-конференции начали расходиться. Правда, вопросов оказалось не так много, и после оживления, вызванного интересом к Екатерине Волохиной, все снова потекло вяло и скучно. «Благотворительность никому не интересна, — думал Петр, идя по проходу к выходу из зала. — Всем интересны скандалы с участием публичных персон. И чужое горе тоже никому не интересно, если это не горе твоего знакомого или все тех же публичных людей. Организаторы дали маху, плохо сработали, им нужно было пригласить на «прессуху» какого-нибудь известного актера или шоумена, потерявшего маленького ребенка, а в идеале — чтобы этот ребенок скончался в хосписе. Тогда журналистов пришло бы раз в пять больше и активность была бы выше. Почему не догадались? Хорошо еще, что та ушлая девица хоть что-то предварительно разузнала про Волохину, ее вопросы внесли оживление, дали пищу для публикаций. А без этого вообще можно было бы считать, что «прессуха» провалилась».

В холле он успел перехватить пару бутербродов и выпить стакан сока, прежде чем всех пригласили в тот же самый конференц-зал для участия в аукционе. Аллу и Владимира Юрьевича он нашел в обществе двоих мужчин, работавших в «Матадоре», и был им представлен в качестве «нашего молодого, но очень близкого друга, будущего писателя». Петр чувствовал себя польщенным и был весьма доволен тем, что уже начали завязываться знакомства в издательских кругах, что немаловажно для осуществления его далеко идущих планов. Он тут же, с места в карьер, заявил сотрудникам издательства, что пресс-конференция была организована неграмотно и нужно было сделать вот так, а сделали вот эдак...

— Если бы не эта Волохина из хосписа с ее семейной драмой, вообще был бы полный караул, — авторитетно заявил журналист. — Это я вам как профессионал говорю.

Сотрудники издательства сдержанно улыбались, слушая его, и было понятно, что мнение какого-то там зеленого юнца из далекого города интересует их меньше всего на свете.

— Пойдем-ка, — Владимир Юрьевич потянул его в сторону широкой лестницы, ведущей на второй этаж, — аукцион начинается. А что за Волохина с семейной драмой? Интересная история?

— Подробностей не знаю, ответы на вопросы были очень скупыми, но, похоже, там все непросто. Представляете, у Волохиной отец — богатый предприниматель, а она работает за копейки и даже не каждый месяц зарплату получает.

— Что же, отец ей совсем не помогает? — недоверчиво спросила Алла. — Не может такого быть!

— В том-то и дело, что отец то ли выгнал ее из дому, то ли она сама ушла, я не понял. Короче, они уже два года не общаются. Совсем.

— Господи! — всплеснула руками Алла. — За что же можно выгнать из дома родную дочь? Если она работает в хосписе, значит, приличная порядочная девочка, не шалава какая-нибудь, не наркоманка...

Петр вспомнил длинный нос, очки в дешевой оправе. Да уж, Екатерина Волохина — совершенно точно не шалава. И тут же перед его глазами встала ее потрясающая улыбка, обнажившая белоснежные ровные зубы и мгновенно преобразившая лицо, до этого бывшее скучным, обыкновенным, одним словом — никаким.

Аукцион начался. Проходил он весело, ярко, было видно, что организаторы учли особенности аудитории с большим числом детей и подростков, и разыгрывание каждого лота сопровождалось концертным номером. Певцы, клоуны, гимнасты, дрессировщики кошек и собак, танцоры, мимы... Петр оценил генеральный замысел: все номера были так или иначе привязаны к сюжету и героям той книги, к которой имел отношение данный лот.

Начали с «мелочей» — наклеек и брелоков, потом перешли к наборам открыток и календарям. Петр едва не забыл, что Каменская дала ему деньги и попросила поучаствовать в аукционе от ее имени, а когда спохватился, кто-то из зала уже предлагал за календарь 15 000 рублей. «Блин! — выругался он мысленно. — Все проворонил. Она дала пять тысяч, за наклейки платили максимум по тысяче, брелоки ушли по полторы-две, а теперь цены такие пошли, что куда мне с этой пятеркой...» Оставалась, правда, слабенькая надежда на два оставшихся календаря, торги за которые начинались всего с тысячи рублей. А вдруг тот, кто готов заплатить за календарь пятнадцать тысяч, окажется всего один на весь зал и больше таких героев не отыщется? Вдруг удастся уложиться в «пятерку»?

Но никакого «вдруг» не случилось. Один из оставшихся календарей ушел за девять тысяч, другой — за двенадцать с половиной. Настала очередь книжных лотов. И тут на сцене появилась Волохина, и аукционист с радостной улыбкой передал ей микрофон.

— В нашей семье двое детей, — начала она.

Зал тут же восторженно загудел. Еще бы, такая юная, совсем девочка с виду, а уже двоих детишек родила! Волохина рассмеялась и стала, как показалось Петру, еще красивее, чем когда просто улыбалась.

— Нет-нет, речь не о моих детях, я говорю о брате и сестре моего мужа, которые живут с нами и являются членами нашей семьи. Моей семье предоставлена высокая честь назвать первые две книги, которые будут сейчас разыграны. Одна из них — любимая книга Светочки, ей девять лет, вторую выбрал Женя, ему почти двенадцать. Замечательные детские писатели, авторы этих книг, сегодня с нами, они выйдут на сцену и на ваших глазах подпишут книгу тому участнику, который выиграет лот, а Света и Женя добавят в копилку нашего хосписа «Луч надежды» сделанные своими руками подарки. Вы же все наверняка понимаете, что больным детям нужны не только лекарства и оборудование, но и все те мелочи, из которых состоит обычная повседневная жизнь и которые приносят нам столько радости: что-нибудь вкусненькое, игрушки, подарки, сувениры, да просто знаки внимания, заботы и любви.

— Ого, какая девочка, — прошептал Владимир Юрьевич на ухо Петру. — Это она? Та Волохина, у которой семейная драма?

— Ага, она.

— Вот о ком тебе нужно сделать статью! Ну что ты вцепился в этих Даниловых, двадцать лет прошло... Если уж тебя так зацепила их история — ради бога, используй ее в художественной форме, преобразуй, возьми самые яркие моменты и вставь в свой роман, все равно никакие открытия в таком старом деле тебе славы не принесут. Думаешь, я не понимаю, чего ты добиваешься? Хочешь начать с высокого старта. Но дело девяносто восьмого года тебе эту высокую позицию не даст, поверь мне, Петенька. У людей слишком много забот в настоящем, и они слишком беспокоятся о будущем, чтобы еще по поводу прошлого волноваться. Прочитают, покачают головами и забудут. А такие вот девочки, как эта Волохина, это настоящее нашей страны и ее будущее. И больные дети, и хреновое бюджетное обеспечение здравоохранения, и равнодушие людей друг к другу, и немногочисленные энтузиасты-бессребреники — все это сегодняшнее. Поэтому если хочешь славы — пиши об этом, а не о Даниловых.

Петр собрался ответить, но тут начался музыкальный номер такой громкости, что до собеседника было бы не докричаться, а уж о том, чтобы переговариваться шепотом, даже речи быть не могло.

— Но если Даниловых убил не тот, кто реально сидит, — снова зашептал он, когда музыка смолкла, — значит, следователи и оперативники фальсифицировали дело за взятку. Наверняка они практиковали такое не один раз, разбогатели на этом и сегодня процветают, даже, наверное, занимают высокие должности. Если мне удастся их разоблачить, это будет касаться уже сегодняшнего дня, разве нет? Сколько им могло быть в девяносто восьмом?

Лет тридцать — тридцать пять? Значит, сейчас они еще вовсю работают, сидят в шикарных кабинетах, в удобных креслах, деньги гребут лопатой, а человек мается за колючкой.

— Ну, если так, то, конечно... — вздохнул Владимир Юрьевич. — С тобой трудно спорить. Слава журналиста, который разоблачил высокого чина-взяточника из Генеральной прокуратуры, — это не кот начхал, согласен. С такой репутацией путь в верхние строчки читательских рейтингов может оказаться очень коротким, тут ты правильно рассчитал. Только вот получится ли у тебя? Может быть, ты и сумеешь выяснить, что Даниловых убил не тот, кто сидит, как там его... Соколов?

— Сокольников, — подсказал Петр.

— Ну да, Сокольников. А вот как ты сможешь доказать, что дело было умышленно сфальсифицировано?

— Мне Каменская поможет.

Владимир Климм недоверчиво прищурился.

— Ой ли? Что-то она не производит впечатления человека, который готов сдавать направо и налево своих коллег. Впрочем, тебе видней. Да, кстати, ты не забыл, что она тебе деньги давала?

— В том-то и дело, что забыл, — уныло отозвался Петр. — А когда спохватился — стало уже поздно, сами слышите, какие цены пошли...

— Не переживай, за мои книги много не дадут, вот увидишь. Там стартовая цена две пятьсот заявлена, вряд ли кто-то поднимется выше, главное — ты сам не прозевай.

— Ну зачем вы так, Владимир Юрьевич!

— Я не «так», Петенька, а трезво. Есть книги для детей, эти дети сегодня в зале с родителями, сидят и ноют: «Ну купи! Ну купи! Хочу!» Игрушки всякие, картинки, календари и прочая дребедень, и все это они хотят, особенно девчонки. Мои читатели — подростки пятнадцати-семнадцати лет. Ты их в зале видишь? Ты видишь, что они сидят с родителями и выпрашивают что-нибудь, связанное с их любимыми героями? Да ни одного! Поэтому мои книги если кто и купит, то исключительно из жалости и сочувствия к больным детям, торговли почти не будет. Начнут с двух с половиной, а за три уже и продадут.

Климанов как в воду глядел. Книги для подростков старшей возрастной категории ни малейшего энтузиазма у участников аукциона не вызывали, и Владимир Юрьевич поднялся на сцену, чтобы подписать свой роман, проданный за 3500 рублей. Покупателем оказался, разумеется, Петр Кравченко, которого ведущий попросил выйти и показаться публике.

— На чье имя написать автограф? — поинтересовался писатель с деловитым видом. — Это для вас лично или для кого-то?

— Для Каменской Анастасии Павловны, — смутившись, ответил Петр.

— Это ваша сестра? Или просто знакомая девушка? — зачем-то начал допытываться Владимир Юрьевич, притворяясь, что видит Петра впервые в жизни.

— Нет, не сестра и не девушка, она уже пожилая женщина. Она не смогла лично принять участие в аукционе, но передала мне деньги и попросила поучаствовать от ее имени.

По лицу Климанова пробежало выражение не то сарказма, не то неодобрения. Склонившись над столом, он подписал книгу и вручил ее Петру.

Когда все закончилось, писатель усадил Петра и Аллу в свою машину.

— Отвезем Аллочку, а потом я тебя подброшу до метро, — сказал он.

Петр не понял великого замысла писателя, ведь метро — вот оно, рядом с парковкой, но возражать отчего-то не осмелился.

По дороге Алла и Климанов оживленно обсуждали сотрудников издательства и всяческие сплетни, которыми их сегодня обильно накормили. Петр в беседе участия не принимал, ибо никого из упоминаемых персонажей не знал и истинного смысла сказанного уловить не мог. Когда остановились у дома, где жила Алла, Владимир Юрьевич по-джентльменски не только помог даме выйти из машины, но и проводил ее до самой квартиры, а вернувшись на водительское место, окинул Петра холодным злым взглядом.

— Сколько лет твоей маме?

— Пятьдесят один, — удивленно ответил Петр. — А что?

— Ты посмеешь ей в глаза сказать, что она — пожилая? Каменская ненамного старше. Думать ты можешь что угодно, но за речью следи, будь любезен, иначе ничего в жизни не добьешься. И запомни: никто не хочет слышать то, что ты думаешь на самом деле, все хотят слышать только то, что им нравится.

— Извините, — пробормотал Петр. — Я растерялся там, на сцене, и не сориентировался.

— Растерялся он, — сердито проворчал Климанов. — Кстати, сколько ей лет, этой твоей Каменской? Выглядит лет на пятьдесят с маленьким хвостиком, а на самом деле?

— Она говорила, что уже восемь лет на пенсии, как полтинник стукнул — так и сняла погоны. Значит, пятьдесят восемь.

— Не на пенсии, а в отставке, — поправил Владимир Юрьевич. — Она же офицер.

— Да без разницы.

— И еще запомни: старость не на лице, а в голове. Пока мозги хорошо работают, никакой старости нет. А если они не работают, то гладкая рожа не спасает. Как у нее мозги? В порядке?

— Вроде да.

— Польза есть от занятий?

— Двигаемся очень медленно, — признался Петр. — Так что пользы пока не видно.

— А что так? Она вязкая? Многословная? Отвлекается и рассказывает не относящиеся к делу байки?

Услышав, что Петр не дает Каменской материалы, поэтому приходится читать вслух, Владимир Юрьевич неодобрительно покачал головой.

— У тебя паранойя, дружок. Кому они нужны, эти материалы, кроме тебя самого? Да отдай ты ей флешку, пусть перегонит в свой компьютер. Уверяю тебя, никто их не украдет и ими не воспользуется. Ты же сам видишь: она не собирается докапываться до истины, ей это не интересно. Пусть спокойно почитает на досуге, подскажет тебе что-нибудь ценное, тогда у тебя останется время на сбор необходимой информации уже сейчас. А то так и проковыряетесь с документами до конца твоего отпуска. И потом тебе придется еще невесть сколько ждать, пока появится оказия снова приехать в Москву. Нерационально используешь время, дружочек.

— Думаете? — с сомнением переспросил Петр.

— Уверен, — твердо произнес Климанов. — У Каменской глаз не горит, я это отчетливо видел. Она для тебя никакой опасности не представляет. И снова вернусь к парному понятию «мысль и слово». Ты назвал ее пожилой, за что и огреб от меня. Но думаешь ты в правильном направлении, она действительно не молода. Именно поэтому она не опасна. Польза от твоих материалов может выйти только одна: известность, слава. Для тебя такие штуки важны, это понятно. Для нее — нет.

— Да? Почему вы так уверены? Вы так хорошо разглядели ее сущность, ее характер?

— Не в этом дело. Возраст, Петенька.

— А при чем тут... — растерялся Петр. — Какое отношение слава имеет к возрасту?

— Самое прямое. Слава для чего нужна?

— Ну как же...

— Не «ну как же», а сформулируй четко и внятно, — Климанов заговорил немного сердито и одновременно насмешливо. — Ты хочешь журналистской славы, и не стесняйся, ничего плохого в этом нет. Повтори еще раз, для чего она тебе.

— Чтобы потом стать известным писателем, — смущенно пробормотал Петр.

— Хорошо. А писательская слава тебе зачем?

Петр молчал.

— Ладно, сам скажу, — продолжал Климанов. — Чтобы твои книги хорошо раскупались, чтобы тебя издавали большими тиражами, чтобы платили большие деньги. Приглашали на телевидение на всякие ток-шоу, на презентации, брали у тебя интервью. Ты станешь публичной личностью, будешь жить богато и разнообразно, у тебя будет хороший выбор кандидаток в жены, ты построишь себе просторный дом, создашь семью своей мечты, родишь детей и дашь им счастливое детство и хорошее образование. Завоеванная в двадцать шесть — двадцать семь лет слава обеспечит тебе впоследствии лет сорок безбедной, интересной и яркой жизни. Ну, примерно как-то так. Правильно?

Петр угрюмо кивнул. Ему стало отчего-то невыносимо стыдно, словно Владимир Юрьевич только что уличил его в низких помыслах или даже в невообразимо грязном преступлении.

— Твоя жизнь сейчас — ничто, пустое место. И сам ты никто и тоже пустое место. Ты начинаешь выстраивать себя самого и свою будущую жизнь, которая, если бог даст, окажется достаточно длинной. Строительным материалом ты планируешь свою славу. Ничего плохого в этом нет, повторюсь. К славе рвутся не все, конечно, но очень и очень многие, это нормально и совсем не зазорно. Но посмотри на возраст всех этих, которые рвутся. Ты можешь привести мне хоть один пример, когда человек, достигнув пенсионного возраста, вдруг ни с того ни с сего начинает жаждать известности и славы? Желание славы — удел молодых. Им есть ради чего стараться. А ради чего надрываться, например, мне? Или той же Каменской? Мы свои жизни давно выстроили и, между прочим, почти прожили. Зачем нам слава? На кой черт она сдалась? Что мы с ней будем делать? По тусовкам зажигать? Так это уже давно не интересно. Деньги заработаем? И куда их потом девать? У меня, как ты знаешь, детей нет. А у Каменской?

— Тоже нет, — подтвердил Петр.

— В гроб с собой эти деньги не положишь. Если в нашем возрасте начинать гнаться за славой, на это уйдет много времени, и если проект пойдет успешно, то к тому моменту, когда появятся настоящие большие деньги, нам уже ничего не будет нужно, кроме пакета кефира и сдобной булочки. Опять же, если доживем.

Климанов немного помолчал, потом снова заговорил, негромко и очень язвительно:

— Ты небось считаешь меня лузером, неудачником. Так, писателишка мелкий, книги которого никто не читает и которого издают только для того, чтобы издательская полка выглядела более полной, дескать, наша потребительская аудитория охватывает все возрастные категории. Ведь ты так думаешь?

— Да вы что, Владимир Юрьевич...

Протест прозвучал вяло и неубедительно, Петр и сам это понимал. Климанов словно прочитал его мысли, которые Петр считал, разумеется, правильными и справедливыми, но вслух никогда не произнес бы.

— Не ври, — строго проговорил писатель. — Я тебя насквозь вижу. Поэтому и объясняю, что живу так, как живу, именно потому, что мне достаточно. Я мог бы выпрыгнуть из-под себя и делать не по две книги в год, как сейчас, а по пять, даже по шесть, и писать не о том, что интересно лично мне, а на потребу читательской публике. Денег было бы больше, это само собой, и известности прибавилось бы. Но для чего? Ради какой такой великой цели мне лишать себя моего привычного образа жизни, моих маленьких удовольствий, покоя и удобства? Снова напоминаю тебе о возрасте, Петя: мы с твоей Каменской находимся уже на том жизненном этапе, когда очень хочется привычного и стабильного существования, в котором все понятно и все предсказуемо. Нам не нужен адреналин, шум и ярость, понимаешь? Нам нужно, чтобы все было приятно, спокойно, удобно и без напряга. Мы хотим жить вполголоса. Поэтому никакая слава и все сопутствующие ей прелести нам не нужны. Жажда славы — удел юных и молодых. Так что повторю еще раз: отдай ей флешку и не запаривайся параноидальными подозрениями. Тогда дело пойдет быстрее, и пользы будет намного больше.

Теперь понятно, почему Климанов предложил «довезти до метро». Конечно, при Алле вести такие разговоры вряд ли было бы разумным. Для нее возраст и старение — тема болезненная, это Петр понял давно, еще когда встречался с Ксюшей.

— Ну так что? — настойчиво спросил Владимир Юрьевич. — Отдашь ей материалы?

— Да, — выдавил Петр. — Но все равно стремновато...

— Не бойся, — широко улыбнулся писатель. — Каменская, судя по всему, человек приличный, она тебя не обманет.

* * *

Вторую половину субботы Настя планировала посвятить решению проблем, связанных с ремонтом новой квартиры. На пять часов вечера была назначена встреча с представителем очередной строительной фирмы, на сайте которой красовались уверения касательно быстрого и качественного выполнения ремонта любой сложности. Конечно, весь предыдущий опыт показывал, что подобный эвфемизм обозначал на самом деле «чем дороже и больше — тем лучше», а вовсе не «беремся и за маленькие несложные объекты, и за большие и делаем с одинаковым рвением». Но в разделе «Отзывы» оказалась парочка высказываний тех клиентов, которые благодарили за быстро и хорошо сделанный ремонт в малогабаритных квартирах. Опять же, не факт, что отзывы настоящие, это Настя тоже понимала и готова была нарваться на презрительный отказ.

В общем, примерно так все и произошло. Представители строительной фирмы — полный суетливый мужчина и хамоватого вида дама — явились с опозданием на 40 минут. Дама, представившаяся дизайнером, немедленно обошла всю квартиру и с места в карьер стала предлагать варианты один другого страшнее и дороже.

— Вот эту стену можно перенести...

— Здесь хорошо будут смотреться потолочные балки...

— Сюда можно положить плитку трех разных дизайнов, но в одной цветовой гамме, будет очень пикантно...

У Насти мгновенно разболелась голова и стало душно. Ее буквально затошнило при мысли о том, что под ногами будет плитка «трех разных дизайнов». Какие глаза это смогут вынести?

— Нам не нужны балки, — сказала она. — И стены переносить мы не собираемся.

Дама-дизайнер заметно поскучнела.

— Позвольте узнать, на какой вообще бюджет вы рассчитываете? — спросила она холодно.

Настя вздохнула и назвала сумму. На лице дамы появилась презрительная гримаска.

— Боюсь, наша фирма не возьмется за ваш объект. Нам такие объемы не интересны.

— Понятно, — кивнула Настя.

Ничего иного она и не ожидала. Ей показалось, или полный мужчина смотрит на нее уж слишком пристально и слегка сочувственно? Впрочем, какое это имеет значение... Решения принимает явно не он. Скорее всего, дама-дизайнер по совместительству является директором, а то и владельцем, а ее спутник — прораб, наемный работник. Может быть, даже и муж-подкаблучник.

Она проводила визитеров до двери и почувствовала, как мужчина ловким незаметным движением вложил ей в руку карточку. Закрыв замок, Настя с удивлением рассмотрела обыкновенную визитку с названием фирмы, именем и должностью. Ну да, она не ошиблась, мужчина по фамилии Машинистов именовался «производителем работ». И зачем он дал ей это? Да вдобавок втихаря от своей начальницы.

Выбрав из двух указанных на карточке телефонных номеров тот, который наверняка был не городским, Настя быстро набрала текст эсэмэс: «Вы хотите, чтобы я вам позвонила? В какое время это удобнее сделать?» Подумала и приписала: «Анастасия. Квартиру вы только что смотрели». В самом деле, у Машинистова вряд ли есть ее номер, ведь о встрече Настя договаривалась по телефону именно с этой дамой. В мобильном номер обозначится, но откуда прорабу знать, кому он принадлежит и кто ему написал? Так что поясняющая подпись лишней не будет.

Она снова и снова бродила по пустой обшарпанной квартире, пытаясь заставить себя увидеть радостные картинки из их с Лешкой близкого будущего. Картинки, на которых все уютно, удобно, комфортно. Но ничего не получалось. Более того, чем больше она старалась мысленно рисовать, тем хуже становилось настроение и тем сильнее болела голова. У нее ничего не получается с ремонтом. И не получится. Она не умеет...

Или не хочет?

Настю зазнобило — настолько неприятной показалась мысль. «Да нет же, я хочу! — испуганно подумала она. — Ну как же я могу не хотеть? Новая квартира, три комнаты, мы с Лешкой столько лет мечтали об этом! Просто я всю жизнь прожила в своей «однушке», мелкий ремонт мы с Лешкой делали сами, ну, друзья-коллеги помогали, кто как умел, а вот с таким ремонтом, как нужен сейчас, мы ни разу не сталкивались, ни Чистяков, ни я. Поэтому я не знаю, с какого конца подбираться к делу, как правильно искать исполнителей, как планировать, какие там подводные камни могут быть. Нужно сесть и хорошенько подумать, прежде чем кидаться что-то делать. Возможно, ошибка кроется в планировании, в подходе».

Она уселась возле окна на табурет. Табурет хромал на две ноги сразу, и требовалась особая внимательность к мышцам ног и спины, чтобы не рухнуть на пол. Настя осторожно пристроила себя в сидячем положении, оперлась на пыльный подоконник, достала сигареты и бутылку воды. Закурила, бессмысленно глядя сквозь давно не мытое стекло на все еще зеленые верхушки деревьев. На подоконнике валялся большой, величиной с ладонь, осколок разбитого зеркала. Взяв его в руки, она посмотрела на свое отражение. Глаза потухшие, лицо усталое. Хотя с чего бы ей так уж устать? Выспалась, погуляла по городу, посидела в кафе. Не надорвалась, короче.

«Ты лжешь. А ложь — штука очень энергозатратная», — казалось, говорила ей та Настя, которая отражалась в зеркале.

— Кому я лгу? Ты о чем? — машинально спросила Настя, не заметив, что разговаривает сама с собой вслух, но тут же спохватилась.

«Записная книжка, — ответило отражение. — Посмотри в нее и сразу поймешь, о чем я».

Да, все верно. Она, Анастасия Каменская, врет, и не кому-нибудь, а самой себе. В ее записной книжке сотни телефонных номеров, и не может быть, чтобы хоть кто-нибудь из этих людей не помог найти нормальных мастеров для недорогого ремонта. Просто не может такого быть. Почему же она им не звонит? Почему ограничилась парой десятков звонков, после чего начала искать мастеров в интернете? Почему не обратилась к Юрке Короткову, который работает директором крупной базы отдыха и постоянно имеет дело со строителями и ремонтниками? Почему не попросила о помощи брата Александра?

Ну, допустим, с братом Сашей все понятно, он не умеет просто давать советы, он тут же начнет навязывать огромные деньги на ремонт, и отбиться от него можно будет только с риском для жизни. А у Чистякова в этом смысле позиция давняя и принципиальная: жить только на заработанное своим трудом, и Настя с ним полностью солидарна. Саша, человек весьма небедный, много раз и по самым разным поводам пытался вынудить сестру и ее мужа взять у него деньги, и каждый раз это вызывало острое недовольство со стороны Алексея и мучительные попытки самой Насти сгладить назревающий конфликт. «К Сашке я не обращусь, чтобы не нарываться, — сказала Настя своему отражению. —

А к Юре — потому, что он работает у Сашки и обязательно ему доложит. И потом, Юра имеет дело с фирмами, которые берутся за большие объемы, наша квартирка им все равно не интересна, а с маленькими фирмешками попроще он не контачит».

«Ловкая ты, — насмешливо откликнулось отражение. — А другие люди из твоей записной книжки, кроме этих двоих да тех двадцати, которых ты обзвонила? Они тоже на твоего брата-банкира работают? Не валяешь ли ты дурака, моя дорогая?»

«Не валяю, — сердито подумала Настя. — Вот сейчас зажмурюсь и представлю себе, как тут все будет. Где я? На кухне? Вот... Сейчас... Здесь будет висеть шкафчик...»

Она изо всех сил старалась быть добросовестной, но перед глазами вставала ее привычная тесная кухонька с кое-где поцарапанными дверцами шкафчиков, знакомыми пятнышками от не замеченных вовремя и въевшихся в ткань штор брызг жира, погрызенным уголком стула... Да, к Леше приходил аспирант, недавно взявший щенка, пес пока еще не умел оставаться дома один, и пришлось взять его с собой. Настя, помнится, тогда ужасно умилялась тому, что щенок такой тихий и непроблемный, как посадили на кухне — так и просидел все время, пока мужчины в комнате редактировали автореферат диссертации, а сама Настя, надев наушники, смотрела какой-то фильм онлайн. Когда же пришло время прощаться, выяснилось, что тихий щенок все это время сосредоточенно и целеустремленно грыз стул. Аспирант был в ужасе и долго и сумбурно извинялся, а они с Чистяковым так хохотали!

Боже мой, сколько счастливых минут, часов, дней и недель прошло в той маленькой квартирке! Сколько лет! И как же ей не хочется оттуда уезжать... Но ведь Лешке так нужно пространство, у него с каждым годом все больше и больше учеников, аспирантов, и очников, и заочников, и соискателей, и докторантов, у которых он является научным консультантом, и вообще у него очень много работы, ему просто жизненно необходимо собственное пространство, свой кабинет, где никто не будет ему мешать. К нему постоянно приходят люди, и ему, профессору с международной известностью, неловко принимать их в тесноте и среди громоздящихся на полу стопок книг и папок. Это все неправильно. Лешка заслужил комфортное жилье, он на него заработал своим горбом. А стремление его глупой слабой жены остаться в привычной маленькой норке, наполненной воспоминаниями, — всего лишь блажь. Дурь. Морок. Она сама не знает, чего хочет, вот и кидает ее из крайности в крайность: то теснота в квартире раздражает и хочется поскорее переехать, то новая квартира пугает и отталкивает, а старая вызывает нежность.

«Я цепляюсь за прошлое, — с неожиданной неприязнью к самой себе подумала Настя. — Я боюсь нового. Да, я всегда была ужасной трусихой, это правда. А теперь я еще и лгунья, занимающаяся самообманом. Хороша, красавица!»

Тренькнул телефон, извещая о поступившем сообщении. Текст был коротким: «Перезвоню на этот номер». Ладно, подождем. Надо собраться с силами, встать и ехать домой. Но сил почему-то нет. Хорошо бы иметь ковер-самолет, на котором можно перемещаться в лежачем положении... Да, ковер-самолет... Как у тех следователей, которые в 11 утра начали допрос в центре Москвы, а в 14.00 уже начали осмотр местности в Троицком районе, да еще в будний день, когда дороги далеко не пустые.

На самом деле все было, конечно же, не так. Допрос начали раньше, часов в девять, сразу после того, как в 8.50 дежурный в первый раз позвонил «адвокатам» и никого из них не нашел, полчаса примерно уговаривали Сокольникова согласиться давать показания без адвоката, обещали что-нибудь вроде «вашему адвокату постоянно звонят, но не могут дозвониться, давайте мы с вами пока просто побеседуем, без протокола, а как только защитник прибудет — начнем всё, как положено по процедуре, вы ничем не рискуете». Сокольников упирался, судя по всему, недолго и много всего успел рассказать. Когда около 11 утра стало понятно, что защитник не явится (как указано в справке Сережи Шульги, именно в 11 часов ему перезвонил Самоедов и сообщил, что принять участие в следственном действии не сможет из-за большой загруженности, хотя за 40 минут до этого вроде бы пообещал приехать, но тут уж бог ему судья), подозреваемый подписал согласие давать показания без адвоката, и следователь быстро и гладко изложил все то, что услышал. Больше половины он уже и так успел написать, пока безуспешно вызванивали Самоедова и Филимонова, поэтому остальное много времени не заняло. Следователь опытный, знает, сколько места нужно оставить на первой странице протокола для разъяснений и предупреждений. Наверное, еще до полудня уже и выехали в Троицкий район. Но все равно странно вышло с этими адвокатами. Сокольников два с лишним месяца живет с осознанием того, что совершил тяжкое преступление, взял страшный грех на душу. В нем крепнет решимость прийти с повинной. Он собирается, все продумывает, договаривается со знакомыми адвокатами (сделаем допущение, что он стал жертвой обмана и не знал, что помощник адвоката и адвокат — далеко не одно и то же), берет с собой паспорта убитых им супругов Даниловых и является в милицию. Андрей Сокольников — аккуратист и человек порядка, такие люди обычно бывают неторопливыми, тщательными и очень упрямыми, они долго все обдумывают, мучительно принимают решения, но приняв — уже не отступают, ибо убеждены, что все продумали, все предусмотрели, и единственно правильным будет сделать именно так, как они спланировали. Участие адвоката — часть плана, иначе Сокольников не назвал бы на память их телефоны. Или не на память, а заранее выписал из записной книжки на отдельный листок бумаги, чтобы передать в милиции тому, кто будет им звонить. Тогда тем более адвокаты являются неотъемлемой частью плана. Почему же он так легко дал себя уговорить отказаться от участия защитника? Получил, находясь в камере, какую-то неожиданную информацию? Всего-то за несколько часов? Потому что если выемка паспортов произведена около 4 утра, а в 11 (если верить протоколу, на самом деле — намного раньше) подозреваемый уже находился в кабинете следователя на допросе, то в камере он пробыл всего ничего. Маловероятно, что за столь краткий период кто-то успел узнать, где находится Сокольников, и организовать передачу ему весточки, это процесс небыстрый. Единственное объяснение, которое может хоть как-то оправдать подобную версию, состоит в том, что именно в этом отделе милиции именно в тот вечер по чистой случайности оказался человек, так или иначе заинтересованный в деле, и у него была возможность вступить в контакт с задержанным. Значит, это должен быть сотрудник милиции, ибо такая красивая случайность с участием гражданского лица выглядит ну уж совсем неправдоподобно. Хотя, конечно, чего только в жизни не случается...

Какие еще могут быть версии, объясняющие, почему Андрей Сокольников так легко и быстро отступил от трудного, но хорошо продуманного решения? Нет, все-таки с адвокатами и их чехардой какая-то ерунда получается...

О господи! Она, оказывается, уже не только сидит в своей машине, но и до первого перекрестка доехала. А кажется, что только пять секунд назад она еще сидела возле грязного подоконника на своей будущей кухне и печально констатировала, что у нее совсем нет сил, даже встать с хромого табурета не может. И откуда что берется?

Звонок прораба Машинистова застал ее в тот момент, когда Настя парковалась возле своего дома. Голос мужчины звучал приглушенно, словно он не хотел, чтобы его услышал еще кто-нибудь, кроме самой Насти.

— Мне понятны ваши трудности, — сказал он. — Могу порекомендовать очень хороших мастеров, которые сделают все быстро, качественно и недорого.

— И где ж такие водятся? — насмешливо спросила Настя.

Она давно перестала верить в чудеса. Что она слышала от тех знакомых, с которыми все-таки поговорила о ремонте? Вариантов ответов было всего четыре: «сталкиваться не приходилось, в последний раз ремонт делал лет пятнадцать назад»;

«ой, не напоминай, это был такой кошмар, огромные деньги взяли, начали работать и исчезли с концами»; «у меня ремонт делали отличные ребята, но они вернулись домой (в Молдавию, Украину, Беларусь), теперь, наверное, не скоро появятся»; «да, есть хорошие добросовестные москвичи, но у них заказов море, на два-три года вперед всё расписано».

— Так вам нужны мастера или нет? — в голосе Машинистова зазвучало раздраженное нетерпение.

— Нужны, — обреченно вздохнула она.

— Я вам пришлю эсэмэской телефон, позвоните сами.

— А рекомендации? Сайт у них есть? Хотелось бы отзывы почитать, — упрямилась Настя.

— Никакого сайта у них нет. Семейный подряд, дед, сын и внук. Честные, непьющие, ответственные. Ну так как? Присылать номер телефона?

— Да, конечно, спасибо, — пробормотала она.

Сообщение пришло меньше чем через минуту. Настя задумчиво смотрела на телефон. Позвонить прямо сейчас? Или сначала сбегать в магазин за едой, прийти домой, переодеться, выпить кофе и привести мысли в порядок? «Ты опять за свое? — сердито прошипела другая Настя, та, из зазеркалья. — Оттягиваешь момент? Все еще надеешься, что удастся подольше пожить на старом месте?»

На звонок долго никто не отвечал, потом в трубке послышался запыхавшийся глубокий бас. Настя не сдержала улыбку, представив, как обладатель столь мощного голоса, мужчина «крупной конструкции» и немалого веса, бежал откуда-то, ломая ноги. Она коротко представилась, сослалась на Машинистова и услышала в ответ:

— Да, мы как раз такие работы выполняем. У нас бригада маленькая, пять человек всего, мы за большие объемы не беремся.

— Пять? — недоверчиво переспросила она. — Мне говорили, что вас трое: дед, сын и внук.

— Так еще женушки наши, — засмеялся в ответ обладатель баса-профундо. — Моя и сноха. Сноха — чемпионка Европы по укладке плиточки, а моя красавица на подхвате, кормит нас на рабочем месте и каждый день уборочку делает, когда мы заканчиваем, чтобы с утречка все чистенько было. Объект должен содержаться в порядочке, тогда и работа спорится.

Настя не выдержала и рассмеялась, очень уж забавно было слышать слова с уменьшительно-ласкательными суффиксами в исполнении голоса, вызывавшего ассоциации исключительно с силой, мужественностью и властностью. «Объект должен содержаться в порядочке». Ну надо же!

— Когда вы сможете посмотреть квартиру?

— Да хоть сейчас, — с готовностью отозвался мастер-бас. — Чего резину тянуть?

Настя посмотрела на часы. Почти восемь. Возвращаться не хотелось. Она собиралась вечером еще посидеть над переводом... С другой стороны, суббота, дорога много времени не займет, завтра с утра — занятия с Петром, значит, встречу с новыми мастерами придется отложить до завтрашнего вечера. И то если их это время устроит. Сейчас они свободны, а завтра вечером? У людей могут быть свои планы. Потом начнется рабочая неделя, и на поездку придется угрохать кучу времени, особенно если зарядит дождь, потому что дождь — это гарантированные пробки.

— Давайте сейчас, — решила она и продиктовала адрес.

* * *

Когда глаза начали слезиться, Петр все-таки выключил ноутбук. Почти три часа ночи, надо оторваться от работы и поспать. Нет, ну как это люди жили, когда нужно было постоянно иметь дело с рукописными текстами? Это же просто немыслимо! Петр давно уже привык к компьютерному восприятию печатного текста: три-четыре первые строки читались полностью, потом длина осмысленно воспринимаемой строчки постепенно сокращалась по мере продвижения к концу, и последние две-три строки — тоже целиком. Времени уходило немного, а смысл полностью улавливался. По крайней мере, сам Петр был искренне убежден, что это так. Да и знакомые составители рекламных текстов уверяли: нельзя самое главное помещать в середину, его следует дать в начале и потом повторить в конце, а в середину можно напихать всякую лабуду, при этом разместить ключевые слова так, чтобы они попадали в среднюю часть строки. «По краям все равно не читают, бегут глазами сверху вниз по центру», — говорили рекламщики.

Но с рукописными текстами так не получалось, и времени на чтение документов уходило очень много. Были в деле и документы, выполненные на машинке и даже на компьютере, но это были либо какие-то постановления, либо заключения экспертов, и ничего важного для себя Петр в них не видел, ибо понимал: ему не хватает знаний, чтобы оценить. Ну постановление, и что? Он не юрист, откуда ему знать, правильное это постановление или нет и что оно означает с юридической точки зрения. А в заключениях экспертов вообще черт ногу сломит, особенно в заключениях судебных медиков, там из каждых десяти слов хорошо если одно знакомое встретится. Петру интересны протоколы допросов, опознаний, очных ставок, а они все сплошь от руки написаны.

Завтра он, как и пообещал Климанову, отдаст материалы Каменской. Отчего-то эта мысль тревожила, не давала покоя. Ну и что? Это ведь не значит, что сам он останется ни с чем. В прежние времена отдать материалы означало именно отдать, то есть материал менял владельца, папки с документами перекочевывали в другие руки. А теперь-то отдают всего лишь информацию, переносят с флешки на другой компьютер — и все. У Петра никто ничего не отнимает, вся информация как была у него в ноутбуке и на флешке, так и останется. Чего он так переживает?

И все равно какой-то противный червячок шевелился внутри и беспокоил. Петру хотелось непременно успеть прочесть как можно больше, прежде чем все это прочтет Анастасия Павловна. Желание было иррациональным, необъяснимым, но журналист в глубины подсознания не погружался, а просто послушно следовал интуитивному порыву, листал дело, выписывал названия и даты составления каждого документа и жадно выхватывал из него все, что на первый взгляд казалось любопытным. Дойдя до шестого тома, он ахнул: там были собраны многочисленные жалобы и ответы на них. Вот это да! Вот с чего нужно было начинать, а не с каких-то там протоколов выемок и еще бог знает каких мудреных мероприятий. Именно из жалоб можно узнать, какие нарушения допускались следователями и оперативниками, как подтасовывались факты и фальсифицировалось уголовное дело.

Петр отложил составление хронологии и принялся нетерпеливо читать жалобы, но тут дело пошло еще медленнее, чем с протоколами допросов. Почерк обоих следователей, входящих в состав бригады, мог считаться просто-таки печатным шрифтом по сравнению с почерком самого Сокольникова и его матери. По мере чтения документов энтузиазм журналиста несколько поугас: он-то надеялся, что огромное число жалоб будет содержать информацию на такое же огромное количество разнообразных нарушений и всяческих безобразий, творимых служителями закона, а на деле оказалось, что обвинений в адрес следствия всего два, прочие же документы являлись по сути ответами на жалобы и последующими жалобами на «ответы на жалобу». Сокольников жалуется, через положенное время получает официальный ответ, что, дескать, представленные вами сведения проверены, ничего не подтвердилось, и снова пишется жалоба: вы плохо проверили, вы предвзяты, вы не приняли во внимание... И снова официальный ответ, и снова жалоба на ответ.

Итак, два обвинения. Первое: следователи Лёвкина и Гусарев являются мало того, что любовниками, так еще и черными риелторами, и пользуясь служебным положением, покрывают преступников, которые убивают одиноких владельцев жилплощади или обманывают их и отбирают квартиры и комнаты. Одним словом, нехорошие они люди.

Какое отношение это имеет к делу об убийстве семьи Даниловых, Петр уяснить не мог. Чего добивался Андрей Сокольников, выдвигая подобные обвинения? Намекал, что убийство Даниловых организовали те, кого крышевали Гусарев и Лёвкина? Но в этом не было ни малейшего смысла, ведь Даниловы не являлись собственниками комнаты в коммуналке, они и прописаны там не были. Комната принадлежала отчиму Георгия Данилова, и ни смерть, ни исчезновение трех человек ничего в отношениях собственности не меняли. Да и откуда было Сокольникову узнать о таких пикантных деталях работы прокурорских следователей? Хотя, с другой стороны, в СИЗО чего только не узнаешь от сокамерников...

Второе обвинение показалось Петру более правдоподобным и интересным. Сокольников утверждал, что он и вся его семья — прямые потомки великого полководца Багратиона, ученика самого Суворова, а также князя Потемкина, и у них имелись старинные реликвии, принадлежавшие именитым предкам. Реликвии эти хранились у Андрея Сокольникова, но в ходе обыска в его комнате исчезли, иными словами — были похищены кем-то из участников следственного действия.

Багратион... Петр понял, что кроме собственно имени не знает об этом историческом лице ничего. Заглянул в Википедию, прочел, что генерал от инфантерии Петр Иванович Багратион женился в 35 лет на внучатой племяннице князя Потемкина, восемнадцатилетней фрейлине Екатерине Скавронской. Пока все сходилось. Нет, не получалось... Детей у них не было, а через короткое время юная супруга бросила мужа и уехала жить за границу, где пользовалась большим успехом в свете и даже, по слухам, родила ребенка от Меттерниха. А вот Петр Иванович ветреную красавицу любил до самой своей смерти от гангрены в 1812 году. Хотя никто не поручится, что у Багратиона не было кучи внебрачных детей, все-таки трудно предположить, что «офицер и мужчина» много лет обходился без женской ласки. Да и до женитьбы он вряд ли жил монахом. Но в этом случае непонятно, при чем тут Потемкины. Быть прямым потомком одновременно Багратиона и Потемкина можно только в том случае, если в браке родились дети. Ну хотя бы один какой-нибудь ребеночек. Но ведь его не было... Или был? Википедия может ошибаться, с этим Петр сталкивался несколько раз. А двадцать лет назад никакой Википедии вообще не было, ее придумали уже после 2000 года. Так что проверить слова Сокольникова или усомниться в них можно было только после того, как прочтешь кучу исторической литературы и проведешь много времени в архивах. А кто будет этим заниматься? И — главное — зачем?

Но как бы там ни было, в семье Сокольниковых имелись бесценные исторические реликвии, которые исчезли в ходе проведения обыска, состоявшегося через день после явки с повинной. К убийству сей прискорбный факт тоже отношения не имел, но бросал грязную тень на лиц, ведущих предварительное следствие: если уж они способны на такое, то и факты могут подтасовать, и документы в деле сфальсифицировать, и на свидетелей надавить. Сам Сокольников не мог с уверенностью сказать, когда именно исчезли ценности, в момент ли обыска или позже. На момент явки с повинной все было на месте, а через неделю после ареста и, соответственно, через пять дней после проведения обыска его мать пришла в квартиру, чтобы забрать какие-то вещи сына, в том числе и эти реликвии, и обнаружила пропажу. Квартира стояла пустая, у матери были свои ключи, а ключи Сокольникова находились у представителей следствия, как положено. Более того, в своей жалобе Андрей указал, что запасной ключ от его комнаты хранился в месте общего доступа — в холодильнике, стоящем на кухне, и воспользоваться им мог кто угодно, в том числе и убийца Даниловых, которому сами же Даниловы и рассказали о ключе и о ценностях. Петр посмотрел на дату составления жалобы: да, она написана уже тогда, когда Сокольников отказался от первоначальных показаний и утверждал, что вообще никого никогда не убивал.

Может быть, именно в пропаже реликвий и кроется то зерно, из которого может вырасти громкое и яркое разоблачение?

Петр потер слезящиеся глаза, посмотрел время на телефоне: половина четвертого, скоро вставать, а он еще не заснул, все обдумывает прочитанные только что жалобы Сокольникова и его матери. Мысли расползались, как тараканы по углам, не желая собираться в единую конструкцию и постоянно съезжая на постороннее. На юную некрасивую девочку с очками в убогой оправе на длинном носу. И с белой розой в руках.

ГЛАВА 6

Воскресенье

Будильник разбудил Настю Каменскую в половине шестого утра. На такое вот неудобное время приходился из-за разницы в часовых поясах тот момент, когда Лешке в Новосибирске было удобно разговаривать. Они условились созвониться в 5.45 по Москве, и Настя, устанавливая с вечера время на будильнике, отвела целых 15 минут на приведение себя в вид, пригодный для предъявления. Красавицей она, конечно, не станет, против природы не попрешь, но хотя бы зубы почистить, умыться и пару раз махнуть расческой по недавно сделанной стрижке — уже лучше, чем показывать любимому мужу мятое сонное лицо в обрамлении взъерошенных волос.

Увиденное в зеркале ее не порадовало. В молодости, да что там в молодости — еще пару лет назад ее лицо в момент пробуждения бывало точно таким же, как накануне, когда она ложилась спать. Теперь же за ночь оно превращалось в нечто маловразумительное, с припухшими веками, оплывающими щеками и глубокими носогубными складками. Справедливости ради стоит заметить, что вся эта неземная красота как-то рассасывалась в течение часа послепобудочного функционирования, особенно если долго плескать на лицо холодную воду из-под крана, а потом сделать легкую гимнастику, чтобы застоявшаяся (или залежавшаяся?) кровь побежала по организму. Но на гимнастику времени сейчас не оставалось: вызывной сигнал видеозвонка выдернул Настю из ванной, где она стояла, уткнувшись лицом в сложенные ковшиком ладони, наполненные холодной водой.

— Черт, — пробормотала она, сдернула с крючка полотенце и помчалась в комнату.

Лешка выглядел не лучшим образом, и Настя мгновенно испугалась, увидев покрасневшие глаза мужа.

— Что случилось? — тревожно спросила она. — Ты заболел?

— Простудился, — сообщил Чистяков. — Всю ночь соплями маялся, а к утру и грудь заложило. Про лекарства не спрашивай, все купил, все выпил, местный доктор меня посмотрел, жить буду. Всё, дорогая, рядовой Чистяков доклад окончил. Рассказывай про вчерашних мастеров. У меня есть целых полчаса, чтобы выслушать все подробности твоей жизни.

Настя взяла телефон и вышла на кухню. Полчаса беседы с Лешкой — роскошный подарок, прекрасное начало дня! Вчера она только смогла сообщить ему, что встречается с новыми мастерами, но Чистяков уже ложился спать. Все-таки 4 часа — существенная разница во времени, так что выслушать вечернюю сводку новостей у него никак не получалось.

Она пристроила телефон на кухонном столе так, чтобы попадать в камеру, и начала рассказывать, одновременно колдуя над кофемашиной. Порекомендованная прорабом Машинистовым бригада явилась на встречу в полном составе, пять человек. Дед-бас, представлявшийся Насте огромным и толстым, оказался на деле вполне худощавым и подтянутым, но и впрямь очень высоким. Двигался он быстро, но не суетливо, и в каждом его движении ощущались энергия и сила.

— Вы уж извините, что мы всей толпой нагрянули, но я подумал, будет лучше, если и вы своими глазами нас увидите, и мы сразу объект посмотрим и решим, что и как нужно делать. Сын смёточку подготовит, сроки распишем, и вы уж тогда решите, подходим мы вам или нет.

Эти люди понравились Насте с первого же момента. И сам дед-бас с его пристрастием к суффиксам, и его строгий сосредоточенный сын — инженер по коммуникациям, и внук по имени Данила, парнишка лет двадцати, о котором дед сообщил, что сложные работы ему пока не доверяют, но всегда много времени съедает масса неквалифицированного труда, с которым парень отлично справляется. Права у него есть, водит хорошо, так что смотаться, куда надо, и купить то, что нужно, подать, помочь, поднести, подержать, смыть штукатурку, намесить раствор...

— Одним словом, Даня у нас пока разнорабочий, но старательно учится, — заключил дед.

Сноха его, Роза, такая же строгая и молчаливая, как ее муж, внимательно и тщательно осматривала и вымеряла поверхности, где должна лежать плитка: стены и пол в санузле, пол в прихожей, пол и «фартук» в кухне. Щёлкала рулеткой, что-то записывала в толстый блокнот.

Жена главы бригады, приятная женщина с лицом милым и удивительно гладким для бабушки двадцатилетнего внука, выполняла, как выяснилось, функции не только повара и уборщицы, но и маляра-штукатура.

— Она вообще-то много чего умеет, — с горделивой улыбкой заявил дед-бас, — ручки золотые у моей красавицы, любого из нас заменить может, кроме разве что Розочки. Класть плиточку так, как наша Розочка, не умеет никто.

Домой Настя вернулась в приподнятом настроении. Неужели чудеса все-таки случаются?

Леша слушал ее, периодически хлюпая носом и сморкаясь в бумажные платки.

— А как твой мальчик-ученик? — спросил он, когда отчет о встрече с бригадой закончился. — Удалось вчера оторваться и потусить в компании образованных людей?

— Увы, — Настя картинно развела руками. — Образованные люди поехали на светское мероприятие, на какой-то благотворительный аукцион, а простая русская пенсионерка отправилась организовывать ремонт хаты. Каждому свое, Лешик. Видимо, на светскую жизнь я всей своей безупречной службой не заработала.

— А что, тебе хотелось на аукцион? Жалеешь, что не удалось пойти? — недоверчиво спросил Чистяков.

Все-таки он хорошо знал свою жену, как-никак 43 года вместе.

— Еще чего! — фыркнула она и весело рассмеялась.

Они мирно болтали, и Настя успела выпить две чашки кофе и сгрызть яблоко, пока не подошло время прощаться: за Алексеем пришла машина, которая должна была доставить профессора на какое-то заседание. Они там, оказывается, и по воскресеньям трудятся, бедолаги. До прихода Петра оставалась уйма времени, можно поработать над переводом, пока голова свежая.

* * *

— Это вам.

Петр протянул Насте книгу в яркой обложке с красочным затейливым рисунком. «Частичная замена», автор — Владимир Климм.

— Зачем? — довольно бестактно поинтересовалась Настя.

Неужели она похожа на юную девицу, которой может быть интересна подобная литература?

— Ваш выигрыш на аукционе, — пояснил Петр. — Вы дали пять тысяч, я купил книгу за три пятьсот, на оставшиеся полторы тысячи ничего больше приобрести не удалось, там стартовые цены очень высокие. Вот ваша сдача.

Высокие стартовые цены... А на книгу Климма хватило, даже сдача осталась. Выходит, Владимир Юрьевич особой известностью и любовью читателей не пользуется, на аукционе его книги шли по самым низким ставкам.

— Там автограф автора, — робко проговорил Петр и отчего-то смутился.

Настя открыла книгу и увидела надпись, сделанную четким красивым почерком. Ничего необычного, все дежурно и шаблонно. Когда Таня Образцова подписывает книги своим поклонникам, она вкладывает в слова куда больше души и искренней признательности.

— Спасибо, — равнодушно поблагодарила она.

Но тут же спохватилась и упрекнула себя в невежливости. Человек старался, выполнил ее просьбу, поучаствовал в благотворительных торгах, другой человек тоже старался, придумал книгу, написал ее, а она... Строит из себя невесть кого. Не интересно ей, видите ли. Надо исправлять положение.

— Очень хочется узнать, как вчера все происходило на этом аукционе. Давайте начнем заниматься, а когда будет перерыв на кофе, вы мне расскажете, договорились? — предложила она с улыбкой, втайне надеясь, что изучение документов увлечет журналиста и во время перерыва он будет рассуждать о Сокольникове и об убийстве, а об аукционе даже и не вспомнит.

— Конечно, — кивнул Петр, и только тут Настя заметила наконец, что молодой человек словно сам на себя не похож. Какой-то он задумчивый, рассеянный. И глаза красные, такие же, как у Лешки. Тоже заболел, что ли? Ну и денек! С самого утра двое мужчин — и оба больные.

— С вами все в порядке? — строго спросила она, вглядываясь в лицо журналиста.

— Да... А что?

— Глаза красные.

— Ах, это... Ну, я заснул очень поздно, до трех часов ночи материалы читал.

Настя пожала плечами:

— Странный вы человек, Петр, ей-богу. У вас была куча времени дома, в Тюмени, чтобы их прочитать. Не спеша и не отрывая время от сна. Но вы этого не сделали, вам стало трудно, и вы запутались. Это я могу понять. И что же вчера случилось такого ужасного, что вы вдруг ни с того ни с сего кинулись их читать? Что за пожар?

Петр занервничал, это было видно невооруженным глазом. Он достал из нагрудного кармана чер-
ную флешку с красной полоской, протянул ей:

— Вот, возьмите.

— Что это?

— Материалы.

— Даже так?

Настя взяла флешку, повертела в руках. Любопытно. Это аукцион так подействовал на мальчика? Или
случилось что-то еще, заставившее Петра Кравченко изменить свое решение? Кстати, интересно получается: проявляет себя закон парных случаев. Про-
студившийся Лешка с красными глазами — и тут же
Петр с глазами, покрасневшими от недосыпания
и злоупотребления компьютером. Размышления
о том, почему находящийся в СИЗО Андрей Сокольников меняет свое решение воспользоваться юридической помощью, — и буквально через несколько
часов тюменский журналист по непонятным причинам меняет решение не передавать материалы
в чужие руки. Хотелось бы знать, действительно ли
работает этот закон, и если работает, то каков меха-
низм. Или это чистое совпадение, стечение обстоятельств? В жизни чего только не бывает...

Она молча вставила флешку в свой компьютер
и начала копировать материалы.

— Я рада, что вы так решили, — сказала она, воз-
вращая носитель Петру. — Это значительно ускорит
процесс, нам обоим будет легче работать. Но мне
хотелось бы знать почему. Почему вы изменили
свое решение? Что вас сподвигло?

Петр не отвечал, старательно делая вид, что вво-
дит пароль в свой ноутбук и что-то пристально рас-
сматривает на рабочем столе. Настя терпеливо жда-

ла. Ей спешить некуда. Наконец он вздохнул и пробормотал, не глядя на нее:

— Климанов сказал, что так будет лучше для дела.

— Климанов?

— Владимир Юрьевич.

Ах, ну да, конечно, Климм. Ну, спасибо тебе, писатель-фантаст Владимир Климм, ты нашел какие-то простые, но, очевидно, очень действенные аргументы, чтобы объяснить мальчику, что он мается дурью. Уголовное дело находится в архиве суда, доступ к нему есть у огромного количества людей из правоохранительной системы, которым предоставляется право знакомиться с материалами. Не говоря уж о самом осужденном и членах его семьи. Кто делал фотографии? Неизвестно. Кому, кроме покойной Ксении, эти фотографии передавались или хотя бы показывались? Тоже неизвестно. Круг лиц, осведомленных о содержании материалов, неопределенно широк. Так какой смысл делать из них великую тайну? Ответ напрашивается только один: дело старое, прошло двадцать лет, сейчас никто о нем не помнит, и если в деле действительно есть какое-то темное пятно, то никто, кроме журналиста Кравченко, об этом даже не догадывается и делом не интересуется. И Петр страшно боится проявить неосторожность, в результате которой делом кто-нибудь заинтересуется и успеет достичь нужного результата раньше него самого. Петя в Москве — чужак, хоть и учился здесь, но нужно много лет жить и работать в большом городе, чтобы обзавестись нужными связями и знакомствами. Если о темном пятне в деле Сокольникова узнает кто-то из ушлых честолюбивых москвичей, то эти ребята обгонят тюменского гостя на три корпуса еще до старта. Выходит, писателю Климму удалось уговорить Петра не бояться этого. Каким образом? Убедил, что Петр необычайно умен и никто не сделает дело быстрее и лучше, чем он сам? Или обещал какую-то помощь? Нет, насчет помощи, пожалуй, не прокатит, ведь Климм не далее как вчера днем сам говорил Насте, что не одобряет попыток устроить журналистское расследование. Зачем же помогать, если не одобряешь? Или этот фантаст — существо лживое и двуличное, при Насте говорит одно, а без нее — совсем другое? Но для чего ему это?

«Глупость какая в голову лезет», — сердито отмахнулась Настя от собственных мыслей.

— И что вы вычитали в материалах? — спросила она. — Наверное, что-то интересное, коль до середины ночи читали.

Глаза Петра загорелись, и он принялся с воодушевлением рассказывать о похищенных реликвиях.

— Какой том?

— Шестой.

Настя защелкала мышкой.

— Вы рассказывайте, а я буду просматривать.

Вот они, многочисленные жалобы и ответы на них. Даты, даты. Самое главное — это даты. Последовательность моментов времени. Эту простую истину Настя Каменская хорошо усвоила за долгие годы службы в уголовном розыске.

— Понятно, — сказала она, когда Петр умолк. — Что еще вы сделали из того, о чем мы с вами договаривались?

— Ну... Я занимался хронологией, как вы сказали. Но до конца не доделал, не успел.

— Само собой, — усмехнулась Настя. — Вы же все

время убили на чтение жалоб. И все-таки? Какая-то минимально ясная картина сложилась? Меня интересует последовательность ходов, как в шахматах. Начало истории мы разобрали подробно буквально по минутам вплоть до выезда за город для осмотра местности с целью обнаружения захоронений. Что было дальше?

Дальше, если верить Петру, все было так же непонятно, как и вначале. При выезде на осмотр местности 4 сентября захоронения обнаружены не были. Сокольников путался, не мог вспомнить, указывал сперва одно направление, потом другое... До 22.00 так ничего и не нашли. Второй выезд состоялся через несколько дней, 10 сентября, и вот тогда были обнаружены все три захоронения.

— Историю придумали? — спросила Настя.

— Историю?

— Да, историю, объясняющую, как так могло получиться. Я вам предлагала примерные варианты, но вы должны были придумать свой собственный, а я потом покажу вам, в каких документах искать либо подтверждение, либо опровержение вашей версии.

— Ну очевидно же, что между четвертым и десятым сентября с Сокольниковым поработали. Целых пять дней, вполне достаточно, чтобы даже мартышку заставить выучить наизусть «Евгения Онегина».

— Хорошо, принимается. Как вы себе это представляете? Как это должно было выглядеть?

— Не знаю... Наверное, к Сокольникову в СИЗО приходили.

— Кто?

— Следователи. Или оперативники.

— Зачем?

— Как — зачем? Чтобы показать ему подробно, где тела закопаны. Карты там, схемы, еще что-то. Детали всякие.

— Детали, ага. А откуда следователи и оперативники их знают? Еще третьего сентября они вообще не знали о том, что Даниловы убиты, а начиная с пятого сентября уже все знают? Они что, сами этих Даниловых убивали и трупы в область вывозили? Петр, я не любитель давать советы, но опытом поделиться могу, если хотите. Хотите? Или не нужно?

— Конечно нужно!

Настя немного помолчала.

— Я понимаю, очень соблазнительно раскопать страшные злоупотребления следствия и розыска и предать их огласке. Наверное, это правильно, так и нужно поступать. Правда, сегодня вы этим никого не удивите, о том бардаке, который творится в правоохранительных органах, не писал только ленивый и не читал только неграмотный. Достаточно вспомнить о выявленных судьях, на поверку не имеющих юридического образования, и об остальном можно даже не упоминать. Но если вы хотите разобраться в обстоятельствах убийства, забудьте про следователей и оперов. Не имеет никакого значения, что и как они делали. Значение имеет только преступник. Вы хотите понять, убивал Сокольников или нет?

— Ну да, — кивнул Петр.

— Тогда какое отношение к этому имеют украденные реликвии или тот пикантный факт, что следователи состояли в интимной связи? Никакого, уверяю вас. Ну, допустим, состояли. И что? Это автоматически делает Сокольникова невиновным, что ли? Да мало ли кто с кем спит! Если следовать вашей логике, то у спортсмена, который сожительствует со своим тренером, нужно отобрать звание чемпиона. Поймите, Петр, все изложенное в жалобах — чистой воды домыслы, ничем не подтвержденные. Может быть, конечно, эти факты и имели место в действительности, но Сокольников о них знать никак не мог. И доказать ничем не мог. И вы через двадцать лет тем более их не докажете, только напрасно потратите время. А вот на убийство семьи Даниловых все это никакого света не проливает. Кроме одного весьма существенного обстоятельства, — добавила она задумчиво.

— Какого? — вскинулся Петр.

— Наличие жалоб, их последовательность и содержание дают хорошую информацию о самом Сокольникове. Вот поэтому я и говорю вам: забудьте про следствие, сосредоточьтесь на подозреваемом, обвиняемом, подсудимом. Если вы хоть что-то поймете о человеке, вы сможете смоделировать вероятные сценарии, по которым он, скорее всего, будет действовать. Это — основа раскрытия преступлений, поверьте моему опыту. Не погони с перестрелками, не хитроумные криминалистические экспертизы, а внимание к человеку. Нет ничего более важного и более интересного, чем человек.

— Но как же... — журналист растерялся и беспомощно посмотрел на Настю, потом внезапно оживился. — А как можно получить разрешение на посещение Сокольникова в колонии? Я бы съездил к нему, поговорил. Наверняка он бы рассказал много такого, что не отражено в деле. Реально вообще получить такое разрешение?

— Вполне реально. Только самодеятельность тут не пройдет. У вас должно быть редакционное задание, ваш главред должен обратиться с ходатайством в УФСИН, а там ходатайство рассмотрят и примут решение. Могут разрешить, но могут и не разрешить. Это как повезет. Но все равно время вы потратите впустую.

— Почему?

— Потому что Сокольников, если вообще согласится с вами разговаривать, правды вам не скажет. Он же не идиот признаваться в преступлении, если на суде он от всего отказывался. Вы хотите спросить его, почему он пришел с повинной, если на самом деле был невиновен?

— Ну да!

— И что вы надеетесь услышать от него? Какую-нибудь душераздирающую историю, объясняющую всю ситуацию? Тогда скажите мне прямо сейчас: а что мешало ему изложить эту историю в девяносто девятом году в судебном заседании? Или даже раньше, в девяносто восьмом, в кабинете у следователя? Ну-ка посмотрите в ваши записи: когда Сокольников начал отказываться от показаний, данных в ходе явки с повинной?

Петр открыл файл, поискал глазами нужную строчку.

— В конце октября, двадцать девятого числа.

— Очаровательно! Третьего сентября он признается в убийстве, четвертого не может найти захоронения, пятого во время обыска в квартире, где проживал Сокольников, и в его комнате обнаруживаются старательно замытые следы крови, десятого наш Андрей Александрович вполне благополучно находит закопанные трупы, а двадцать девятого октября начинает утверждать, что вообще никого никогда не убивал. Более того, —

она снова кинула взгляд на свой раскрытый блокнот, — тридцатого октября он в очередной раз меняет защитника, причем не по назначению, а по приглашению, то есть сознательно и добровольно принимает решение, что прежний защитник его не устраивает, нужен другой. Спустя месяц, в конце ноября, появляется жалоба по поводу пропажи реликвий. До февраля идет переписка по этим жалобам, потом про реликвии почему-то забывают, и начинаются жалобы с обвинениями следователей в черном риелторстве и кабинетном разврате. О чем это говорит?

— О том, что Сокольников пытается доказать свою невиновность, но следователи его не слышат, гнут свою линию, потому что им это выгодно, они кого-то покрывают. Он хочет привлечь внимание к недобросовестности самих следователей, чтобы их проверили и сняли с дела, он надеется, что новые следователи окажутся более честными и добросовестными.

— Хорошая попытка, — улыбнулась Настя. — И кого же они покрывают?

— Как — кого? Того, кто совершил убийство на самом деле.

— То есть они знают, кто убийца?

— Наверняка, — твердо ответил Петр.

В его голосе было столько убежденности, что Настя даже восхитилась. Вот бы ей научиться быть такой уверенной в собственных выводах.

— Откуда они это знают? — продолжала она импровизированный экзамен, больше, правда, похожий на допрос.

— Это их знакомый какой-нибудь. Или знакомый знакомого, которого им выгодно крышевать.

Или они его совсем не знают, но получили хорошие деньги. Ну, вы понимаете, о чем я.

— Понимаю, — согласилась она. — А Сокольников откуда знает, кто убийца?

— Он и не знает, — чуть удивленно ответил Петр. — Он знает только, что сам не убивал.

— Просто супер, — констатировала Настя. — Тогда с какого бодуна он пошел в милицию с повинной? Придумайте историю, в которую укладывались бы все эти факты. И не забывайте во-он туда посматривать.

Она ткнула концом ручки в том направлении, где красовался листок с цитатой из Кэрола.

Петр удрученно молчал. Концы с концами явно не сходились. Если следователи — плохие ребята и замазаны по уши, то явка с повинной не вписывалась никаким боком. Если же они работали нормально и добросовестно, в меру своих способностей, то поведение Сокольникова не поддается логическому объяснению. Он виновен, он признался, но при этом сначала не смог указать место захоронения, а потом вдруг смог. Логика должна быть. Хоть какая-нибудь. Пусть ущербная, пусть больная, но всегда внутренне стройная.

— Стационарная судебно-психиатрическая экспертиза проводилась? — быстро спросила она.

— Да.

— Где она?

Петр пробежал глазами по своим записям.

— Второй том, в середине, файлы с ноль двадцать девятого по ноль тридцать седьмой.

Настя сделала пометку в блокноте. Господи, чем она занимается? Вот уж воистину пустая трата времени. Нужно спокойно и последовательно прочитать дело, а не вырывать информацию кусками...

Стоп! О чем это она? Для чего ей читать дело, тем более спокойно и последовательно? Чтобы выяснить — что? Мифическую правду, о которой так мечтает мальчик Петя? Разоблачить коррумпированных следователей, погрязших в разврате и взятках? Ну, допустим. Но все равно бессмысленно пытаться выяснить эту правду, не имея дела целиком. Ладно, время идет, а они только разговоры разговаривают. Ей, между прочим, заплатят за работу, а не за сотрясение воздуха саркастическими сентенциями.

— Будем делать лабораторную работу, — объявила она.

Петр вытаращился на Настю в полном изумлении.

— Какую-какую?

— Лабораторную. Как на уроках химии в школе.

— Мы не делали, — растерянно проговорил он.

— А мы делали. Выдвигаем версии и проверяем их материалами дела. Версия первая, которую вы сами высказали в первый же день нашей работы: Сокольникова задержали за что-то совсем другое, сообразили, что на него можно повесить три трупа, несколько часов били и заставляли взять на себя чужое преступление и в конце концов заставили. Он написал явку с повинной. Через несколько часов его допросили и повезли на осмотр местности. Открываем протокол осмотра четвертого сентября, обозреваем фотографии. Что видим?

Петр поискал нужный файл, всмотрелся в экран.

— Сокольников указывает направление движения... Ну, там так написано, под фотографией.

— И что Сокольников? Избитый, с синяками и кровоподтеками на лице? С распухшей челюстью?

Сутулится? Держится за живот или за бок? Плохо выглядит? Удрученный, расстроенный, испуганный, подавленный?

Петр молчал. А что тут скажешь, когда на фотографии абсолютно спокойный, довольный собой улыбающийся молодой человек, по виду которого ни за что не скажешь, что он совершил убийство и провел ночь в камере.

— Версия вторая, авторство тоже принадлежит вам: следователи злоупотребили служебными полномочиями и сфальсифицировали дело, в том числе и явку с повинной. Сокольникова никто не бил, текст явки написал кто-то другой, а Сокольникова просто запугали, обманули или иным способом уломали.

— Я такого не говорил, — запротестовал Петр. — Я заподозрил фальсификацию, это правда, но насчет явки я ничего такого не говорил.

— Но одно логично вытекает из другого, — возразила Настя. — Если дело начинается с протокола явки, то либо дело велось добросовестно и явка подлинная, либо сфальсифицировано с самого начала. Как вы себе представляете иные варианты? Явка подлинная, человек во всем признается, а потом начинаются подделки документов? И зачем? Цель какая?

— Но Сокольников же потом отказался! Он от всего отказался, утверждал, что невиновен, что никого не убивал и явку не писал.

Вот даже как! Занятный человек этот Андрей Сокольников! О том, что он с 29 октября начал отказываться от показаний, Настя знает, а вот о том, что он и явку с повинной, оказывается, не писал, еще не читала.

— Экспертиза явки проводилась?

— Вроде проводилась.

— Мне надо не вроде, а точно. Посмотрите в своих записях.

Настя начала злиться. Отдал бы Петр ей все материалы раньше, она бы не задавала все эти вопросы. Она уткнулась в свой компьютер и принялась листать фотографии. Может быть, ей удастся найти нужный документ быстрее. Опись первого тома она уже видела и много раз просматривала, хотя в ней отсутствует целая страница, так что все равно придется листать весь том. А экспертиза может находиться и во втором томе, и в третьем, в любом, кроме, пожалуй, двух последних. В шестом — жалобы, как утверждает Петр, в седьмом — весь этап судебного разбирательства.

— Да, проводилась, — прозвучал голос Петра. — Том второй, файл девятьсот шестьдесят четыре.

Настя быстро нашла нужный документ. Заключение эксперта, которому были направлены тексты явки с повинной и одной из жалоб, написанной Сокольниковым в присутствии следователя и адвоката, гласило: «...Указанные совпадения устойчивы и в отношении каждого текста образуют индивидуальную совокупность признаков, достаточную для вывода об исполнении этих текстов Сокольниковым А.А.» Дата — 24 ноября 1998 года. Стало быть, в конце октября Сокольников начал отказываться от первоначальных показаний, попробовал обвинить следователей в фальсификации дела, а когда экспертиза подтвердила, что явка с повинной выполнена им собственноручно, решил пустить в ход тяжелую артиллерию и обвинить их в краже.

— Идем дальше. Вы утверждаете, что в период между двумя выездами в область для осмотра местности и поиска захоронений с Сокольниковым плотно поработали. Допускаю, это вполне возможно. Облегчу вам задачу и сразу скажу, что это можно проделать только двумя способами: либо, как вы сами предположили, ездить к нему в СИЗО, причем не один раз, либо вывозить его из СИЗО к следователю якобы для допроса или проведения иных следственных действий. Других вариантов нет. Это понятно?

— Да.

— Открываем дело, смотрим разрешения на посещения. Кто приходил к Сокольникову в указанный период?

— Там только одно разрешение есть, для адвокатов, мы его разбирали.

Петр с недоумением посмотрел на Настю.

— А что, следователям и оперативникам тоже нужно такое разрешение получать?

— Нет, — улыбнулась она, — им не нужно. А всем остальным — обязательно.

— Значит, следователи и опера могли сколько угодно приходить к Сокольникову в СИЗО и разговаривать с ним и в деле это не отражено?

— Совершенно верно.

— Ну видите! — оживился Петр. — Вы сами видите, что с ним можно было работать сколько угодно!

— И выучить «Евгения Онегина» три раза, вы правы. Это именно то, что Сокольников утверждал на суде?

— Да, он говорил, что никого не убивал, а трупы нашел потому, что его заранее хорошо проинструктировали, карту местности заставили запоминать, чтобы он место правильно указал, и даже специальные метки на деревьях развесили, черные ленточки, чтобы он не запутался.

— Кинематограф отдыхает, — вздохнула Настя и открыла третий по счету файл из седьмого тома. Первые два — корки, как водится, третий — опись.

Если судья сработал грамотно и профессионально, то каждое слово, сказанное в судебном заседании, должно быть проверено и либо подтверждено, либо опровергнуто, если материалов, содержащихся в деле, для этого недостаточно. По крайней мере, в конце девяностых еще так работали, по старому процессуальному кодексу. Да и судьи были в те времена той, старой, школы, не чета нынешним.

А вот и справка, все правильно, судья делал все, как надо. Справка выдана начальником СИЗО по запросу суда на руки народному заседателю — фамилия, имя, отчество, паспортные данные. В соответствии с записями в журнале посещений к Сокольникову в течение пяти дней между двумя выездами в область приходили: адвокаты — 1 раз, следователь Лёвкина — 1 раз, старший оперуполномоченный майор Шульга — 2 раза. Это суду еще повезло, что журнал нашелся, у него сроки хранения маленькие, как только истекают — сразу под уничтожение, в архиве не хранят. Если бы предварительное следствие длилось дольше, а судебное заседание состоялось через многие-многие месяцы, как зачастую бывало, то никакого журнала бы и в помине не было, и справки не было бы тоже.

— Теперь включаем писательское воображение, — сказала Настя. — Адвокатов как носителей информации отметаем сразу. Причина понятна?

— Если бы они были в деле, то не отказались бы от участия? — неуверенно предположил Петр.

— Именно. Раз адвокаты соскочили после первого же визита в СИЗО, да и туда их с трудом вытащили, еле-еле нашли, как вы помните, их мы сразу из схемы исключаем. Остаются следователь Лёвкина и оперативник Шульга. В общей сложности за три посещения они, согласно справке, провели наедине с Сокольниковым в помещении для допросов один час сорок минут. Шульга — тридцать и тридцать пять минут, Лёвкина — те же тридцать пять. На самом же деле — меньше, потому что в журнале отмечено время входа и выхода через КПП, а не время пребывания в допросной. Пока человек дойдет, пока дождется привода арестованного, по дороге можно и поболтать со знакомыми, и в оперчасть СИЗО заглянуть по делу или к начальству. Так что с чистой совестью можем утверждать: представители следствия и розыска за пять дней провели с Сокольниковым не более одного часа двадцати минут. Это максимум. Думаю, что даже еще меньше. И не подряд, а в три приема. Эта часть понятна?

— Да.

— Похоже, что я пристрастна и пытаюсь выгородить следствие?

— Ну Анастасия Павловна, — Петр жалобно посмотрел на нее. — Вы меня все время шпыняете. Я же не виноват, что получил образование журналиста, а не юриста.

— Не виноват, — с улыбкой согласилась она. — Идем дальше. Открываем первый том и смотрим, что у нас идет в промежутке между обыском в квартире пятого сентября и вторым выездом в область десятого.

Сразу после обыска следователь вынес постановление о заключении под стражу, а также постановление о переводе из изолятора временного содержания в следственный изолятор. Все логично: задержанные в порядке статьи 122 сидят в ИВС, арестованные — в СИЗО.

— Кстати, Петр, запомните это хорошенько и не путайте, — посоветовала Настя. — А то иной раз книгу читаешь или кино смотришь — и волосы на голове дыбом встают от чудовищных ошибок.

После перевода Сокольникова в СИЗО следователь долго и подробно беседует со старшей сестрой Сокольникова (протокол имеется), выносит постановление о производстве обыска и выемки у сестры вещей, принадлежащих арестованному, производит эту самую выемку (еще один протокол), допрашивает какого-то свидетеля с места работы Данилова (опять протокол) и, наконец, допрашивает в СИЗО самого Сокольникова по поводу изъятых у сестры предметов.

— И это все? — с недоумением спросил Петр. — За пять дней следствия сделано только это? Да уж, не убились следаки. При такой интенсивности работы вообще непонятно, для чего было создавать бригаду и припрягать второго следователя, тут и одному работы на полдня.

— Вы неправы. У следователя в производстве не одно дело, их много. В хорошие времена — пять-семь дел одновременно, и все они разной сложности, и по каждому нужно работать. Ну а в плохие времена и до двадцати доходило, во всяком случае в те годы. Возьмем все то же пресловутое четвертое сентября: с самого утра допрос, потом до десяти вечера — выезд на осмотр в область. Всё, дружок. День прошел, ни по одному делу, кроме дела Сокольникова, ничего не сделано, и вряд ли так вышло потому, что следователи ленивые. Но я отвлеклась, возвращаемся к лабораторной работе. Вы видите в материалах хоть одно разрешение на конвоирование в период с пятого сентября, когда Сокольникова взяли под стражу и перевели в СИЗО, до момента выезда на осмотр местности десятого сентября? Лично я, — она демонстративно посмотрела на экран компьютера, — не вижу. А вы?

— Я тоже. Первое разрешение на конвоирование идет десятого, тут написано: разрешение на вывоз из СИЗО дано таким-то... фамилии, инициалы, должности, звания, номера удостоверений...

— Сокольникова во второй раз повезли искать трупы. До этого к следователю его не доставляли и вообще из помещения СИЗО не выводили. Иными словами, если с Сокольниковым, как вы считаете, плотно поработали, то делали это только в СИЗО. Ситуация, при которой арестованного вывезли бы к следователю или оперу в кабинет без всяких документов, полностью исключена. Администрация изолятора головой отвечает за каждого подследственного и подсудимого, там все очень и очень строго, и никакие «под честное слово» не прокатывают. Для подтверждения вашей версии нам придется допустить, что и администрация СИЗО была в сговоре с плохими парнями из милиции и прокуратуры, то есть там был просто-таки какой-то вселенский заговор с вовлечением множества людей. В это мне верится слабо, если честно. Вернемся к посещениям. Как видим, госпожа Лёвкина провела в обществе Сокольникова около двадцати минут, что следует из титульного листа протокола допроса. Объем текста в протоколе вполне соответствует времени, которое требуется на то, чтобы поздороваться, задать вопросы, выслушать ответы, записать их и подождать, пока допрашиваемый прочтет и подпишет. Всего Лёвкина пробыла в СИЗО тридцать пять минут, как мы только что установили на основании справки, выданной народному заседателю. Проявляю феноменальную сговорчивость и допускаю, что по коридорам изолятора Лёвкина летала со скоростью звука, в туалет не заходила, ни разу не остановилась, чтобы переброситься парой слов со знакомыми следователями или адвокатами, которых она там наверняка встретила, и ни секунды не ждала доставления арестованного в допросную. Из оставшихся пятнадцати минут я от щедрой души дарю в пользу вашей версии целых двенадцать минут. На визиты Шульги моей доброты не хватает, я немного помню этого человека и могу точно сказать, что быстро бегать он не стал бы, а остановиться и потрепаться всласть — милое дело. Он вообще был неторопливым и довольно вязким, по двадцать раз повторял одно и то же, так что пара слов, которыми перекидываются люди при мимолетной встрече, у Сергея превращалась в пару тысяч слов. Поэтому суммарные шестьдесят пять минут пребывания Шульги в СИЗО я твердой рукой сокращаю до сорока минут разговоров с Сокольниковым. Плюс подаренный мною бонус — двенадцать минут от визита Лёвкиной. Итого: пятьдесят две минуты в три приема. Сходится?

— Ну... да, вроде...

— Вроде, — язвительно передразнила Настя. — Не «вроде», а как в аптеке, до грамма, до минуты. Теперь включайте фантазию и ставьте себя на место Сокольникова. Вы ни сном ни духом ни про какие убийства не в курсе и, соответственно, трупы не вывозили и не закапывали. В Троицком районе не бывали, ничего там не знаете и совершенно не ориентируетесь. Вы по образованию не геолог, не географ, не топограф, не картограф и вообще не по этой части. Кто у нас Сокольников по образованию? Какой институт окончил?

— Педагогический. Он учитель истории по диплому, но в школе не работал ни дня.

— Вот именно. Навыков быстрого чтения, понимания и запоминания карт у вас нет, им взяться неоткуда. И сидите вы такой весь невиноватый гуманитарий, а вам приносят схему местности и велят запомнить, как туда проехать и где расположены три разные могилы. Вы же понимаете, что преступник не остановился на трассе у щита с рекламой, чтобы закопать тела на виду у проезжающих машин, правда ведь? Он сворачивает и долго петляет по маленьким проселочным дорожкам, на которых нет никаких указателей, старается отъехать подальше от людей и жилищ. Реально за в общей сложности пятьдесят две минуты выучить все так, чтобы не запутаться?

— Я думаю, вполне реально, — уверенно ответил Петр. — Почему нет? Он же не тупой. Нормальный парень, почти мой ровесник, память хорошая. Я бы смог.

— Отлично! Теперь вспоминаем, что пятьдесят две минуты мы с вами накопили за три приема. Приблизительно двадцать, еще раз двадцать и двенадцать. Смотрим даты: двадцать минут шестого сентября с Шульгой, двадцать минут с ним же через день, то есть восьмого, и двенадцать минут с Лёвкиной девятого сентября. Это что за двадцать минут в первый раз? Что они могли успеть? Включайте воображение, давайте же!

Петр задумался.

— Допустим, Шульга принес карту области и показал Сокольникову дорогу от его дома на Чистых прудах до места захоронения.

— Ага, — кивнула Настя. — В протоколе осмотра координаты указаны точно, подойдите сюда, я вам покажу, как это выглядит на карте.

Она вывела на экран карту Москвы и области, обозначила флажком указанное в протоколе место.

— И не забывайте, что двадцать лет назад дорожно-транспортная инфраструктура была совершенно другой. Это сейчас повесили указатели на каждом шагу, и рекламные щиты повсюду висят, поэтому ориентиров великое множество. В девяносто восьмом было совсем не так. Пока идешь по трассе, еще можно было найти, например, второй поворот налево между двадцатым и двадцать первым километром, потому что километровые столбы стояли. Но как только сворачиваешь с главной дороги — все, кранты. Тут либо знаешь путь, либо не знаешь. Сокольников маршрута не знал, его нужно было выучить наизусть и чисто умозрительно, не имея ни единого ориентира и ни единого реального воспоминания. Теперь смотрите на карту, я увеличу ту часть, которая идет после съезда с шоссе, и скажите мне, сможете вы все это запомнить за двадцать минут? Причем запомнить так, чтобы не забыть и через несколько дней не запутаться?

— Наверное, мог бы.

Голос Петра звучал по-прежнему уверенно.

— Хорошо. Учите. У вас есть двадцать минут.

— Вы серьезно?

— Более чем. У нас лабораторная работа. Вам нужно потратить всего двадцать минут, чтобы приобрести новый навык.

— Какой? Навык запоминания карты?

— Навык проверки собственных версий при помощи неполных материалов старого дела, — усмехнулась она. — Вам переслать карту? Или вы сами ее найдете и выведете?

— Сам, — буркнул Петр недовольно.

Настя демонстративно выставила на телефоне будильник и принялась пролистывать полученные материалы. Да уж, много интересного можно было извлечь даже из неполного комплекта документов! Эх, если бы была такая профессия, где требуется анализировать уголовные дела... Причем желательно вот такие, дырявые, с пропусками. Она бы сутками сидела за работой и получала удовольствие! Что может быть интереснее?

Когда телефонный будильник возвестил об истечении двадцати минут, Настя предоставила Петру возможность продемонстрировать результат. Надо сказать, начал молодой человек достаточно бодро, примерно половину пути изложил безошибочно, но потом сбился и привел Настю, следящую за его объяснениями по карте, в совершенно другое место.

— И это сразу после того, как вы двадцать минут зубрили, — констатировала она. — Что же будет завтра? А через три дня?

Глаза Петра внезапно расширились.

— Я понял. Я все понял, как оно было, Анастасия Павловна!

Голос его, еще несколько секунд назад огорченный и упавший, звенел от радости.

— Шульга не только показывал карту, он рассказывал про ориентиры! Там же могли быть, например, голубой домик, сломанное дерево, покосившийся забор, ну, всё такое. Могли же?

— Могли, — согласилась Настя. — Вы хотите сказать, что за двадцать минут Сокольников выучил и маршрут, который вы сами выучить не смогли, и ориентиры?

— Но он мог заучивать по частям, — не сдавался Петр. — В первые двадцать минут зубрил повороты, во вторые двадцать минут — ориентиры.

— А в последние двенадцать минут следователь Лёвкина его экзаменовала и проверяла, хорошо ли усвоен материал, — добавила Настя, не скрывая ехидства.

— Ну а что? Докажите мне, что так не может быть! Вот смотрите: Шульга и Лёвкина получили от настоящего преступника полное описание маршрута со всеми подробностями, им ничего не стоило...

— Я вам скажу больше, дорогой Петр, — перебила его Настя. — Шульга и Лёвкина могли вместе с преступником выехать на место захоронения, сами все посмотрели, подробно записали, отметили ориентиры и заставили несчастного Сокольникова все это выучить. А еще есть роскошный вариант, при котором настоящий убийца — это Шульга, или Лёвкина, или оба разом. Поэтому маршрут они знают прекрасно. Им даже выезжать никуда не нужно.

Глядя на опешившего от неожиданности Петра, Настя не выдержала и расхохоталась.

— Все это замечательно, и я готова в это поверить, если вы объясните мне несколько совсем простых вещей. Открываем протокол первого осмотра местности. Читаем фамилии участников. Шульга есть?

— Есть.

— Лёвкина?

— Тоже есть.

— Тогда почему они не нашли место? У обоих были все возможности вовремя подсказать Сокольникову то, что нужно, исправить любую ошибку. Они провели на местности восемь часов. Восемь! Это очень много. И места не нашли. Почему? Теперь второй вопрос: если Шульга и Лёвкина заранее знали, что Сокольников не убивал и ни при каких обстоятельствах не сможет правильно указать место захоронения, почему повезли его на осмотр сразу после явки с повинной? Какого, простите, дьявола они его потащили туда, не подготовив предварительно? Они что, похожи на идиотов? Нет, я не хочу сказать, что в милиции и прокуратуре никогда не было глупых людей, они были и есть, и даже совсем-совсем тупые встречаются, это правда. Впрочем, как и в любой другой профессии. Но два клинических придурка на одном деле — это, уж извините, перебор.

— А если так? — глаза Петра горели азартом. — Они ездили к Сокольникову в СИЗО не для того, чтобы он выучил повороты, расстояния и ориентиры, а чтобы он запомнил условные знаки, которые они будут ему подавать. Направо, налево, вперед... Маршрут выучить, наверное, сложно, если по карте, тут вы правы, я вот не справился. А с условными знаками же намного проще. За двадцать минут можно много всего запомнить.

— Согласна, — кивнула Настя. — У вас отлично получается, я серьезно говорю, без подколов. Версия насчет условных знаков очень хороша, тут я вас искренне поздравляю. Действительно, условные знаки запомнить проще и быстрее. Первых двадцати минут хватит за глаза.

— Вот!

— Тогда следующий вопрос: зачем вторые двадцать минут? Для чего Шульга приходил к Сокольникову еще раз?

— Проверял урок, — весело ответил Петр. — А Лёвкина вообще ничего не проверяла, просто допросила, написала протокол и ушла. Ну как, сходится? Могло так быть?

— Могло, — согласилась она. — Только насчет первого выезда вы меня не убедили. Если выучить условные знаки так просто, почему это не было сделано четвертого сентября? Или даже третьего, когда Шульга принимал явку и долго-долго беседовал с Сокольниковым? Почему Шульга и Лёвкина, или кто-то один из них, пошли на колоссальный риск и повезли неподготовленного человека искать неизвестно где неизвестно что? На что рассчитывали?

— Не знаю...

— Так придумайте. Мы с вами именно для этого и тратим время на изучение документов, чтобы вы могли придумывать правдоподобно, а не с потолка. Я неправильно выразилась, прошу прощения: насчет колоссального риска — это неверно. Потому что риск подразумевает по меньшей мере два пути развития событий, один из которых плохой, другой хороший. Здесь же речь идет о совершенно безнадежном предприятии, когда вероятность благополучного исхода равна нулю. Человек, который не знает, где захоронены тела, и не имеет никакой дополнительной информации, сможет с первой же попытки указать правильное место примерно с такой же вероятностью, с какой обезьяна, посаженная за пишущую машинку, сможет напечатать «Войну и мир». И снова возвращаю вас к жалобам: про развешивание черных ленточек Сокольников говорит неоднократно, а про условные знаки — ни слова. Почему? Что мешало рассказать, если так и было? Приговор вы читали поверхностно, но, как я понимаю, показания самого подсудимого изучили тщательно. Про ленточки там было?

— Было.

— А про условные знаки?

— Нет...

Петр задумчиво и грустно смотрел на экран.

— Значит, опять не получается?

— Опять, — подтвердила Настя. — А знаете почему? Потому что у вас в голове живет готовая версия, и вы пытаетесь подогнать под нее то, что видите в материалах. Это порочный путь.

— Но Сокольников же...

— Сокольников, — жестко оборвала она, — это человек, о котором вы ничего не знаете. Вот с этого и начнем после перерыва. Повторяю снова: самое главное — человек, личность, характер, стиль мышления. Человек — та отправная точка, от которой нужно отталкиваться. А теперь кофе.

— Я круассаны принес, — неожиданно сообщил Петр и потянулся за своей сумкой, брошенной на пол рядом с диваном, на котором он сидел с ноутбуком на коленях.

Настя смутилась. Она накануне так увлеклась решением проблем ремонта и совершенно не подумала, что надо бы прикупить чего-нибудь вроде печенья или вафелек. Петр — молодой парень, крепкий, аппетит у него должен быть хорошим, и если сама Настя легко может пропустить обед, ограничиваясь кофе «с чем-нибудь», то ее ученику нужно полноценное трехразовое питание.

— Спасибо. Это очень кстати. Вы уж извините меня за то, что не предлагаю вам поесть, но готовить я не люблю и не очень-то умею. Обычно муж готовит, но сейчас он в командировке, и я перебиваюсь тем, что попроще, если не ленюсь сходить в магазин.

— А если ленитесь, тогда как? — спросил он. — Голодаете?

— В шкафах всегда что-нибудь найдется, ну хоть овсянку-то на воде сварить можно, даже если сахара нет.

Петр поморщился с видимым отвращением.

— Овсянка на воде и без сахара? Это же невозможно есть!

— Невозможно, — легко согласилась она. — Но я умею есть невкусную еду. Привыкла.

Круассаны оказались свежими, вкусными, хрустящими. Одни с шоколадом, другие с лимонным кремом, третьи — натуральные, без начинки. Петр не поскупился и принес по две штуки каждого вида.

— Хотите, я буду пиццу приносить? — предложил он. — И вам готовить не придется, и голодать не будем. Или фастфуд какой-нибудь, у вас тут много точек по пути от метро до вашего дома.

Вообще-то насчет пиццы они вроде бы договаривались еще вчера, но Петр, кажется, совсем забыл об этом. Настя не стала напоминать, чтобы не смущать парня. Сделаем вид, что никакого разговора не было.

— Фастфуд не надо, давайте лучше пиццу. Хорошая мысль, Петр, спасибо вам, — сказала Настя с благодарной улыбкой. — Видите, плохая я хозяйка, даже гостей принять не умею по-человечески.

— Вы хотели, чтобы я рассказал про аукцион, — напомнил Петр.

Вот засада! Не отвлекся, не забыл... Придется слушать. Ну ладно, чего уж теперь, сама ведь предложила.

Слушала Настя не очень внимательно, не забывая, однако, вежливо кивать и удивленно приподнимать брови. Но все равно отметила часто повторяющееся имя Екатерины Волохиной. Больше никто из организаторов по имени назван не был. Представитель издательства. Представитель Минздрава. Еще какой-то представитель... И Екатерина Волохина. Забавно! Хотя нет, пару раз мелькнула фамилия «Горевой», но тут же выяснилось, что это отец той самой Волохиной. Либо Петр с ней знаком, либо она его чем-то зацепила.

* * *

Мир людей прост и плох. Это аксиома. В нем нет ничего сложного, ибо управляется он простыми, примитивными стремлениями к власти и деньгам. Именно простота делает мир таким управляемым. Хотя сам мир, конечно, уверен, что он невероятно сложен и многообразен, и никто из нас, смертных, не в состоянии в нем разобраться. Чушь! Сложность и многообразие — лишь видимость, на самом же деле это просто колосс на глиняных ногах.

Мир людей плох. Но я могу его изменить. Пусть на микроуровне, но я, в отличие от многих, могу хотя бы это. Могу сделать его чуть-чуть лучше. Чуть больше доброты, чуть больше сострадания, чуть больше правды и честности. Мне это под силу. Самое главное — не слушать и не слышать важных псевдоавторитетных голосов, с умным видом рассуждающих о том, что возможно, а что невозможно, что правильно, а что неправильно. Не нужно никого слушать. Только себя. Только свой голос.

Я смотрю на себя в зеркало и верю: я смогу. У меня получится. Кто бы что ни говорил. Пусть сомневаются, пусть насмехаются. Мне наплевать. Я смогу. И я сделаю.

Не факт, что получится хорошо. Но я, как герой Кена Кизи, хотя бы попробую вырвать чугунную раковину из стены. Я хотя бы попробую...

* * *

После перерыва на кофе работа совсем не клеилась, Петр был рассеянным, отвечал невпопад. «Не выспался, — сочувственно подумала Настя. — Потому и устал так быстро».

Толку от таких занятий не было, и Настя, промучившись часов до трех, выпроводила ученика.

— Отдохните нормально, — посоветовала она на прощание. — Существует миф о том, что грузить вагоны углем трудно, а сидеть за столом и изучать документы легко. Это отнюдь не легко. И такой работой нельзя заниматься в состоянии усталости.

Петр ушел, как показалось Насте, с нескрываемым облегчением. Оставшись в одиночестве, она задумчиво оглядела стол с компьютером и прислушалась к себе. Чем заняться? Переводом? Или почитать дело? Где перевешивает «надо», а где — «хочется»? Прикинула по времени: можно поделить часы пополам, до семи вечера переводить, потом до одиннадцати читать дело. Или наоборот... «Ага, — сердито буркнула она сама себе. — Особенно привлекателен вариант «наоборот». Лукавая ты, Настасья, ничему тебя жизнь не учит».

Но она, конечно же, поступила именно «наоборот» и начала читать материалы уголовного дела по обвинению Андрея Сокольникова в убийстве семьи Даниловых. Причем читала не подряд, а в только ей самой понятном порядке.

Начала с фотографий, приложенных к протоколам осмотра местности. И в первом, и во втором протоколе в обязательном порядке имелись групповые фото участников следственного действия. Вот Сережа Шульга, именно такой, каким Настя его помнила: стройный красавец, темноглазый брюнет, которому не могла отказать ни одна девушка. Вот эта женщина лет тридцати с небольшим, похоже, и есть следователь Лёвкина. Симпатичная. Короткая стрижка, хорошая фигура, плотно затянутая в форменные китель и юбку, лицо серьезное. Криминалист... Понятые... А вот и Андрей Сокольников, «указывает направление движения». Невысокий, худощавый, даже худой. Спортивный костюм сидит на нем свободно, почти болтается. Небольшие светлые усики над верхней губой. Густые русые волосы, пострижены коротко. Лицо спокойное, даже почти озорное.

Настя снова повнимательнее присмотрелась к одежде. Почему костюм явно велик? С чужого плеча? Или парень внезапно резко потерял вес? Заболел? Онкология? Соблазнительно подумать в этом направлении: опыт показывает, что именно неизлечимых онкологических больных легче всего уговорить взять на себя чужое преступление. За хорошие деньги, разумеется. Дескать, ты все равно не жилец, а семье материально поможешь. С другой стороны, такая сильная худоба обычно характерна для тех, кто прошел химиотерапию, в результате которой начинаются проблемы с выпадением волос. Не у всех, конечно, препараты разные бывают, но чаще всего. У Сокольникова на вид шевелюра хорошая, но, быть может, это парик? В любом случае в деле должны быть медицинские документы. Если был серьезный диагноз, то озвучил ли его на суде адвокат? Должен был. Но Петя Кравченко об этом не говорил. Хотя он читал по диагонали... Ладно, разберемся.

Итак, что рассказывают о Сокольникове материалы дела? Вот показания старшей сестры Андрея, ее из всех членов семьи допросили почему-то первой. Почему именно ее, а не родителей? Из протокола: «Андрея любили больше, все ему прощали, во всем потакали. Он — мальчик, и он — младшенький. В детстве болел много, требовал внимания, заботы». Что здесь? Скрытая ревность старшей сестры или объективная констатация фактов? Возможно, и то, и другое. Сестра на пять лет старше, к своим тридцати двум годам вполне преуспела в выбранной профессии, сама себя обеспечивает, снимает квартиру, живет с гражданским мужем. А любимый родителями младший братик в двадцать семь лет нигде официально не работает, хотя имеет высшее образование. Из протокола: «Вопрос: вы или родители помогали Андрею материально? На какие средства он жил, если нигде не работал? Ответ: У него трудовая нигде не лежала, но он где-то подрабатывал. Иногда официально, иногда — нет. В последнее время говорил, что работает помощником адвоката, на самом деле он их просто возил на своей машине от случая к случаю. Родители деньги ему давали». Протокол допроса сестры длинный, из него хорошо видно, что выгородить брата и представить его в выгодном свете женщина не пыталась. То ли честная и умная, то ли братишку не любила сильно. Или, опять же, и то и другое вместе.

Вот и ответ на самый первый вопрос, возникший у Насти в ходе занятий: что за странная история с адвокатами. Сокольников на своей машине возил двух неофициальных помощников каких-то адвокатов, наивно полагая, что помощник — это все равно что настоящий адвокат, только рангом пониже. Что-то вроде младшего научного сотрудника, который хоть и младший, но все равно и научный, и полноценный сотрудник. Будучи всего лишь водителем, Андрей гордо именовал и себя тоже «помощником адвоката». Он был уверен, что Самоедов и Филимонов теперь для него друзья навеки, в помощи не откажут, кинутся выручать товарища, и вообще, они так его любят, так преданы ему, что с ними можно даже не договариваться заранее, они по первому свистку всё бросят и примчатся. Любопытная характеристика личности! Самоуверенность? Или излишняя доверчивость и запредельная глупость?

Допрос матери Сокольникова: никаких фактов, одни эмоции и заверения, что Андрюша «не мог», он «не такой», он добрый порядочный мальчик, любил животных, любил историю и литературу, на общественных началах работал в Московском отделении

Всероссийского Есенинского общества, одно время работал даже директором какой-то книготорговой организации. Литература и история — это весь смысл жизни сына.

Ну, допустим. И почему же ты, Андрей Сокольников, ни дня своей любимой историей не занимался, если жить без нее не можешь, а вместо этого возил на своей машине каких-то адвокатов и их помощников? Хороший вопрос.

Интересно, кто компоновал дело по томам? Лёвкина, назначенная старшей в бригаде, или второй следователь, Гусарев? Кто бы ни был, он постарался на «отлично». Все информационные материалы — справки, запросы, ответы на них, характеристики и прочее, имеющее отношение к личностям подозреваемого и потерпевших, собрано в один том, искать легко.

Что же мы имеем в части любви к истории? Сокольников окончил областной пединститут имени Крупской. Запрос на характеристику. Читаем ответ: «Сокольников А.А. был переведен на второй курс из Могилевского педагогического института. Как к студенту, успешно сдавшему зачеты и экзамены, замечаний нет. В связи с тем, что студенты заочного отделения должны являться в институт два раза в год для сдачи сессии, дать более развернутую характеристику Сокольникову не представляется возможным». Так, картина проясняется... Смотрим диплом и приложение к нему. Две курсовые работы, одна по татаро-монгольскому игу с оценкой «хорошо», вторая — «Идеология расизма и ее предшественники» с отличной оценкой. Тема дипломной работы: «История расизма в XX веке», тоже «отлично».

Характеристика из средней школы: учился неплохо, особый интерес проявлял к истории, литературе, биологии, много читал, любил спорить и обсуждать разные философские вопросы. Слово «философские» написано почему-то через букву «в»: филосовские. Подписано директором школы. Сколько таких характеристик Настя Каменская видела в своей служебной практике! И цену им хорошо знает. Особенно если мамочка придет вся заплаканная и будет слезно умолять. Одно это «учился неплохо» уже о многом говорит. Как учился на самом деле Сокольников? На «хорошо» и «отлично»? Тогда с чистой совестью написал бы директор в характеристике, мол, учился хорошо или даже прекрасно. Уклончивое размытое «неплохо» в сочетании с упором на любовь к отдельным предметам со всей очевидностью означало, что по всем предметам, кроме трех любимых, Андрей перебивался с «троек с минусом» на «твердые тройки». Домыслы? Да какие уж тут домыслы, если парень (парень!) даже в пединститут в Москве не рискнул поступать. Вернее, он-то, наверное, рискнул бы, но любящая мама понимала, что вступительные экзамены мальчик завалит, и отправила его поступать в вуз, где требования к абитуриентам не так высоки или конкурс поменьше. Впрочем, возможен и другой вариант: у мамочки в Могилеве были завязки на уровне деканата или ректората, и обеспечить поступление сыночка в вуз она там могла, а в Москве — нет. Так многие поступали еще в те времена, когда сама Настя была студенткой. Она хорошо помнила, как в начале второго курса у них на потоке появилось около сорока новичков, переведенных из других городов. Поступали туда, куда попроще или где есть блат, потом переводились в столицу или в Питер. При переводе в вуз того же профиля уровень знаний и подготовки уже никого не интересовал, нужно было лишь иметь основания для такого перевода. Основания у Сокольникова были, в Москве проживала вся его семья.

Что еще нам преподнесла общеобразовательная школа? Выписка из приказов по школе об объявлении благодарности Андрею Сокольникову за участие в праздновании недели русского языка, за участие в краеведческой олимпиаде и за исполнение роли Деда Мороза на новогоднем празднике. Все три благодарности датированы одним и тем же годом, когда Андрей учился в выпускном классе. И ни одной благодарности до этого. Почему? Откуда вдруг такая общественная активность? Ответ напрашивается сам собой: родители, озабоченные плохой учебой ребенка, посоветовали проявить себя хоть как-нибудь, хоть в чем-нибудь, заработать баллы для характеристики, необходимой при поступлении в институт. И Андрюша старался. Грамот за первое-второе-третье места, конечно, не получил, но хотя бы благодарности за участие. Опять же, Деда Мороза сыграл. А кстати, если он действительно так любил историю, то почему не занял призовое место в краеведческой олимпиаде? Знаний не хватило? И литературу якобы любил, а во время недели русского языка опять остался без награды. «Что с тобой не так, Андрей Сокольников? — думала Настя, листая дело. — Пишешь ты грамотно, со знаками препинания, конечно, беда, но орфографических ошибок ты не делаешь, я читала и явку с повинной, и множество других документов, написанных тобой собственноручно. Да, слова ты пишешь правильно, но складываешь их не очень-то ловко, фразы у тебя нестройные и частенько корявые, с падежами ты не особо дружишь. Как же так? Как это увязывается с твоей любовью к чтению? Может, все дело в том, что ты читал не художественную литературу, а специальную, документальную, научную? При чтении художественного текста мы волей-неволей пропитываемся индивидуальным стилем автора-литератора, его метафорами, образами, поэтикой. При чтении же специальной литературы мы только черпаем информацию. Хорошо, идем дальше. Какую же информацию ты так старательно черпал? Ответ в твоем дипломе, вернее, в приложении к нему. Тебя интересовала расовая теория. Превосходство одной расы или национальности над другими. Дихотомия «человек — недочеловек». Право на жизнь для одних и обязанность исчезнуть и не коптить небо для других».

Само собой, до перевода дело в воскресенье так и не дошло. Зато портрет Андрея Сокольникова начал обрастать плотью и приобретать краски. Около десяти вечера Настя взяла себя в руки, выключила компьютер, надела кроссовки и отправилась в круглосуточный супермаркет. Пицца пиццей, но совесть тоже иметь надо.

Совести хватило на упаковку нарезанного хлеба, сыр, три разные коробки с печеньем и два пакетика маленьких квадратных вафелек. Ну так и быть, бросим в корзину еще блок йогуртов и сладкие творожные сырки. Теперь самое главное — подойти к кассе, отведя глаза вправо, потому что если посмотреть чуть влево, то натыкаешься взглядом на стойку с шоколадом, и заканчивается всё, как правило, плохо. Вся засада в том, что безопасно проскочить стойку можно только тогда, когда в очереди нет ни одного человека и касса свободна.

Касса была абсолютно свободна, молоденькая кассирша чуть ли не подремывала, сидя на стульчике. И тем не менее в корзине у Насти непонятно каким образом оказались штук пять разных шоколадок: с цельным фундуком, с миндалем, с изюмом, с марципаном... «Я безвольная старая курица, — ругала себя Настя по дороге домой. — Сейчас наемся шоколада до одури, потому что я не умею съесть одну-две дольки и остановиться, я же буду трескать сладкое, пока у меня пищевод не слипнется, а завтра встану с омерзительными красными пятнами на щеках, потому что у меня аллергия. Горбатого даже могила не исправит».

Но проснуться утром с аллергическими пятнами Анастасии Каменской не удалось. Стоило ей, придя домой, сварить кофе и распечатать первую из запретных шоколадок, как зазвонил телефон. Номер был незнакомым, и сердце неприятно дернулось. Звонки с незнакомых номеров в такое время суток обычно ничем хорошим не кончались.

— Анастасия? — раздался мужской голос. — Это Владимир Юрьевич, мы с вами вчера познакомились. У Петра неприятности, его задержала полиция, доставили в отдел, нужно привезти его паспорт для подтверждения личности и как-то разрулить вопрос. Я уже раздобыл ключи от квартиры, сейчас еду за паспортом. Буду признателен, если вы окажете содействие.

Ну, началось. Скажешь, что ты врач, и тут же у всех присутствующих возникает нужда получить медицинскую консультацию. Скажешь, что ты полковник полиции в отставке, и тут же тебя начинают просить помочь, посодействовать, выручить, вытащить, разобраться. Закон жанра. Хотя Анастасия Павловна Каменская успела выйти в отставку в 2010 году, а милицию в полицию переименовали годом позже, злополучного закона замена двух букв почему-то не отменила.

* * *

Климанов вел машину уверенно и аккуратно, хотя Настя была заранее уверена, что по относительно свободным вечерним улицам писатель помчится сломя голову.

— Я сам не понял, что там случилось, но Петя паспорт с собой не носит, не имеет такой привычки. Это в столице мы все ученые, в других городах полиция так не зверствует, как у нас. Он позвонил Аллочке, Аллочка — мне, мы прикинули, что ехать сначала в отдел, где Петю держат, брать ключи от квартиры, потом за паспортом, за вами и снова в отдел — очень долго получится. Квартиру эту ему Аллочка нашла, какая-то ее соседка сдает, и вторые ключи у этой соседки, конечно, есть, поэтому мы обернулись быстрее.

Ишь ты какой! Выходит, Климм, или Климанов, или как там его еще можно называть, заранее был уверен, что Настя Каменская согласится ехать «выручать мальчика», даже заложил в маршрут поездку за ней на Щелковское шоссе — не ближний свет, между прочим. Уверенности в себе этому писателю не занимать.

— А я-то вам зачем нужна? — недовольно спросила она. — Отдать дежурным операм паспорт вы можете и без меня.

— Но я ведь не знаю, что Петька натворил, — возразил Климанов. — И я не юрист. Начнут мне всякие ужасы рассказывать, а я даже не смогу разобраться, наказуемо это или нет. Теперь ведь законы постоянно меняют, то криминализируют что-то, то декриминализируют, вчера еще было можно, а сегодня уже нельзя. Вон как с перепостами и лайками получилось. Никто точно не знает, что такое «возбуждение ненависти к социальной группе», но привлекают за это — только в путь. И я подумал, что иметь рядом грамотного юриста не помешает.

Он помолчал и негромко спросил:

— Я сильно нарушил ваши планы на вечер?

— Сильно, — зло сказала Настя. — И вам как бывшему чиновнику и как писателю и человеку с фантазией должно быть понятно, что привлекают в нашей стране сегодня не за действия, запрещенные уголовным законом. Привлекают людей. Кого надо, того и привлекут, а все эти чудесные новые законы придумывают именно для того, чтобы при необходимости можно было привлечь к ответственности того, кого нужно. Ну, или за кого хорошо заплатили. Нагнать страху и держать население в узде, вот и все. Кому нужно привлекать вашего Петю? Кому он интересен? Кому насолил? Никому. Зря вы панику подняли. Отвезли бы паспорт, да и дело с концом. Уверена, что никто не собирается оставлять Петра в камере и возбуждать против него дело. Он же нормальный вменяемый парень, украсть или чего похуже натворить не мог. Ну если только в драку ввязался.

— Буду рад, если вы окажетесь правы. Понимаете, Аллочка так давно знает Петю, тепло к нему относится, да и я с ним знаком... И в память о Ксюше...

Одним словом, мы с Аллочкой чувствуем ответственность за него, пока мальчик в Москве. Вы уж извините меня. Вероятно, вы правы и я перестраховщик.

Настя смягчилась. Ну что она срывается, в самом-то деле? Беспокойство зрелого человека за молодого парня — вещь вполне естественная, проживающий в Москве Климанов прекрасно осведомлен о том, на какие фокусы способна полиция, особенно в отношении приезжих. Ей захотелось исправить впечатление.

— Спасибо вам за книгу, Петр сегодня мне ее передал, — сказала она уже более миролюбиво.

— А, ерунда, — отмахнулся Климанов. — Мне было приятно подписать ее для вас. И недорого вышло, к счастью. Я не звезда первой величины, за мои творения много не дают.

Ни малейшей горечи или хотя бы обиды в его голосе Настя не уловила, напротив, произнесено это было с веселой улыбкой.

— И еще я хотела поблагодарить вас за то, что убедили Петра показать мне материалы полностью. Так и в самом деле легче работать, проще и быстрее. Как вам это удалось? Мне казалось, он такой упрямый...

— Я постарался, — снова улыбнулся Климанов. — Если не лениться искать правильные слова, то их всегда можно найти.

Отдел, куда доставили Петра, находился в Замоскворечье. Странно. Если Петр с Щелковского шоссе отправился на метро туда, где снимал жилье, то оказаться в районе Новокузнецкой улицы он не мог. Но ведь оказался же, в противном случае его доставили бы в другое место. И что он там делал, интересно? Прогуливался по Земляному Валу? Ездил на Павелецкий вокзал? И зачем? Впрочем, никакого значения это не имеет. Значение имеет только то, за что его задержали.

В отделе Климанов сразу подошел к окну дежурной части, а Настя присела в уголке, поближе к входной двери. Дежурный взял протянутый паспорт, куда-то позвонил и велел ждать. Владимир Юрьевич подошел к Насте, сел рядом.

— Дистанцируетесь? — насмешливо спросил он.

В его голосе звучало неодобрение, и Настя снова начала злиться.

— Трезво оцениваю ситуацию, — сухо ответила она.

— Вы же ветеран МВД! Неужели...

— Неужели, — оборвала она. — Для них я не ветеран, а бывший сотрудник. Причем бывший давно, когда они еще на горшок ходили. Разницу улавливаете?

— Вполне. Неужели все так изменилось? Помнится, во времена моей молодости...

— Мне тоже помнится, — снова перебила она.

Быть вежливой расхотелось. Настя чувствовала вскипающую злость и изо всех сил пыталась с ней справиться. Климанов не виноват в том, что милиция, в которой Анастасия Каменская прослужила двадцать восемь лет и прошла весь путь от лейтенанта до полковника, превратилась в полицию — «Ивана, не помнящего родства». Ну не виноват он в этом! И нет у нее никакого права злиться на человека, который всего лишь стремится помочь молодому приезжему журналисту, плохо ориентирующемуся в печальных столичных реалиях. Умом Настя все понимала, но ничего не могла с собой поделать.

И разговаривать с Владимиром Юрьевичем ей совершенно не хотелось.

Они так и сидели молча, пока не появился молодой человек в джинсах и светлой сорочке в тонкую полоску. Заглянув к дежурному, он взял паспорт, полистал его, потом через турникеты прошел прямо к ним.

— Задержанный Кравченко? — коротко спросил он, переводя взгляд с Насти на ее спутника.

Климанов тут же поднялся. Настя осталась сидеть.

— Вы — родители? Родственники?

— Нет, мы его знакомые, у Пети нет родственников в Москве. А что случилось? Что он сделал? За что его задержали?

— За нарушение общественного порядка. Пройдемте со мной, побеседуем.

— Можно нам обоим? — с надеждой спросил писатель.

— Конечно.

— Я не пойду, — быстро проговорила Настя. — Здесь подожду.

— Анастасия, ну как же... — Климанов, кажется, несколько растерялся, он такого не ожидал и продолжил, обращаясь к молодому человеку: — Анастасия Павловна Каменская — ветеран МВД, полковник в отставке, уважаемый человек, она, если надо, сможет поручиться за Петра.

На лице молодого полицейского не дрогнул ни один мускул. Наивный человек этот бывший чиновник, а ныне малоизвестный детский писатель! Думает, что сегодня, как и при советской власти, все эти словеса имеют хотя бы малейший вес. Не имеют. И никакого уважения не вызывают ни у кого, кроме разве что коллег, которые еще застали тебя и работали с тобой. И то не у всех. За восемь лет, прошедших после выхода в отставку, Настя усвоила сию простую истину очень крепко. Пенсионное удостоверение она носила с собой постоянно, но доставала из сумки только тогда, когда нужно было пройти в здание какого-нибудь УВД или отдела полиции, а случалось такое нечасто. Обычные граждане просто так пройти не могли, за ними либо выходили сотрудники, либо их имя должно было числиться в списках «на прием», и предъявление паспорта в обоих случаях являлось обязательным. Свободный проход по пенсионному удостоверению — единственная привилегия ветерана, которую пока еще не отменили. Больше ни на что люди, отдавшие десятки лет борьбе с преступностью, рассчитывать не могли. Такие времена, что ж поделать.

— Так вы идете? — нетерпеливо спросил полицейский, глядя на нее.

— Нет, — твердо ответила она. — Я подожду здесь.

Климанов ушел. Настя вытянула ноги и прикрыла глаза. Что же сумел натворить Петя Кравченко? Каким манером ухитрился нарушить общественный порядок до такой степени, что его задержала полиция? Вот же!

Но размышлять о Петре было скучно. Намного интереснее думать об Андрее Сокольникове. В конце концов, пройдет некоторое время, выйдет Климанов, либо один, либо вместе с отпущенным Петей, и она все узнает. А вот о Сокольникове можно узнать только из материалов дела. Вернее, не так: узнать-то можно от людей, которые были с ним знакомы, наверняка сестра жива, а возможно, и родители. Одноклассников найти. Друзей-приятелей. Девушек-подружек бывших. Добиться разрешения на свидание в колонии, познакомиться с Сокольниковым лично. Разыскать Лёвкину и Гусарева, которые были следователями по делу об убийстве Даниловых. Все это можно, и именно так Настя и делала бы, выполняя чисто служебную задачу. Но сейчас задача стоит совсем другая, и действовать подобным образом нельзя. Ей поручено научить Петра восстанавливать картину по тем мелочам, которые разбросаны по многотомному уголовному делу.

Итак, жил-был мальчик... Нет, неправильно, не с этого нужно начинать. Жила-была семья. Муж и жена. У них родилась дочка. Спустя пять лет появился сын. И если дочка как была дочкой, так и осталась, то сын быстро превратился в сыночка, сынулечку, радость ненаглядную, солнышко и «шелковый помпончик». Дочь жила под лозунгом бесконечного «должна и обязана», сыночек рос в атмосфере «конечно, можно, ты же самый лучший». Умом сыночек Андрюшенька не блистал, если объективно, но обожающая его мама вполне успешно внушила ребенку, что он чуть ли не гений, а если у него что-то не получается или кто-то не считает его умницей, то происходит это исключительно из-за злокозненной зависти и тупого непонимания со стороны «быдла», в окружении которого бедному мальчику приходится вращаться. А что поделать? Другой страны им не выдали, и других одноклассников, соседей и друзей не выдали тоже. Неординарным людям всегда мучительно трудно выживать среди толпы серостей и посредственностей.

Вероятно, так или примерно так воспитывали Андрюшу Сокольникова. Добавим к этому частые болезни в раннем детстве. Реальные или выдуманные излишне тревожной матерью, за каждый чихом видящей угрозу страшной пневмонии. В описях Настя видела несколько запросов в медицинские учреждения и диспансеры, и, пожалуй, было их многовато для дела об убийстве, в котором обвиняют молодого человека двадцати семи лет. Вероятно, мать на допросах, а потом в жалобах неоднократно делала упор на слабое здоровье сына, адвокат заявлял ходатайства, следователям приходилось соответствовать. Если бы речь шла о врачебной халатности, такое количество запросов можно было бы понять, но по убийству... Впрочем, если мать хотела обеспечить нужное заключение судебно-психиатрической экспертизы, то все объяснимо. Любопытно устроена жизнь! Двадцать семь лет, не жалея сил, внушать сыну и самой себе, что он гений и неординарная, выдающаяся личность, а потом с таким же упорством пытаться доказать, что он страдает психическим заболеванием, лишающим его способности осознавать содеянное и руководить собственными действиями. Тяжела материнская доля, особенно доля матери, безоглядно влюбленной в собственное чадо.

Итак, Андрюша растет, ходит в школу, более или менее учит предметы, которые нравятся, на другие, как говорится, забил напрочь. Общественной активности не проявляет (в противном случае благодарности «за участие» появились бы намного раньше), ничего выдающегося не совершает, но и ничего особенно плохого тоже не делает, иначе учителя не забыли бы его и выданная школой характеристика выглядела бы не такой куцей и вымученной. А они вспомнили только любовь мальчика к спорам на философские темы. И то не факт, что это правда. Могли не помнить вообще ничего, но мать так просит, так плачет, и так ее жалко, ну ладно, выдумаем и припишем пару ни к чему не обязывающих фраз про интерес к философским темам. Могло так получиться? Вполне. Даже про любовь его к отдельным предметам сведения наверняка добыты не из памяти преподавателей, а из хранящихся в школе ведомостей. Просто посмотрели, по каким предметам оценки были поприличнее, и сделали вывод.

Мама Андрюши безумно боится, что ее гениальная неординарная детка загремит в армию, поэтому допустить риск провала в институт на дневное отделение она не может и отправляет мальчика поступать туда, где есть блат. Через год переводит его назад, в Москву, но уже на заочное отделение. Его должны были призвать, по идее. Но почему-то не призвали. В описях никаких запросов в военкомат Настя не заметила, но, возможно, просто проглядела. Или нужная страница описи оказалась пропущенной. А возможно, что следствие не обратило на это внимания, ведь ни на квалификацию содеянного, ни на доказательства это не влияло. Ну, не служил — и ладно, все равно убийца. Наверное, с призывом на действительную военную службу тоже мама постаралась. Афганистан как раз закончился, но страх остался, да и региональные межнациональные конфликты в тот момент стали разгораться то тут, то там.

Итак, Андрей начал учиться в Москве, причем заочно. Почему? С дневного отделения легко переводят на дневное. Но понятно, что на дневном требования выше и учиться труднее. Можно на вечернее, но для этого нужно работать плюс 3—4 раза в неделю по вечерам посещать занятия. Тоже напряг. А вот на заочном можно один раз принести справку с какого-нибудь места работы и дальше уже только являться на сессии два раза в год. К тому же тут и декриминализация тунеядства подоспела, можно вообще нигде не работать, и ничего тебе за это не будет. Кстати, о декриминализации... Как странно, что Владимир Юрьевич употребил в разговоре с ней этот сугубо юридический термин. Обычно люди, не связанные с правовой практикой или наукой, говорят «отменили уголовную ответственность» или даже еще проще: «отменили наказание». Грамотный, образованный, приятный в общении, обаятельный. Неужели в России еще остались такие чиновники? Впрочем, он ведь тоже «из бывших». Интересно, он к своим прежним сослуживцам относится так же, как она, Настя Каменская, к своим? Или как-то иначе?

И снова неприятное царапанье где-то внутри. Его Настя ощущала почти постоянно с того самого момента, как ее порог переступил тюменский журналист Петр Кравченко. Она так упорно отговаривает его от попыток затеять журналистское расследование и раскапывать злоупотребления следствия и дознания, призывая полностью сосредоточиться только на материалах собственно уголовного дела и постараться реконструировать событие преступления и личность преступника... Почему? Почему ей так тягостно все это?

«Я так делаю, потому что так велела Таня», — ответила она себе. И тут же перед глазами встало собственное отражение в зеркале, увиденное накануне в найденном на подоконнике осколке. «Ах ты врушка трусливая, — язвительно проговорила отраженная Настя. — Ты банально цепляешься за прошлое. За свои воспоминания о годах службы, о людях, с которыми работала бок о бок. О Колобке, о ребятах из твоего отдела, о следователях, которые были образцами профессионализма и с которыми тебе время от времени выпадало счастье столкнуться. Ты просто ужасно боишься и не хочешь выяснить, что Лёвкина и Гусарев продались с потрохами и за большие бабки посадили невиновного, потому что грязное пятно на следствии того времени автоматически пачкает и всю правоохранительную деятельность, в том числе и твою любимую работу. Если это допустили и если этого никто не заметил, значит, все сгнило на корню уже тогда. Не сейчас, в последние пять-семь лет, как ты себя утешаешь, а еще двадцать лет назад. Ты же не совсем дурочка, ты прекрасно видела с самого начала, в каком направлении все развивается и к чему идет, правда ведь? Вспомни девяносто второй год, вспомни криминального авторитета Матвея Ильича Дормана. Ты ведь ни капли не удивилась, когда Колобок пересказал вам его слова о том, как разваливаются милиция и следствие и как крепнет криминал. Ты все-все отлично понимала. И работала с открытыми глазами. Ты изнутри наблюдала за этим развалом, за тем, как начинается и усугубляется процесс гниения правоохранительной системы. Ты много раз говорила об этом и с коллегами, и с мужем. Так что ж ты теперь строишь из себя целку-невидимку? Хочешь, отвечу?» — «Ну, ответь», — с ленивой неприязнью отозвалась мысленно Настя. — «В тот момент для тебя это было настоящим, ты в этом жила и работала. А теперь это стало твоим прошлым. И тебе инстинктивно хочется его обелить и приукрасить. Так устроен человек: будущего еще нет, ценить настоящее мы не очень умеем, и все, что у нас есть и что невозможно у нас отнять, это наше прошлое. Тебе невыносима мысль, что ты была счастлива, успешна и востребована в среде воров, коррупционеров и дураков. Ты стремишься создать и сохранить для себя иллюзию, в которой двадцать восемь лет твоей милицейской жизни были прожиты не зря, не напрасно, не впустую. Достойно...»

Мимо нее ходили какие-то люди, несколько раз крепкие парни из патрульно-постовой службы проводили куда-то в боковую дверь мужчин с разбитыми в кровь лицами или молодых ребят с глупыми улыбками и безумными «обколотыми» глазами. Мужчина в дорогом костюме ворвался с улицы и что-то орал дежурному, требуя прекратить некий беспредел... Плачущая женщина, дочь которой не вернулась вовремя домой... Ее, само собой, и в прежние времена отфутболили бы, а уж теперь-то тем более. Пока как минимум трое суток безвестного отсутствия не пройдет, никто не почешется.

«А еще, — назойливо продолжало отражение, которое никак не желало убраться подальше и заткнуться, — ты боишься почувствовать себя униженной. Собственно, ты это уже и почувствовала, когда Климанов начал рассказывать полицейскому, кто ты такая. Он рассказывал, а парню было пофиг. Пустой звук. И если ты начнешь, выпячивая прошлую принадлежность к системе, к братству, к корпорации, пробовать добиться каких-нибудь уступок или преференций, ты не получишь ничего, кроме презрительного непонимания и насмешливого высокомерия. Да хотя бы просто минимального уважения и чуть более внимательного отношения — и того не получишь. И ты инстинктивно стараешься избегать опасных ситуаций, которые могут привести к тому, что тебя унизят».

Наконец за турникетами показались Климанов и Петр. Настя очнулась и посмотрела на часы: начало второго ночи. Долго они там разбирались.

Вышли, остановились возле урны, стоящей рядом с крыльцом, Настя вытащила сигареты и вопросительно уставилась на Петра.

— Ну? И что это было? — строго спросила она.

— Я только хотел поговорить с Лёвкиной, — пробормотал молодой человек.

Он только хотел поговорить... Наивный оптимизм!

Вернувшись от Насти к себе на квартиру, Петр не лег спать, а начал, точнее — продолжил искать в интернете информацию о Лёвкиной и Гусареве. Поиск затруднялся тем, что имелись только инициалы, полного имени и отчества следователей Петр не знал, в уголовном деле они нигде указаны не были, что вполне понятно. И сегодня ему повезло. Он нашел-таки упоминание о некоей Маргарите Станиславовне Лёвкиной, в прошлом работавшей следователем прокуратуры в Москве, а ныне — бизнес-леди, вполне успешно руководившей собственным немаленьким бизнесом. Еще некоторое время оказалось потраченным на поиски информации о фирме Лёвкиной. Найдя адрес офиса, Кравченко, не раздумывая долго, отправился туда. Ну и что, что воскресенье, выходной день? Посмотреть, прикинуть... Он уже представлял себе видеоряд, которым будет сопровождаться его большой обстоятельный материал. В этом ряду фотографий отлично будет смотреться снимок роскошного огромного столичного делового центра, в котором Лёвкина арендует площади под офис. И подпись: «Вот так теперь выглядит место, где зарабатывают деньги следователи, начинавшие с малого — со взяток за фальсификацию уголовных дел». Или еще как-нибудь позабористее. Красота!

Петр ходил вокруг здания, рассматривал, делал фотографии телефоном. Ему могло бы повезти, ведь в выходные дни большинство офисов закрыто, и охрана расслабляется. Но не повезло. Охрана скучала и от нечего делать внимательно смотрела по сторонам. Погода стояла отличная, теплая и солнечная, поэтому смотрела охрана не только в мониторы, куда передавалось изображение с многочисленных видеокамер, но и глазами, выходя покурить, проветриться, прогуляться и размять ноги, прикупить чего-нибудь «попить-погрызть». Молодого человека, слоняющегося вокруг здания и беспрерывно снимающего на телефон, они заметили, однако решили пока ничего не предпринимать, просто понаблюдать.

А госпожа Лёвкина, как выяснилось, была трудоголиком, частенько засиживалась в офисе допоздна, брала документы домой, а как минимум три раза в месяц руководила своим бизнесом даже по воскресеньям из собственного кабинета в деловом центре. И сегодня, как назло, выпало именно такое воскресенье. Лёвкина вышла из здания в сопровождении водителя-охранника, тут-то Петя Кравченко ее и увидел. Конечно, прошло двадцать лет, но если пятилетнего ребенка бывает непросто распознать в двадцатипятилетнем молодом человеке, то женщина за тридцать, чью фотографию двадцатилетней давности ты хорошо рассмотрел, остается вполне узнаваемой в пятьдесят с небольшим.

К такому повороту Петр готов не был, плана в голове не имел, поэтому растерялся и повел себя глупо и неправильно. Он быстро подошел к Лёвкиной и начал с места в карьер:

— Маргарита Станиславовна, мне нужно с вами поговорить.

Водитель-охранник сделал было движение, чтобы встать между Петром и боссом, но Лёвкина только качнула головой, мол, не волнуйся, этот не опасен, и, не замедляя шага, бросила журналисту:

— А мне не нужно. Я вас не знаю.

Петр совершил вторую ошибку, на этот раз роковую: он протянул руку и ухватил даму за локоть. Тут уж водитель вмешался, не дожидаясь указаний, сильно и грубо отшвырнул его. Петя пыхтел и сопротивлялся, Лёвкина молча смотрела.

— Мне нужно спросить вас о деле Сокольникова! — кричал журналист. — Девяносто восьмой год, убийство на Чистых прудах! Маргарита Станиславовна!

К тому моменту и охранники здания подоспели. Не зря они приметили подозрительного парня! У них глаз — алмаз. Крупного спортивного Петра скрутили в две секунды.

— Полицию вызываем? — спросил Лёвкину один из бойцов, крепко держа завернутые за спину руки молодого человека.

Бизнес-леди долго и задумчиво смотрела на Петра, потом слегка улыбнулась и кивнула.

— А вызывайте, ребята. Мальчику книжку купите, пусть почитает на досуге. Булгакова, «Мастера и Маргариту». Там черным по белому написано: никогда не разговаривайте с неизвестными. Вот я и не разговариваю.

Слова были обращены к охранникам, но смотрела она при этом на Петра. В упор. Прямо в глаза. И уже садясь в машину, добавила:

— Пусть Рачкову передадут — я на телефоне, если нужно.

Вот, собственно, и все.

— Неужели полиция каждый раз выезжает по таким ерундовым поводам? — недоверчиво спросил Климанов у Насти. — В чем тут преступление?

— Преступления нет, а на административное правонарушение при желании можно натянуть. Кто такой Рачков?

— Не знаю, — пожал плечами Петр.

Она перевела глаза на Климанова.

— И вы не знаете?

— Нет.

— Зато я знаю. Это начальник отдела полиции, на территории обслуживания которого находится деловой центр. Вот этого самого отдела, рядом с которым мы сейчас стоим. Там в предбаннике на стенах куча информационных материалов, я все их прочитала, пока вас ждала. Там и фамилия начальника имеется. Мадам Лёвкина хорошо знакома с ним, приятельствует, а может быть, даже нежно и крепко дружит. И об этом прекрасно осведомлена охрана делового центра. По вызову Васи Пупкина никто, разумеется, не помчится, а вот если тронуть Лёвкину — полиция тут как тут. Ну как же, близкая подружка шефа! Если подружка пожалуется на кого-нибудь или даже просто намекнет, выразит неудовольствие поведением человека, то быстро придумают, за что его скрутить, затолкать в камеру и популярно объяснить, в чем смысл жизни.

— Это вы тоже в информационных листках вычитали? — ехидно осведомился Климанов.

— Отнюдь. Это следует из одной-единственной фразы Лёвкиной по поводу Рачкова. Фраза короткая, а картина за ней рисуется богатая.

Настя затушила сигарету, выбросила окурок в урну, вынула из сумки телефон, нажала иконку приложения, вызвала такси. Она была в такой ярости, что тряслись руки и палец только со второй попытки попал в нужную точку экрана.

— Ну, что? — весело спросил Климанов. — Можем ехать?

— Поезжайте, — сухо ответила Настя. — Я вызвала такси, машина будет через три минуты.

— Но зачем же, Анастасия? — Климанов, кажется, обиделся и расстроился. — Я отвезу вас.

— Нет, спасибо. Оставлю вас с Петром один на один. Надеюсь, вы воспользуетесь случаем объяснить ему, что самодеятельность бывает хороша только на клубной сцене. И то не всегда. А еще, что старшие — не всегда ветошь и выжившие из ума маразматики, иногда мы говорим правильные вещи и даем умные советы.

— Вы сердитесь? — тихо и печально спросил Владимир Юрьевич.

— Да. Я сержусь. Я злюсь. Поезжайте. Надеюсь, что завтра к десяти утра я приду в себя и смогу не убить вашего протеже.

Она говорила так, словно Петра рядом не было. Но ведь он был, стоял, гордо выпрямив спину и вздернув подбородок. Уверен, что поступил правильно. На Настю, однако, при этом не смотрел. То ли выражал активное несогласие с ней, то ли засомневался в собственной правоте...

— Нет уж, — решительно возразил писатель. — Мы дождемся, когда приедет ваше такси, посадим вас. И я расплачусь с водителем заранее. Я настаиваю.

— Хорошо, — согласилась Настя. — Стойте. Платите. И раз уж вы все равно не уезжаете, скажите в двух словах: сколько с вас поимели за освобождение пленного?

Климанов улыбнулся.

— А нисколько.

— Неужели просто так отпустили и согласились не составлять протокол?

— Я их убедил. Не стану никого выгораживать, денег они действительно хотели.

— Сколько?

Владимир Юрьевич назвал сумму. Она выглядела не запредельно. Даже, можно сказать, приемлемо. Эх, мельчает народ...

— А почему вы не заплатили? — с любопытством спросила она. — У вас в кошельке наверняка такие деньги водятся.

— Из принципа. Хотел проверить, смогу ли их уговорить. Как видите, смог, хотя времени на это потребовалось довольно много.

— Секретом не поделитесь?

— Никакого секрета нет. Просто нужно не лениться искать аргументы, и они обязательно найдутся рано или поздно. Впрочем, я это вам уже сегодня говорил.

Подъехало такси, Настя открыла дверь, посмотрела на Петра, который теперь стоял, повернувшись к ней спиной и уткнувшись в свой телефон. «Обиделся, — равнодушно подумала она. — Думал, из него будут делать героя, пострадавшего от несправедливости властей и с честью вышедшего из неравного боя. А его тычут носом в какашки, как нашкодившего щенка».

— Ваш протеже, как я вижу, сильно занят чем-то важным, — сказала она Климанову. — Так вы передайте ему, будьте так любезны, что утром я жду его в десять часов для продолжения занятий.

Владимир Юрьевич покачал головой и усмехнулся:

— Ну и характер у вас, Анастасия! И как с вами супруг уживается?

— Отлично уживается. Долго и счастливо. Всего доброго, спокойной ночи.

Да уж, от ночи уже мало что осталось, скоро светать начнет. Да и спокойной ее назвать никак нельзя.

* * *

«От завтрашних, вернее, уже от сегодняшних занятий толку не будет, — сердито думала Настя, уставившись неподвижным взглядом в мелькающие за окном машины огни темной ночной Москвы. — Поспать осталось всего ничего. Буду как вяленая рыба. Не в том я возрасте, чтобы ночами не спать и при этом бесперебойно функционировать. И Петр наверняка окажется не лучше, тем более не спит вторую ночь подряд. Зачем я велела ему приезжать в десять? Дура. Нужно было отменить занятия. Так нет же, злость взыграла, вредность. Ну и кому ты навредила, умная Каменская? Упрямому непослушному мальчишке или в итоге самой себе? Решила показать ему, кто в стае вожак? Бить тебя некому, вот как только Лешка уехал, так и пошло все наперекосяк. Был бы он рядом, он бы тебя в узде придержал».

— Проблемы? — сочувственно спросил водитель, пожилой мужчина с азиатской внешностью.

— Почему проблемы?

— Ну как же, посреди ночи от полиции вас забираю. Или вы там работаете?

— А-а... Нет, не работаю.

«Уже не работаю. Причем давно», — мысленно добавила она.

— Знакомый попал в передрягу, нужно было помочь.

— Ясное дело, помочь нужно. Если не секрет, сколько теперь берут? Я в прошлом году за племянника платил, так пришлось в долги влезать: такие деньги заломили! Племянник у меня дурной совсем, ничего в голове нет, а семье проблемы...

От обсуждения сумм Настя уклонилась, пробормотала какие-то слова о том, что, дескать, вопрос оказался ерундовым и его решили полюбовно.

— Это хорошо, когда есть кому полюбовно решать, — вздохнул водитель. — А с нами, гастарбайтерами, разговор короткий. Да и не умеем мы... Мы по-своему привыкли, как у нас дома принято, а у вас тут все подходы, обходы, и все кривые какие-то, сложные.

— Вы давно в Москве?

— Я-то? С девяносто пятого года. У себя на родине институт окончил, работал, потом меня в Воронеж перевели, на крупный завод, это еще при Горбачеве, потом в Москву позвали. А как началось вот это все, так родня и начала приезжать. Инженером был на производстве, производство закрыли, кому я нужен? Теперь дешевле из Китая возить, чем самим делать. Вот таксую, больше всех в семье зарабатываю, они-то дворниками работают, уборщицами, кому больше всех повезет — те в магазинах на кассах сидят или товары по полкам раскладывают. Но так везет не всем, многие работают нелегально, без регистрации, вообще без документов, а болеют-то как все, даже чаще, потому что условия жизни тяжелее. Кучей, друг у друга под боком, иногда без водопровода, без туалета, без отопления, если в области на стройке. Опять же язык русский плохо знают, а то и совсем не говорят, к кому им бежать, если что случится? Понятно, что с каждой проблемой ко мне бегут, и не только родня, но и друзья их, знакомые, я вроде как и богатый по их представлениям, и в Москве давно, порядки местные знаю, да и старший. У нас старших уважают, не то что у вас. Уважение, конечно, приятно, но проблемы-то все на мне. Поэтому я с пассажирами всегда разговариваю, слушаю, чего они рассказывают, а сам на ус мотаю, опыт перенимаю. А вдруг пригодится! Родни много, земляков много, проблемы у всех разные, причем такие, с какими мне самому сталкиваться не приходилось. Вот хоть болезни взять: у меня полис, если что заболит — знаю, куда идти, а им куда бежать, если нелегалы? Полисы покупать добровольные — дорого, обязательные им не положены, и тут понимать надо: многие не верят в лечение по полису, у нас культура другая, мышление другое, они хотят только у частного доктора лечиться, за деньги. Ну и начинаю искать платных врачей, чтоб хорошие были, знающие, внимательные, а брали недорого. Хорошо еще, что стали медицинские центры специально для мигрантов открывать, там все доктора на наших языках говорят и берут не так дорого, как в русских больницах. Но все равно приходится крутиться, не всегда проблему получается с нашими людьми решить. Если возьму пассажира от больницы, например, то обязательно расспрашиваю, как там и что, дорого ли берут, хорошие ли доктора. От детского садика или от школы везу — тоже расспрашиваю, часто бывает, что нашим отказывают без всяких объяснений, не очень охотно берут наших детишек, особенно если они по-русски плохо говорят. Не впрямую, конечно, просто отнекиваются, мол, мест нет. И снова мне приходится вопросы решать. В нашей семье детей много, всех пристроил, все до одного в садиках и школах, даже те, у кого родители без регистрации, — в голосе водителя зазвучала неприкрытая гордость. — А так-то, если другим, то не всем смог помочь. Вот вас от полиции взял — тоже расспрашиваю. Не обижайтесь.

Решать вопросы. Самое актуальное словосочетание, характеризующее сегодняшнюю действительность. А она, Настя, умеет решать вопросы? По-видимому, Климанов считал, что умеет, потому и попросил ее поехать вместе с ним выручать Петю. Зачем она поехала? Ведь понимала же, что не станет ни с кем ни о чем договариваться, показывать удостоверение полковника в отставке и просить пойти навстречу, понимала с самого начала, но все равно поехала. Для чего? Ночь псу под хвост, лучше бы спала в своей постели. «Нет, — тут же возразила она себе, — хорошо, конечно, что все обошлось так легко, но Климанов не знал, что Петя натворил, поэтому перестраховался. И я вместе с ним. А вдруг там оказалось бы что-то эдакое и потребовались бы юридические знания? Законы нынче такие, что их и полиция, и следователи плохо понимают, а уж граждане вообще легко могут запутаться и поверить всякой лабуде, которую им в уши нагонят, чтобы застращать и бабло срубить. В таких случаях иногда бывает достаточно более или менее знающего юриста, который умело возразит и слегка укоротит зарвавшегося полицейского. Так что я поехала на всякий случай, мало ли что. Хорошо, что поехала. Хотя теперь уже очевидно, что зря я себе всю ночь перековеркала, Климанов отлично справился без моей помощи».

Домчались по ночным улицам быстро, стоимость поездки получилась значительно меньше той суммы, которую Климанов оставил водителю.

— Сдачу возьмите, — сказал тот, оборачиваясь и протягивая ей деньги.

Настя отрицательно помотала головой.

— Не нужно. Это не мои деньги, так что и сдача не моя. Сколько дали — все ваши.

— Тут много.

— Ничего. Кто дал, у того пусть голова и болит. До свидания.

Дома она сразу отправилась в душ. В последнее время у Насти Каменской появилась невесть откуда взявшаяся потребность принимать душ сразу после пребывания в общественных местах, причем не в любых, а только в таких, где ей было тягостно, неприятно или что-то не понравилось. В ее голове поселилось иррациональное ощущение, что нужно смыть с себя весь негатив. «Старушка, ты с возрастом начинаешь чудить», — посмеивался над ней Чистяков. Настя смущалась, огорчалась, но все равно раздевалась и вставала под душ независимо от времени суток или наличия срочных дел. Причем утреннего и вечернего душа это никак не отменяло. Дашенька, жена Настиного брата Александра, ругала ее:

— Ты с ума сошла! Ты же пересушишь кожу!

Но Настя только улыбалась и всё равно делала по-своему.

— У меня, конечно, есть свои тараканы, — отвечала она, — но их так мало, что пусть будет еще один, для компании, а то им, бедненьким, в моей голове скучно, таким малым числом им даже корпоратив не организовать.

Стоя под горячей водой и тщательно растирая кожу жесткой мочалкой, она была убеждена, что как только прикоснется головой к подушке — моментально уснет. Но расчет не оправдался, и, пролежав минут двадцать без всякого результата, Настя вылезла из постели и закуталась в халат. Сна не было. Злость на Петра, а заодно и на Климанова никак не хотела уходить и не давала заснуть.

Она села к столу, включила компьютер. Надо написать Лешке письмо, рассказать ему про сегодняшнее приключение, предупредить, что утреннего сеанса связи по скайпу не будет, потому что она собирается спать часов до девяти, если удастся заснуть. Лешка — человек порядка, в отличие от нее самой, он утром обязательно просматривает почту и увидит ее письмо. Впрочем, предупреждение об отмене разговора по скайпу можно дополнительно отправить и эсэмэской, и в вайбер, и в вотсап, и в собственно скайп, одним словом, во все места, где Лешка обменивается сообщениями. Где-нибудь он обязательно увидит, прочитает и не будет терять время, ожидая, когда жена ответит на звонок или позвонит сама, а вместо этого спланирует утро как-нибудь более полезно и продуктивно.

На почтовой страничке висело очередное рекламное сообщение. Стоило Насте поискать в интернете какой-нибудь товар, услугу или просто информацию, как начинала приходить реклама чего-то похожего. В последние месяцы самыми частыми поисковыми запросами были запросы на всё связанное с ремонтом, поэтому каждый раз, открывая почту, Настя натыкалась глазами на что-нибудь вроде «Ремонт быстро и недорого», «Хотите заменить двери?» или «Золотые руки — мастера для вас!» Она привычно скользнула глазами по рекламной строке над колонкой с перечнем входящих писем и споткнулась о неожиданное слово. Этим словом оказалась фамилия «Дорошин». Реклама гласила: «Юбилейный концерт Владимира Дорошина в Большом зале Консерватории. Покупайте билеты прямо здесь!» Ну надо же! Прорезались сквозь ремонт! Настя помнила, что в последний раз заказывала через интернет билеты на «Тоску», где баритон Владимир Дорошин исполнял партию барона Скарпиа, это было... ну да, почти год тому назад. Господи! Год прошел, а кажется, будто только вчера они с Лешкой сидели в ложе и слушали оперу. Игорь тогда ужасно расстроился, что они сами купили билеты.

Игорь Дорошин был сыном певца, а заодно и офицером сначала милиции, потом полиции. Настя познакомилась с ним... Когда же это было? Году в пятом или шестом, но больше десяти лет прошло — это точно. Тогда раскрывали убийство гражданской жены сотрудника наркоотдела. Насте понравился и вдумчивый участковый, и его строптивый по сути, но спокойный по форме характер, и его замечательные кошки. И его мягкая, полностью лишенная агрессивной напористости уверенность в себе. Она хорошо помнила тот урок внутренней свободы, который Игорь ей преподал, хотя был младше нее. На сколько младше? Лет на десять, пожалуй. Если Насте пятьдесят восемь, то Игорю Дорошину, должно быть, катит к полтинничку. Когда в прошлом году они столкнулись в фойе театра, Игорь выглядел почти не постаревшим и был все таким же стройным и красивым, хотя седины заметно прибавилось. Он по-прежнему не пропускал ни одного спектакля с участием отца, а вот погоны снял и занялся исключительно музыкой и кошками.

Они тогда поговорили совсем коротко, их прервал звонок, призывающий зрителей вернуться после антракта в зрительный зал. Игорь поспешил в ложу дирекции, где его ждала мама, но на прощание раз пять повторил:

— Очень вас прошу, Анастасия Павловна, Алексей Михайлович, не покупайте билеты сами. Позвоните мне, если захотите послушать папу, и всё будет сделано в лучшем виде. Для меня честь быть вам полезным, не лишайте меня этой радости. На визитке есть все телефоны и адрес электронной почты, я всегда на связи.

В тот раз Настя даже не удосужилась, да и не успела бы спросить, чем конкретно занимается Игорь, как живет после выхода в отставку, есть ли у него семья. Тогда, много лет назад, семьи вроде бы еще не было. Да нет, не вроде бы, а точно не было, она же была у него дома, все видела своими глазами.

Щелкнула мышкой, прошла по ссылке. «Юбилейный концерт мировой звезды, баритона Владимира Дорошина, за роялем — Татьяна Дорошина! Концерт посвящается золотой свадьбе певца и его супруги, которая на протяжении пятидесяти лет была бессменным концертмейстером великого маэстро! В программе — лучшие вокальные произведения мировой классики о любви, арии из опер, романсы, песни. Приобретайте билеты онлайн...»

Значит, золотая свадьба. Пятьдесят лет вместе. Стало быть, все правильно, Игорю должно быть лет сорок семь — сорок восемь. Может, меньше, но вряд ли больше. И еще это означает, что оба родителя Игоря живы-здоровы. Почему-то это ее ужасно обрадовало. Ну хоть что-то хорошее в неказистом дне!

А не сходить ли ей на концерт? Дорошин — замечательный баритон, удовольствие от вокала Насте гарантировано. Певец наверняка еще в превосходной форме, в прошлом году спел изумительно, семьдесят лет для вокалиста — не возраст, Лео Нуччи и в восемьдесят великолепно звучал. Вечера у нее свободны, муж в командировке... А как же перевод? А ремонт? А чтение уголовного дела? Вот еще выдумала, вечера у нее свободны! Работы невпроворот, а она развлекаться собралась!

«Ну и собралась», — буркнула себе под нос Настя и прошла по следующей ссылке, чтобы заказать билет. Или не заказывать? Позвонить Игорю? Обидится ведь, если узнает, что она нарушила обещание и не выполнила его просьбу. С другой стороны, звонить можно только через несколько часов, а билет можно заказать и оплатить прямо сейчас. А вдруг окажется, что Игоря нет в Москве? Тогда вся затея с выполнением обещания теряет смысл, ведь они не смогут пообщаться, а халява сама по себе Настю Каменскую никогда не привлекала, она предпочитала за все платить, по возможности избегать дармового и не принимать одолжений. Когда сегодня Климанов предложил оплатить ей такси, пришлось сделать над собой изрядное усилие, чтобы не начать возражать и не ввязываться в долгие муторные препирательства. Она была такой злой и уставшей, что спорить и сопротивляться уже не было сил, не хватало запала.

С другой стороны, сейчас билеты на хорошие места еще есть, в том числе и на ее любимый ряд перед проходом, где коленки не упираются в спинку впереди стоящего кресла и можно сидеть так, что не устает спина. Если ждать утра, дозваниваться до Игоря, а потом выяснится, что он в отъезде, билеты могут закончиться. Ладно, будем искать компромисс.

Настя порылась в кармашках ежедневника, вытащила кучу визиток, нашла карточку Игоря Владимировича Дорошина, вернулась в почту и быстро написала ему письмо, решив предоставить выбор судьбе. Вряд ли глубокой ночью любители академического вокала и поклонники Владимира Дорошина сидят за компьютерами и заказывают билеты. Конечно, страна огромная, и ночь сейчас далеко не везде, Лешка в далеком Новосибирске наверняка уже встал, а в Петропавловске-Камчатском вообще время обеда наступило. Но концерт всего через три дня, и маловероятно, что найдется множество людей, которые захотят заказать билет прямо сейчас и приехать в Москву. Такие мероприятия обычно планируются заранее. До десяти утра никуда хорошие места не денутся. Если до этого времени Игорь не ответит, она купит билет.

Отправив Леше сообщения «во все места», Настя прислушалась к себе: подкрадывается ли сон? Или все равно не заснуть и можно использовать время, чтобы написать мужу подробное обстоятельное письмо, рассказать о Пете и Климанове, о своей злости и о невеселых размышлениях, которым она предавалась, пока ждала в отделе полиции. И о водителе — главе большой семьи мигрантов — тоже рассказать. И о том, что собралась в среду пойти на концерт Дорошина. Она привыкла делиться с Лешкой всем. И всё обсуждать. Сорок три года вместе... С ума сойти! Еще немного — и стукнет полвека. Наверное, Лешка ужасно мучается с ней рядом. Характер у нее и в самом деле паршивый, тут Климанов не ошибся. И работа не самая пригодная для уютной семейной жизни, что прежде, что сейчас.

Она начала письмо и даже настрочила целый абзац, стараясь писать весело и с юмором, когда увидела, что пришло письмо от Дорошина. Вот это скорость! Или у Игорька теперь ночная жизнь, как у большинства представителей мира богемы? А может, он не спит, потому что случилась беда, кто-то тяжело болеет или еще похуже... «Ой, не дай бог!» — быстро подумала Настя и открыла письмо.

«Дорогая Анастасия Павловна!

По ночам приличные женщины должны спать, а не думать о всякой ерунде вроде покупки билетов, ибо для всякого рода покупок природа создала нас, мужчин, которые и обязаны вас, женщин, обеспечивать всем, что вам захочется. Шучу, конечно. А если серьезно, то я буду счастлив повидаться с Вами. Сидеть Вы будете там, где захотите, это могу обещать твердо. Можно в ложе дирекции, но там, кроме меня, будут и некоторые близкие друзья родителей. Если Вас это не будет нервировать и раздражать, то я посажу Вас на самое удобное место в ложе. Если не хотите там, то скажите, где именно вы хотели бы сидеть. Поближе? Подальше? Перед проходом? Рядом с боковым проходом? Партер? Амфитеатр?

И сообщите, пожалуйста, куда и когда за вами заехать, чтобы отвезти на концерт.

Ваш И.Д.»

Настя быстро ответила, согласилась на ложу дирекции, вежливо отказалась от предложенного «заехать и отвезти», горячо поблагодарила и вернулась к письму мужу. Когда закончила, уже рассвело. Злость улеглась, комок клокочущей ярости, бившийся в груди, рассосался, оставив после себя лишь небольшую тяжесть, и она наконец почувствовала, что засыпает. Выключила компьютер и нырнула в постель.

ГЛАВА 7

Понедельник

Петр даже не провалился в сон, а буквально рухнул в него, крепко заснул, не успев толком натянуть одеяло. Хорошо, что не забыл включить будильник, а то наверняка проспал бы.

Ему снилась бывший следователь Лёвкина, которая почему-то оказалась мамой Кати Волохиной и выглядела не так, как в жизни, а имела внешность Каменской. И на протяжении всего красочного сновидения Петр думал: «Теперь понятно, полковник в отставке Каменская, почему ты не хочешь раскапывать то старое дело! Ты и есть тот самый следователь, посадивший невиновного, и боишься, что правда вылезет наружу. А я тебя раскусил!» Во сне Катя тайком встречалась с Лёвкиной, и обе они говорили о том, что надо очень постараться и быть осторожными, а то отец узнает и убьет обеих, все должны думать, что мама Кати живет далеко, за границей, и с дочерью не общается, а на самом деле мама превратилась в Лёвкину и крутит свой бизнес прямо под носом у бывшего мужа. Лёвкина с внешностью Каменской дала Кате огромный букет белых роз и сказала: «Это тебе на неделю, должно хватить».

Больше она ничего не объясняет, но Петя, якобы наблюдающий ситуацию со стороны, догадывается (неизвестно с чего!), что пока Катя держит розу в руке, у нее есть кармическая связь с матерью. Или не кармическая, а энергетическая... Или еще какая... В общем, что-то в этом роде. Поэтому она и ходит всюду с розой, чтобы чувствовать любовь и поддержку матери.

Катя с охапкой цветов идет по улице, Петр подходит к ней, пытается заговорить, но девушка в ужасе швыряет цветы прямо ему в лицо и исчезает, а Петра (того, который во сне) охватывает ужасное ощущение, что поскольку розы коснулись его, то теперь кармическая или бог его знает какая связь с Лёвкиной перешла на него. Иными словами, теперь он связан с ней накрепко, как с матерью. И уже не может, не должен и права не имеет разбираться в злоупотреблениях, которые она допустила, когда работала следователем.

Проснулся он не сказать, чтобы полностью отдохнувшим, но заметно посвежевшим, хотя настроение после вчерашнего было отвратительным, да и сон позитивных эмоций не добавил. Разве что на Катю посмотрел, а всего остального лучше бы не видел.

Взял телефон, выключил будильник и тут же полез в сообщения и в почту. Телефон отобрали сразу при задержании и вернули, только когда все закончилось. У Петра было буквально несколько минут, чтобы быстро глянуть, кто что написал и какие новости в мире, пока Каменская разговаривала с Владимиром Юрьевичем. В машине писатель выносил ему мозги на тему «нельзя ее злить, делай, как она говорит, а если хочешь поступать по-своему, то предварительно обдумывай все как следует, планируй, просчитывай ходы и варианты». Короче, мораль ясна: умным быть хорошо, дураком быть плохо. Большого уважения к старшим по возрасту Петр не испытывал, но все-таки утыкаться в телефон, когда тебе читают нотацию, не посмел. Истинное отношение — само по себе, а воспитание — само по себе. Как говорится, мухи и котлеты отдельно. Когда приехал к себе на квартиру, сил уже ни на что не оставалось, сразу заснул.

Непрочитанных сообщений и писем оказалось множество. Особенно настойчиво искала его во всех сетях и мессенджерах Лариса, с которой Петр вроде как встречался. Назвать ее своей девушкой он бы не рискнул, не те отношения. Так, секс время от времени, иногда милые знаки внимания, и никаких обязательств. Лариса замуж, конечно, хотела, но не сейчас и уж никак не за Петра, в этом он не сомневался. Она могла неделями не появляться и не отвечать на сообщения, а потом вдруг возникать в ежедневном режиме, быть нежной, ласковой, страстной и всячески демонстрировать приязнь и почти что влюбленность. Сейчас, судя по всему, наступил именно такой период, Лариса срочно нуждалась в обществе Петра и настойчиво писала ему, требуя ответа. То ли девушка держала молодого журналиста «на замену», как носят в школу сменную обувь, и приникала к нему, когда с основным возлюбленным что-то разлаживалось, то ли это были проявления особенностей характера, а то и невроза. Ответа Петр не знал, но и не искал его, никаких вопросов Ларисе не задавал и вел себя как истинный джентльмен. Слишком болезненно, слишком сильно ранило его расставание с той, другой девушкой, с которой они прожили вместе почти два года, когда он вернулся из Москвы в родную Тюмень. Он не был готов к новым отношениям и стремился какое-то время их избегать. «Я ничего этого не хочу», — говорил Петр сам себе. Говорил твердо, уверенно, искренне. Он действительно не хотел.

До позавчерашнего дня. До того момента, когда поймал себя на том, что постоянно вспоминает о девушке в очках и с розой в руке. А теперь она ему еще и снится! «Нечего о ней думать, она замужем. Ни ты ей не нужен, ни она тебе», — одернул себя Петр, занеся палец над экраном телефона, чтобы написать ответ Ларисе. Однако посмотрел на часы в углу экрана и понял, что опаздывает. Он проторчал в телефоне, оказывается, целый час и даже не вылез из постели! Нужно срочно мыться-бриться-одеваться и мчаться к Каменской. На завтрак времени не остается, но это фиг с ним, фастфуда никто не отменил, и пусть Каменская морщится, ему, Петру Кравченко, очень нравится. Вкусно, недорого и — главное — времени не отнимает, можно сжевать на ходу. Опаздывать не хотелось бы, Каменская и так злая, как мегера, особенно после вчерашнего. Если он опоздает — вообще загрызет.

* * *

Проснувшись, Настя вдруг ощутила, что злость закончилась. Исчезла, растворилась. На ее месте остались равнодушие и печальные сожаления. Какое странное сочетание...

За оставшийся до прихода Петра час она приняла душ, выпила кофе, прочитала длинное веселое письмо от Чистякова, написанное за те полчаса, которые он накануне отвел на общение с женой по скайпу, а также ознакомилась с предварительной «сметочкой», присланной с телефона деда-профундо. Цифры в смете радовали глаз и душу. Дед просил внести дополнения и уточнения, ежели таковые будут, и отправить ему, не затягивая, чтобы уже сегодня вечером обе стороны смогли принять обоснованное решение: берутся ли мастера за работу и готова ли хозяйка довериться их умениям и порядочности. Настя быстро внесла кое-какие дополнения (отчего же не дополнить, если финансы позволяют? При таких суммах, какие указаны в смете, остается еще возможность некоторого маневра в виде дополнительных выключателей и розеток, и полотенцесушитель в ванную можно поставить не на две секции, а подороже, на четыре, ну и еще кое-что по мелочи), честно обозначила верхнюю границу своих трат, за которую выйти никак не получится, и договорилась о времени встречи на новой квартире. Спокойного вечера за привычной любимой работой опять не случится, уже третий день подряд. Но дело есть дело, ремонтом нужно заниматься, сам он не сделается.

Петр опоздал на десять минут, но злость-то ушла... Настя даже не стала демонстративно смотреть на часы. С учетом всех обстоятельств впору и удивиться, что всего какие-то десять минут, могло быть намного больше, парень две ночи спал урывками, да и нервничал сильно. В уголке рта у Петра прилипла крошка, на верхней губе — тонкая полоска красного соуса, скорее всего, кетчупа, видимо, ел на ходу, пока бежал от метро к маршрутке.

Она приветливо улыбнулась.

— Понимаю, что домашнее задание вы не делали, у вас не было на это времени, вы его потратили на борьбу за правду, — сказала она почти ласково. — Поэтому я предлагаю вам для начала запить свой завтрак, который вы только что закончили жевать, и немного поговорить. А потом продолжим работать. Я обещала вам разговор о правде, мы его начали, но не закончили, так вот, теперь, мне кажется, самое время для него.

На лице Петра проступило облегчение.

— Что, и ругать за вчерашнее не будете? — с надеждой спросил он.

— Не буду. Ругать имеет смысл того, кто точно знает, что поступает плохо или неправильно, но все равно поступает. Если человек искренне не понимает, почему это неправильно или плохо, то его бессмысленно ругать, ему нужно объяснять. Вот этим я и собираюсь заняться. Не возражаете?

Петр с готовностью кивнул и уселся за стол, а Настя принялась варить кофе и выставлять коробки с печеньем и вазочку с маленькими вафельными кубиками.

— Начнем с простого, — неторопливо говорила она. — Перед вами стоит человек и с горящими глазами вещает о необходимости соблюдения личной гигиены. Вы смотрите на него и видите, что руки у него грязные, под давно не стриженными ногтями черные полосы, волосы давно не мыты. К тому же от него довольно противно воняет. Что вы будете думать? Имеет право такой человек поучать вас и заставлять регулярно и тщательно мыться?

Петр рассмеялся.

— Ну вы спросили! Это что, тест такой?

— Отнюдь, это просто пример. Ответ, как я понимаю, для вас очевиден. Теперь подумайте, имеет ли право человек требовать правды о других, если он не в состоянии сказать правду о себе самом, причем даже не публично, а потихонечку, в темной комнатке, запершись на все замки, себе самому?

— Я не понял, — он выглядел озадаченным. — Вы хотите сказать, что я скрываю от вас какие-то страшные секреты? Что я на самом деле агент влияния или шпионю в пользу иностранного государства, что ли? Или вы думаете, что у меня есть корыстные мотивы и я хочу раскопать правду, чтобы потом шантажировать эту Лёвкину и ее напарника Гусарева? Или что?

Настя смотрела на него с интересом. Сделала глоток кофе, откусила печенье, сжевала, сделала еще глоток.

— Подолгу мама молчала? — негромко спросила она. — День? Два? Неделю? Сколько?

— Мама? — недоуменно переспросил Петр. — Молчала? Вы о чем?

— О том, что когда вы были маленьким и мама на вас сердилась, она переставала вас замечать и разговаривать с вами. Было такое?

Молодой человек в изумлении уставился на нее:

— Откуда вы знаете? Вы что, знакомы с моей мамой? Или вам кто-то рассказал?

— Нет, с вашей мамой я не знакома и никто мне ничего не рассказывал. У нас с вами нет общих знакомых, которые знали бы вас с детства.

— Тогда как вы узнали?

— Давно живу, — усмехнулась она. — У психологов есть такое понятие — насилие молчанием. Можно дать ребенку по попе ремнем, а можно с ним не разговаривать, и то и другое — насилие. Вас не замечали, мимо вас ходили, как мимо пустого места, вас ни о чем не спрашивали и не давали никаких указаний, не интересовались вашим самочувствием, настроением, отметками в дневнике. Если обычно мама могла спросить, что вы хотите на ужин, жареную картошку или блинчики, то теперь перед вами молча и со стуком ставят тарелку и оставляют на кухне в одиночестве. И вы ели, даже когда не были голодны или вам было невкусно. Если раньше вы могли сказать, что не хотите идти в школу в синей шапке, а хотите надеть зеленую, то в дни наказания вы покорно надевали то, что мама выдала, а то и швырнула в полном молчании и не глядя на вас. Знаете, что в такие моменты происходит в голове у ребенка? Он начинает думать: «Мои желания и мои мысли не имеют значения для самого важного в моей жизни человека. И сам я не имею значения. Меня как будто нет. Я — ничто». Такими словами сам ребенок, конечно, не думает, но чувствует он на уровне подсознания именно это, поверьте мне.

— Но я так не думал! — воскликнул Петр. — Честное слово! У меня и в мыслях такого не было, я же помню. Если бы я такое думал, то уж точно не забыл бы.

— А вы и не забыли. Вы отлично все помните. Только признаваться в этом самому себе не хотите, поэтому и загнали поглубже, в подсознание. Вы были умным и способным мальчиком, и вы чувствовали свой потенциал. Дети всегда интуитивно чувствуют такие вещи о себе. «Я хорош и я достоин», — говорила одна ваша часть. «Я не имею значения, я — полное ничто», — нашептывала другая. Вы сами про себя знали, что умны и неординарны, но ведь мама — самый главный человек на свете! — дает понять, а то и впрямую говорит, что вы ни на что не годитесь и все делаете плохо и неправильно, и вообще ваше существование и ваша личность не имеют никакого значения, с вами можно не считаться, вас можно и нужно не замечать. А вдруг она права? А вдруг вы и в самом деле обыкновенный никчемный тупица, и если вы попытаетесь высунуться со своим умом и неординарностью, со своей способностью глубоко и тонко чувствовать, то вас поднимут на смех? Вам очень хочется, чтобы вас заметили и оценили. Но вам очень страшно стать объектом критики и насмешек. Кстати, если вам говорят, что вы слишком болезненно воспринимаете критику, то имейте в виду: ноги растут именно из молчания вашей мамы. Внутри вас все эти годы бушует жесточайший конфликт между «я хорош» и «я — ничтожество, не имеющее права на желания, вкусы и предпочтения», и все, что хотя бы краешком задевает поле этого конфликта, отдается в вас непереносимой болью. Применительно к нашей с вами сегодняшней ситуации это выглядит примерно так: вы хотите написать художественное произведение, вы уверены, что у вас есть талант и вы сможете создать нечто интересное и необычное, но вы боитесь, что вас в лучшем случае просто не заметят, а в худшем — оголтело раскритикуют и забросают гнилыми помидорами. Вы пытаетесь всеми силами этого избежать. Если просто не заметят, то это еще можно пережить, вы давно привыкли к тому, что вас не замечают, так что нормально. Но если начнут критиковать и насмехаться, это для вас превратится в катастрофу. У вас есть профессия, которую вы не особенно любите, но в которой у вас все отлично получается: пишете вы быстро, перо легкое, стиль своеобразный и яркий. Что вы на меня так смотрите? Я читала некоторые ваши материалы в интернете, да-да, не удивляйтесь, потратила полчаса на то, чтобы лучше узнать вас. Вы хотите уйти с работы, где вас ценят и гарантированно не будут критиковать, и заняться делом, которое нравится больше, но чревато сильными негативными эмоциями и психологическими травмами. И вы пытаетесь скрестить бульдога с носорогом: выжать из прежней профессии всё, что можно, чтобы из этих выжимок насобирать соломки, которую вы подстелете себе при переходе в художественную литературу. Именно для этого вам и нужна правда о деле Сокольникова. А вовсе не потому, что вы такой безумно принципиальный правдоискатель.

Петр мучительно покраснел и отвел глаза. Настя прекрасно его понимала. Ох, как понимала! Еще живы были воспоминания...

— В краткой формулировке ваши настоящие мысли звучат примерно так: «Я умный и талантливый, но все кругом идиоты, никто ничего не понимает, и меня самого никто не понимает, меня никто не может оценить по достоинству, но мне ужасно не хочется, чтобы меня публично ругали, я даже не выношу, когда мне делают обыкновенные спокойные замечания. Поэтому я постараюсь выкрутиться так, чтобы и волки оказались сытыми, и овцы целыми. Я буду делать вид, будто соглашаюсь с этой старой курицей Каменской и старпером Климановым, которые давно уже выжили из ума и вообще на ладан дышат, ничего не понимают в современной жизни, а сам потихоньку, тайком от них, сделаю по-своему, они и не узнают ничего». Вот вам правда о вас, Петр. Судя по вашей реакции, вы сами себе ее никогда не говорили. И даже не осознавали, — безжалостно закончила Настя.

Она с искренним сочувствием смотрела на дрожащие губы Петра, на его опустившиеся плечи, застывшее растерянное лицо.

— Я понимаю ваши чувства, — негромко заговорила она. — Я проходила через это, и примерно в том же возрасте, что и вы. По работе мне нужно было освоить некоторые психодиагностические методики, и специалист, который меня обучал, предложил для начала самой выполнить тесты, чтобы своими глазами увидеть, как они работают. Я выполнила, а он потом рассказал мне интерпретацию. Причем вышло так, что разговор состоялся не один на один, как у нас с вами сейчас, а в присутствии третьих лиц, хотя это и не положено, запрещено профессиональной этикой психологов. Но так вышло. Никто не виноват. Боже мой, как мне было стыдно и неловко! Как неприятно! И самое ужасное — я осознавала и признавала, что каждое сказанное этим специалистом слово является правильным. Все было именно так, как он говорил. И конечно же, я немедленно придумала сто пятьдесят четыре причины, объясняющие, что «он не совсем прав» и «на самом деле всё не так». Мысленно, разумеется. С того дня я стала несколько иначе понимать слово «правда».

Багровый румянец, заливавший лицо Петра, постепенно бледнел, но глаз на Настю молодой человек по-прежнему не поднимал.

— Еще кофе? — предложила она.

— Да, — сипло выдавил Петр, откашлялся, прочистив горло, и повторил уже увереннее: — Да, если можно.

— А пиццу вы принесли?

— Пиццу... Забыл, извините. Очень торопился.

— Да не в том дело, что торопились, а в том, что меня боялись, — улыбнулась Настя. — Вы так панически боитесь, что вас будут критиковать или ругать, что забываете обо всем на свете. Этот страх все в вас перекрывает и перешибает. Вернемся к правде. Она для вас не самоцель, а инструмент, это мы уже выяснили. Поэтому все пафосные словеса о поиске истины и справедливости, которыми вы пытались меня пригнуть, засуньте подальше. Права громко говорить правду о других людях вы не имеете, поскольку правду о себе вы старательно скрываете, в том числе и от себя самого, это мы тоже выяснили. У нас с вами остался последний пункт: собственно правда. Может быть, я вас разочарую, дорогой Петр, но правды нет. Ее не существует.

— Как это?

Он наконец посмотрел на нее. Так удивился, что забыл расстраиваться и обижаться.

— А вот так. Нет — и всё. Есть одна большая правда, очень большая, настолько большая, что мало кому удается ее увидеть целиком. И настолько неприятная, что мало кто готов ее признавать. Все остальное — иллюзии. Мы живем в мире иллюзий, часть которых переходит к нам с традициями, обычаями, культурой, законом, а другую часть каждый из нас придумывает себе сам. Самая лучшая и точная характеристика любой цивилизации — это смысловое содержание принятых и наиболее распространенных в ней иллюзий. Посмотрите на животных, птиц, рыб. Они прекрасно умеют приспосабливаться к обстоятельствам и выживать, но лишены всяческих иллюзий, потому что мозг у них есть, а интеллект не развит. Не знаю, кто создал человека, природа ли, Господь ли, я в этом не сильна, но тот, кто нас придумал и сделал, поставил эксперимент: дал нам разум и возможность абстрактного мышления, но оставил для нас конечность бытия. Он оставил нас смертными, но при этом дал интеллект достаточно развитый, чтобы мы смогли осознать страх смерти. У животных этого страха нет, у них есть инстинкт самосохранения, в соответствии с которым они в нужный момент делают то, что необходимо, чтобы по возможности не умереть, и ни одной секунды после этого не переживают, не мучаются воспоминаниями о пережитом страхе, не испытывают чувства вины, не упрекают себя за принятые неудачные решения и не страдают от непредсказуемости будущего. Опять же, я не зоопсихолог и вполне могу ошибаться, но если я и ошибаюсь, то не кардинально. И вообще, я рисую вам примерную схему, исключительно для наглядности и быстроты изложения. У человека же инстинкт самосохранения остался, но он тесно переплелся со страхом умирания и смерти. Что такое инстинкт продолжения рода? Тот же самый страх смерти заставляет человека постараться передать частичку себя в следующее поколение. Подсознание говорит: пока твои гены будут жить в твоих потомках, ты вроде как не совсем умрешь, не полностью исчезнешь, ты будешь «немножечко живой». Что такое секс? Средство продолжения рода. Что такое религия? Средство подавления страха смерти, примирения с ним. Всей нашей жизнью в конечном итоге руководит в первую очередь страх смерти, а уже потом все остальное. Представляю, как тот, кто нас создал, этот гениальный Автор проекта, смотрит, как мы пыхтим и карабкаемся, пытаясь обмануть собственную смерть и остаться «немножечко жить» после нее, и хихикает. Помните у Пушкина? «Нет, весь я не умру — душа в заветной лире мой прах переживет и тленья убежит, и славен буду я, доколь в подлунном мире жив будет хоть один пиит». Это как раз о том же. Возьмите какого-нибудь олигарха и спросите, зачем ему столько денег? Он вам скажет, что хочет все оставить детям и внукам, чтобы они жили счастливо. А на самом деле, если по той самой правде, он хочет, чтобы они его помнили как можно дольше и думали о нем с благодарностью. Тогда он не совсем умрет. Не весь. Тленья убежит хотя бы лет на пятьдесят. Спросите крупного политического деятеля, зачем ему столько власти? Он вам будет долго рассказывать, что хочет сделать жизнь своей страны и своего народа лучше, благополучнее, стабильнее, богаче. На самом же деле ему просто хочется, чтобы как можно больше людей вспоминали о нем с восхищением и благодарностью. Про него будут писать в учебниках. Его деятельность будут описывать в монографиях и диссертациях. Он оставит след в истории. Ему поставят памятник. Его не забудут. И он еще немножечко поживет, пусть и в другой форме. Что и требовалось. Само собой, он никогда в жизни не признается в этом даже самому себе. Вы когда-нибудь задумывались, почему огромное число бездетных женщин и пар истово бьется, тратя годы и большие деньги, чтобы родить ребенка? Почему, если ты так хочешь растить и воспитывать детей, не пойти на усыновление? Почему? Так нет, они хотят именно «своего», со своими генами, со своими частичками. Экстракорпоральное оплодотворение, доноры спермы, суррогатное материнство — чего только не придумали медики, чтобы удовлетворить тех, кто пытается бороться со страхом смерти. А Автор всего этого с любопытством наблюдает, до какого предела мы готовы дойти в своей борьбе. Пока что наш порог — клонирование. Интересно, что будет дальше.

— Вы хотите сказать, что прекрасное, естественное и великое желание иметь детей — это проявление страха смерти? — недоверчиво и ошеломленно переспросил Петр. — Вы действительно настолько циничны?

— Да, я цинична, — согласилась Настя. — Потому что давно живу. Но я по крайней мере честна. Вам известны истинные причины, по которым люди стремятся, как они сами выражаются, «завести детей»? Именно завести, такое слово принято в нашей цивилизации, хотя оно по сути отвратительно. Но, к сожалению, является прямым отражением той самой большой и неприятной правды. Один пример: нам нужен ребенок, чтобы получилась полноценная семья, а без детей семья не полная и какая-то не настоящая. Другой пример: нужно обязательно родить, чтобы муж не бросил. Самое забавное, что этот муж ведь все равно бросит, потому что ребеночек-то родился, гены переданы, гарантия «немножко подольше пожить» дана, так ради чего мучиться рядом с опостылевшей женой? Факт передачи частиц зафиксирован — всё, можно двигаться дальше, к новым удовольствиям, новым женщинам, новой жизни. Еще одна причина: я женщина, и я обязана родить, иначе уважать не станут. Перечислять можно до бесконечности, и все так называемые причины — плоды иллюзий, порожденных цивилизацией. Человечество со всей своей историей — не более чем проект Автора. Не спорю, проект великий, интересный, многоплановый, и спасибо Автору огромное за то, что он его затеял, иначе мы с вами не родились бы и не пережили самые счастливые моменты нашего существования. Дружба — иллюзия, любовь — еще большая иллюзия, но они укоренились в человечестве так прочно, что люди начали верить в их истинность. Кстати, наши знания о других людях и о самих себе — тоже иллюзии. Просто нам так удобно думать, иначе мы не сможем выживать, а мы же делаем все, чтобы выжить и побороть страх смерти. Ну, или как минимум примириться с ним. Человек физически слаб и уязвим, чтобы выжить в противостоянии с природой, ему нужно создавать коллективы, а коллективы, от семьи до огромной корпорации, это коммуникация, то есть общение и отношения. Для поддержания такого сообщества нужны правила. Всё. С этого места начинаются иллюзии. Без иллюзий невозможно построить сколько-нибудь приемлемые отношения. Примитивный пример приведу. Есть правило: тот, кто стоит во главе стаи, имеет право руководить. Оно порождает иллюзию: раз он стоит во главе стаи, значит, он умнее, он знает, как правильно... и далее везде. Правило: подчиненный обязан выполнить указание вожака стаи. Иллюзия: раз они выполняют мои приказы, значит, они меня уважают и признают, что я умнее и лучше. Правило: если хочешь иметь регулярный секс с женщиной, нужно на ней жениться. Иллюзия: если он на мне женился, значит, любит. И правда, которую вы так цените и за которой так гоняетесь, точно такая же иллюзия. Равно как и слава, к которой вы рветесь. Вы обыкновенный нормальный психически здоровый человек, который просто боится смерти.

Петр слушал внимательно, и по его лицу было видно, что он категорически не согласен.

— Странная теория. Вас послушать, так люди друг другу на самом деле не нужны и цепляются друг за друга, только чтобы выжить. Если бы не было страха смерти, то не было бы ни коллективов, ни семей, ни друзей, так, что ли?

— Подозреваю, что именно так. Знаете, чего каждый человек хотел бы на самом деле, если бы Автор коварно не подсунул ему страх смерти?

— Чего? Вечной жизни? — предположил Петр.

— Вечная жизнь и так была бы, это заложено в условии задачи. Человек хотел бы, чтобы его оставляли в покое ровно в тот момент, когда он хочет побыть один и позаниматься чем-то, что ему интересно или доставляет удовольствие. И чтобы те, кто ему приятен или в данный момент нужен, немедленно возникали рядом, были спокойными, веселыми, счастливыми, не грузили его своими проблемами и добросовестно выполняли ту функцию, которую человек от них ожидает. Поговорить о чем-то конкретном, или выпить вместе, или отправиться в поход, заняться сексом. Как только функция выполнена и надобность отпала, пусть снова исчезает и не появляется, пока опять не станет нужным. У кого-то из американских фантастов, кажется, у Шекли, но могу ошибаться, описана планета, на которой заведен такой порядок: мужчины держат своих женщин в анабиозе, когда надо — извлекают оттуда, пользуются и отправляют назад. Женщины в состоянии анабиоза не стареют, годы идут, а они все такие же свежие и молоденькие, при этом не спорят, не скандалят, всегда в хорошем настроении, не болеют и ничего не требуют. Фантаст этот был большой умницей, он суть человека прозрел до самого донышка, между прочим. Описал на страницах своего романа потаенную голубую мечту, спрятанную глубоко в подсознание. Так вот, о правде. Правда — это относительно устойчивый набор представлений, сформированных на основе более или менее одинаковых иллюзий определенного количества людей. Не более того. Сложно?

— Ну... Я не понял, если честно.

— Ладно, скажу проще. Идите сюда, посмотрите в окно.

Петр послушно поднялся, встал рядом с ней у окна.

— Вон две женщины во дворе стоят, разговаривают. Видите?

— Вижу.

— Опишите, что вы видите.

Петр начал рассказывать: возраст, рост, комплекция, одежда, цвет волос.

— Ветровка розовая, джинсы, обувь не могу разглядеть, далеко. Волосы каштановые... Вторая полноватая такая, платье сиреневое...

— А теперь я вам расскажу про этих женщин так, как я их вижу, — сказала Настя. — Цвет ветровки я обозначу как «фуксию», волосы у нее темно-русые, ее собеседница нормального телосложения для ее возраста. Вы считаете ее полноватой, и я бы согласилась, если бы речь шла о девочке семнадцати лет, но даме явно за сорок, для нее подростковая худоба — это уже признак болезни. И платье у нее фиолетовое. Заметьте, я не настаиваю на том, что вы ошибаетесь, а я права, ни в коем случае. Вы рассказали то, что видите вы, но я вижу по-другому. Ни вы, ни я ни в чем не солгали. Ну, и где ваша правда? Мы с вами сошлись только в одном пункте: женщин действительно две. Все прочее — результат зрительных и ментальных иллюзий. Теперь представьте, что нас тут, у окна, не двое, а, к примеру, десять. Семеро утверждают, что волосы у женщины в ветровке каштановые, трое — что они темно-русые. Понятно, что специально никто не лжет, просто цветоощущение у всех разное, это медицинский факт. Разумно предположить, что за основу суждения будет принято мнение семерых, потому что их зрительные иллюзии оказались более или менее схожи и более распространены в нашей маленькой группе. Вот это и есть «сходные иллюзии определенного количества людей». Демократия, кстати, построена именно по этому принципу. Не задумывались, почему законом признается мнение большинства, а не меньшинства?

— Анастасия Павловна, — взмолился Петр, — вы меня окончательно запутали! Я уже вообще ничего не понимаю!

Она рассмеялась и снова села за стол.

— Я вам тут наговорила кучу всякого бреда, не слушайте меня, Петр. Конечно же, правда существует, вот, например, женщин действительно две, и с этим не поспоришь. Но достижимая правда настолько мала, что невозможно построить на ней что-нибудь серьезное и надежное. Еще один пример приведу, последний, и пойдем заниматься Сокольниковым. Есть запись с уличной видеокамеры, на которой видно, как один человек убивает другого. Казалось бы, куда уж больше, да? Все зафиксировано, не отвертеться. Это та самая маленькая правда, но всё прочее остается за рамками. Что привело к этому? Каков был реальный мотив, не иллюзорный, а настоящий? Что думал и чувствовал убийца в разные моменты, предшествовавшие событию?

Когда именно в его голове поселилось намерение лишить жизни другого человека? Или оно вообще там не поселялось? Этого никто никогда не узнает. Даже если преступник начнет сам рассказывать, отвечать на вопросы и даже если он захочет быть искренним и не лгать, все равно все рассказанное будет плодом его личных иллюзий, результатом самообмана. Потому что мы, дорогой Петр, врем сами себе постоянно, на каждом шагу. Мы живем в мире собственных иллюзий и старательно выдаем их за правду. А если нам все-таки удается не поддаваться иллюзиям и говорить то, что мы чувствуем на самом деле, то нет гарантий, что наш собеседник услышит в наших словах именно то, что мы хотим донести до него. Ибо, как известно, мысль изреченная есть ложь. Слова слушает ухо, текст видит глаз, а слышит и понимает — мозг, и делает это он сквозь призму собственного опыта и собственных иллюзий. И что получается? На основании той самой маленькой правды, с которой невозможно спорить, и кучи сомнительной информации, набитой иллюзиями, суд выносит приговор, претендующий на справедливость. Вы только представьте себе: на справедливость! Такая огромная, сложная, важная вещь, как справедливость, лежащая в основе приговора, в корне меняет жизнь целой группы людей — самого подсудимого, его близких, его коллег. Это все равно что пытаться построить жилой дом не на фундаменте, а на маленьком камушке. Справедливость подразумевает в первую очередь адекватность, равновесность. Для потерпевшего это сопоставимость его личных потерь с потерями виновного. Для осужденного это сопоставимость кары с его грехом. Разные же вещи, несочетаемые! Прибавьте сюда еще и близких этого осужденного, для которых справедливость должна заключаться вообще непонятно в чем. В чем их вина? И в чем наказание? А ведь они тоже наказаны. Преступнику не помогали, краденое не укрывали, следы не уничтожали, и вообще ни сном ни духом, как говорится. Ну разве что питали иллюзии насчет того, что «он хороший человек» и «он не такой, он не мог». Всего лишь питали иллюзии! Экий грех, право слово! А в итоге их любимого сына, брата, мужа, отца посадили на пожизненное или убили, если допустима смертная казнь. Думаете, им легко? Думаете, они живут спокойно и счастливо, не страдают, не мучаются? Мы имеем дело с очередной иллюзией, когда понимаем, что справедливость будет очень и очень приблизительной, но старательно делаем вид, что она самая настоящая, большая и крепкая, устойчивая такая конструкция.

Настя поднялась, убрала со стола посуду, поставила в мойку, включила воду, быстро все вымыла и вытерла.

— Вы имеете полное право не соглашаться со мной, Петр, — сказала она, снова повернувшись к нему лицом. — Но я сочла нужным озвучить свою позицию, чтобы вы более отчетливо понимали мотивы моего нежелания искать злоупотребления и ошибки следствия в деле Сокольникова. У меня нет намерения кого-то покрывать, нет боязни выносить сор из избы. Я просто не хочу брать на себя роль судьи, потому что, как сказал Сименон устами своего персонажа, судить никому не дано. Не хочу не потому, что мне лень или страшно, а потому, что у меня нет на это права. Цена неправосудного решения слишком высока. А вероятность найти хотя бы еще одну малюсенькую правду спустя двадцать лет слишком мала. Тратить же силы и время на поиски очередных чужих иллюзий мне не интересно.

Она протерла стол сухой тряпочкой, старательно сложила ее, положила на край мойки.

— На этом душеспасительные разговоры окончены, пойдемте работать.

* * *

Катя Волохина давным-давно привыкла подчинять свою жизнь жесткому расписанию и постоянно следить за временем. И не потому вовсе, что была необыкновенно деловитой и организованной, а исключительно из чувства самосохранения. Приходилось стараться, чтобы отец ни о чем не узнал, поэтому к возвращению Виталия Владимировича домой девочка должна была находиться в своей комнате и старательно строить из себя прилежную школьницу. Она была уже в те годы очень внимательной и собранной и ни разу не попалась.

Теперь отец ее не контролировал, но привычка рационально распределять и использовать время осталась. Например, время, проводимое в метро, отводилось на просмотр почты и короткие ответы. Более длинные письма она писала в спокойной обстановке, но если прочесть письмо заранее и по дороге обдумать примерный ответ, то в итоге получалось быстрее. Время нужно экономить, ведь на ней и работа в хосписе, и театр, и семья, в которой муж и двое подростков. Как все успеть, если небрежно относиться ко времени?

Сегодня Катя ехала в хоспис поздно, когда основной поток спешащих на работу схлынул, и ей удалось удобно устроиться на сиденье в углу вагона. Достала телефон и начала просматривать список входящих. Оборудование... Запрос на оказание помощи... Препараты... Приглашение... Еще один запрос... А это письмо, без указания темы, от кого? Какая-то Алабина. Кто она такая?

Катя открыла письмо.

«Здравствуй, Катя!

Мы с тобой не знакомы, и ты, наверное, ничего не знаешь обо мне, да и я о тебе знаю совсем мало. Я прочитала в интернете о благотворительном аукционе и о том, как ты отвечала на вопросы журналистов, и поняла, что наш с тобой чудесный папаша выкинул тебя из своей жизни точно так же, как выкинул меня и мою маму. Ты, вероятно, догадалась, что я — твоя сестра. Не знаю, что тебе папаша рассказывал о нас, да и рассказывал ли вообще. С нами он совсем не общался все эти годы, хотя деньги переводил исправно, жаловаться не стану. От дяди Димы, Дмитрия Алексеевича, мы знали, что папаша женился во второй раз и обошелся с новой бабой и ребенком точно так же, как с нами, женился в третий раз, родилась ты. Мы были уверены, что он и тебя с твоей матерью выгонит, но прошло три года, потом пять, а он продолжал жить с вами. Потом дядя Дима рассказал, что твоя мать заболела и папаша отправил ее на лечение за границу, а тебя оставил с собой. Я не понимала, чем ты лучше меня, и ужасно злилась: у тебя было всё. Дом, деньги, любящий отец, красивая одежда, машина с водителем, прислуга. Меня бесило, что с твоей матерью и с тобой он жил, а с нами не захотел. Чем вы лучше? Нет, мы с мамой не бедствовали, врать не буду, алименты папаша платил, но всё равно это была не та жизнь, какая могла бы быть, если бы на твоем месте осталась я. Сейчас могу признаться честно: я тебя заочно ненавидела.

А вчера я прочитала, как тебе задавали вопросы о твоей семье и как ты отвечала. Я сразу позвонила дяде Диме, слава богу, у него номер телефона не поменялся, и он рассказал, что папаша и тебя в конце концов выгнал, что ты колотишься как рыба об лед, живешь трудно, твоя семья сильно бедствует. Папаша запретил помогать тебе, поэтому дяде Диме пришлось отказать твоему мужу. Ты, наверное, сильно обиделась на него за это, да? Я тебя понимаю.

Жаль, что я не знала всего этого раньше, но откуда мне было узнать? Дядя Дима звонил нам только до моего восемнадцатилетия, пока папаша платил алименты, спрашивал, как дела и пришли ли деньги, а после этого звонить совсем перестал. Мы с мамой гордые и сами никому не навязываемся, так что контактов с дядей Димой с тех пор не искали. Но теперь я знаю, что ты оказалась в таком же положении, как и я, и у меня больше нет ненависти к тебе.

Если тебе захочется с кем-то поговорить о нашем общем отце-подонке, то не забывай: у тебя есть сестра, которая тебя поймет и поддержит.

О себе: мы с мамой живем в Орле, мама сильно болеет, у нее инвалидность, я работаю на дому, потому что за мамой нужно ухаживать, ее нельзя оставлять одну надолго. Занимаюсь ремонтом изделий из кожи и текстиля, на жизнь и лекарства хватает, нам с мамой немного нужно. Жилье у нас хорошее, мама успела купить, пока еще алименты были, и отложить что-то сумела, так что теперь проценты очень нам помогают. Я не жалуюсь. Была замужем, развелась, детей нет.

Извини, что пишу тебе на рабочую почту, но твоего личного адреса у меня нет, и дядя Дима тоже не знает. Пришлось воспользоваться официальным адресом, который указан на сайте хосписа.

Твоя сестра Людмила Алабина (в девичестве Горевая)».

Катя еще раз перечитала письмо, стараясь справиться с дрожью. Наличие двух старших сестер для нее никогда не было секретом. И финансовая помощь обеим бывшим женам тоже обсуждалась в семье открыто. Первой жене и дочери Людмиле отец высылал алименты до совершеннолетия девочки, второй жене и дочери Юле помогал ровно до тех пор, пока «вторая бывшая» не вступила в новый брак с кем-то достаточно состоятельным, чтобы она официально отказалась от алиментов. Ничего нового Катя из письма не узнала. Почему же ее так трясет?

Вот оно, это место, от которого чернеет в глазах: «...ему пришлось отказать твоему мужу».

Дядя Дима, Дмитрий Алексеевич, многолетний помощник отца. Или не помощник? Правая рука? В общем кто-то, кто всегда рядом и помогает в сложных вопросах. Что значит «пришлось отказать твоему мужу»? Неужели Славик... За ее спиной. Втихаря. Зная, твердо зная, что она ни за что не согласится на такой шаг и не одобрит его. Всё знал, всё понимал и всё-таки сделал. Господи, зачем?!

Нужно немедленно поговорить с ним. Позвонить и спросить. О чем спросить? О том, что ей теперь и без того известно? А какой в этом смысл? Славик либо признается, либо будет врать и отпираться. Без вариантов. Толку-то в этих разговорах... Нет, поговорить все-таки нужно, обязательно нужно. Катя посмотрела на часы: в ближайшее время не получится, муж на занятиях в институте. Потом побежит на подработку. Отложить до вечера? Но он придет совершенно без сил, вымотанный, голодный и уставший, да и дети будут рядом, комната всего одна, никуда не спрячешься.

Ей хотелось кричать, бить маленькими кулачками в грудь мужа, выплеснуть на него всю обиду и негодование. Как он мог? Ну как?!

И впервые за двадцать три года жизни Катя Волохина вдруг поняла, что ей не с кем поговорить. У нее нет задушевных подружек, которым можно было бы немедленно позвонить и излить свои эмоции. Подружек, собственно говоря, никогда и не было, ведь Катю все считали странной. Девочки-ровесницы сторонились ее, мальчиков не привлекала ее внешность, да и самой Кате никто из них не был особо нужен. Все, что казалось ей важным, можно было обсудить с последней гувернанткой, но вообще-то обсуждать Катя не очень-то любила, росла молчуньей, а щебетать и ворковать начинала только с детками. Вот с ними она могла проводить время и общаться бесконечно, отдавать им все душевное тепло, всю любовь и радостно видеть, как рядом с ней больные малыши успокаиваются, перестают плакать, капризничать и бояться, начинают улыбаться и засыпают. До встречи со Славиком и скандала с отцом в Катиной жизни не происходило ничего такого, что требовало бы незамедлительного обсуждения с подругами. Нет, она не была дикаркой, прекрасно умела общаться и решать с одноклассниками и однокурсниками любые текущие вопросы, касающиеся учебы, а делиться сокровенным потребности не было. Талантами в науках не блистала, внешностью не вышла, так, некрасивый середнячок-очкарик, такие есть в любом учебном коллективе. Их обычно не замечают, не привечают и в компании не зовут, но и изгоями не делают. Пустое место. Ее даже троллить неинтересно. Странная она какая-то.

Катя жила словно в коконе, стенки которого сотканы из ее собственных представлений о том, как ей хотелось бы жить, чем заниматься и что для этого нужно сделать. Славик мгновенно вписался (во всяком случае, ей так казалось) в пространство ее кокона и стал тем единственным человеком, с которым она обсуждала скандал и разрыв с отцом. Если бы не было Славика, Катя, наверное, еще раньше испытала бы острую потребность в близкой подруге. Но ведь он был! Он был рядом, утешал, поддерживал, говорил, что они все преодолеют, и чтобы она не боялась, и пока они вместе — им ничего не страшно.

А теперь... С кем ей поговорить о Славике? У нее никого нет, кроме него. Не с детьми же это обсуждать! Может, поговорить с кем-нибудь из женщин, работающих в хосписе? Но они ее не поймут, они ведь не знают ничего о ее жизни. Она странная, ее всегда так называли, и это означает, что другим трудно ее понять. Сблизиться с кем-нибудь из девочек-волонтеров, которые приходят развлекать деток, сидеть с ними, помогать делать уборку помещений и территории? Но ей нужно поговорить сейчас, немедленно, иначе ее просто разорвет изнутри на части!

Еле сдерживаясь, Катя вышла из метро, нашла относительно тихий угол и все-таки позвонила мужу. Тот долго не отвечал на звонок. «Наверное, ему совсем-совсем неудобно разговаривать», — думала Катя, держа трубку возле уха и напряженно вслушиваясь в длинные гудки. Потом прекратила вызов и написала сообщение: «Позвони, когда будет возможность. Это срочно». В ноздри ударил запах шаурмы, принесенный порывом ветра. Маленькое кафе находилось рядом с метро, Катя каждый раз проходила мимо него, и этот запах радовал и вызывал приятные воспоминания о том, как они со Славиком и детьми гуляли в парке и ели на ходу, но сейчас он показался ей отвратительным.

Славик перезвонил, когда она уже шла от автобусной остановки к хоспису.

— Что случилось? — голос его звучал тревожно и испуганно. — Что-то с ребятами? С Женькой? Или со Светой?

Катя остановилась, набрала в грудь побольше воздуха, стараясь сдержаться, чтобы не начать кричать с первого же слова.

— Ты был у Дмитрия Алексеевича?

Пауза. Молчание.

— С чего ты взяла? Не был я у него.

— Мне сказали, что ты у него был, просил помочь, и он тебе отказал. Это правда?

Снова молчание.

— Кто сказал?

— Да какая разница! Ты мне ответь: это правда или нет? Ты ходил к нему?

— Ну, ходил! И что теперь?

Катя явственно слышала нарастающее раздражение в голосе Славика.

— Зачем? Я же тысячу раз говорила тебе, что не хочу никакой помощи от папы! Его нет больше в моей жизни, ты понимаешь? Ну сколько же можно объяснять! Мы должны сами справиться, сами... Нужно только потерпеть...

— А я не могу больше терпеть! — внезапно взорвался муж. — Я не могу! Я устал от этой бесконечной круговерти работа-учеба-работа-учеба-еще-одна-работа, я устал не высыпаться, я устал считать копейки! Он твой родной отец, путь сделает хоть что-нибудь!

Катя ошеломленно слушала его голос, наполненный злостью. Неужели это говорит ее Славик, ее любимый муж? Да нет, не может быть, это какая-то ошибка, недоразумение.

— Славочка, я понимаю, что тебе трудно и ты устал, но мне ведь тоже трудно, и я тоже устаю, — растерянно проговорила она.

Она не понимала, что нужно ответить, как, какими словами.

— Я должен вырастить детей и дать им нормальное образование, — продолжал он. — Сколько еще нужно ждать и терпеть? Они и так уже смотрят умоляющими глазами и ноют, потому что у их одноклассников и одежда лучше, и телефоны. Они даже в гости никого из друзей пригласить не могут, потому что у нас тесно и захламлено, не повернуться. Им стыдно, что мы так убого живем. Чего еще дожидаться? Пока они вырастут и приведут в нашу квартиру своих супругов и детей? Или сопьются и сколются, как твоя мать?

— Но ты с самого начала знал, что будет трудно и придется какое-то время...

— Не знал я! — заорал Славик. — С самого начала ты была дочкой богатого папы из Москвы, и ни о каких трудностях речи не было. Да, я еще до свадьбы знал, что вы поссорились и отец тебя выгнал, но я думал, что ты нормальная, подуешься пару месяцев и пойдешь к нему мириться. А ты уперлась как баран. Два месяца я бы нормально выдержал, у меня и до этого жизнь была нелегкая. Но не два же года терпеть!

— Значит, я ненормальная?

— Ты психованная идиотка, которая носится со своими гребаными принципами как с писаной торбой. Я больше не могу, ты понимаешь это? У меня больше нет сил! Я хочу нормально жить, а не выживать. Жить, как все вокруг, а не так, как ты себе придумала.

Катю осенило: да он пьян! Наверное, намучился на ночном дежурстве, может, больной был какой-то особенно тяжелый или умер кто-нибудь, вот и выпил, чтобы расслабиться и успокоиться. А его и потащило, ведь голодный и не спал совсем. От этой мысли стало легче. Ну конечно, он выпил, вот и несет всякую околесицу, даже не понимая, что говорит. Не может быть, чтобы он так думал на самом деле. Не может быть, чтобы тот Славик, которого она знала, сознательно произносил такие ужасные слова.

— Славик, ты выпил, что ли? — Катя даже улыбнулась от облегчения.

— Да когда мне пить! С суток сразу на лекцию, сейчас в анатомичке, вышел как будто в туалет, чтобы тебе позвонить. Мне вздохнуть некогда, не то что с друзьями выпить. Все кругом живут как люди, один я как каторжный впахиваю.

Он говорил что-то еще, но Катя уже не вслушивалась. Если Славик трезв, значит, все, что он говорит, правда. Он действительно так думает и так чувствует.

Он был неправ и несправедлив: очень многие люди живут бедно и трудно, намного труднее, чем они, и очень многие люди переживают огромное горе. Ей ли не знать об этом, имея ежедневно дело с умирающими детками и их родителями. Не все кругом «живут, как люди», далеко не все.

Он предал ее, отправившись к помощнику отца за ее спиной. Мало того, что просил помочь, так еще и рассказал, как они живут, разжалобить хотел. Теперь отец будет думать, что был во всем прав и что она не справляется. Это плохо и унизительно.

Он предал ее во второй раз, предал их любовь и доверие, когда не рассказал ей.

Со всем этим нужно что-то делать. Нужно принимать какое-то решение. Но какое? С кем поговорить, посоветоваться? Кому можно, преодолев стыд, признаться, что была слепой и глупой? Славик не женился на ней по любви, он просто уцепился за дочку богатого папы из Москвы, чтобы вылезти из своего болота и вытащить брата и сестру. Разве можно кому-то рассказывать о таком?

Но ведь он помогал в хосписе, был там волонтером после смерти братика. Не может совсем уж бессовестный, бессердечный человек добровольно и бескорыстно ухаживать за чужими тяжело больными детьми. Значит, Славик на самом деле добрый и хороший, он ведь хочет стать детским онкологом, чтобы помогать и спасать. Как же это совмещается с теми ужасными словами, которые он только что говорил? Назвал ее психованной идиоткой, но при этом еще вчера рано утром, собираясь на суточное дежурство, шепотом уговаривал жену заняться любовью, пока дети не проснулись. Катя сначала отказывалась, но он проявил завидную настойчивость и все-таки затащил ее в ванную и закрыл дверь на задвижку. Значит, любит. Кого, психованную идиотку?

Голова у Кати шла кругом. Она понимала, что не понимает. Ничего не понимает.

Разговор давно закончился, а она даже не может вспомнить, на чем именно. Как они попрощались? На высокой ноте? Или мирно? До вечера? Или навсегда?

Катя знала, что если примет решение, пусть даже неправильное, то уже ни за что не отступит, не сдаст назад. До сегодняшнего дня она ничего не боялась, все решения давались ей легко, и ни об одном из них она ни разу не пожалела. А вот теперь ей стало по-настоящему страшно.

Может быть, не обязательно что-то решать? Может быть, можно вообще не принимать никакого решения? Сделать вид, что ничего не произошло, обо всем забыть. Хотя это, конечно, тоже решение. И не самое простое.

Господи, с кем же поговорить? С кем посоветоваться?

* * *

Они прозанимались четыре часа, прежде чем Настя объявила перерыв на обед.

— Но еды нет, — сразу предупредила она. — Я рассчитывала на обещанную вами пиццу.

Петр тут же с готовностью поднялся.

— Я сбегаю, тут у вас недалеко есть заведение.

— Давайте, — кивнула Настя, — только быстро, время будем экономить.

— Вам какую взять?

— Без разницы, главное — не острую и не соленую.

Петр умчался, а Настя снова села перед компьютером и стала просматривать материалы. Сегодня они продвигались значительно быстрее, хотя Настя изначально была уверена, что оба начнут тормозить, ведь отдохнуть толком не получилось ни у нее, ни у Петра. Изучили и обсудили запросы в медицинские учреждения и ответы на них, причем Петр изрядно удивился тому, что, как оказалось, положительные ответы (лечился тогда-то и по такому-то поводу) составлялись отдельным документом, а отрицательные являлись просто штампом, проставляемым на оборотной стороне самого запроса. Да, много чудес еще ему откроется в правилах оформления процессуальной документации! Заодно обнаружили и запрос в военкомат. Ответ гласил: «Личное дело призывника Сокольникова А.А. выслано по запросу в РВК Могилева. Сокольников А.А. 1971 г.р. на воинском учете не состоит, в снятых с учета не значится. Сведениями о возвращении Сокольникова А.А. в Москву не располагаем».

— Значит, его не по болезни освободили от службы? — спросил Петр. — А как тогда?

— Нашли варианты. Может быть, у его родителей в Могилеве нужные знакомства были не только в институте, но и в других местах, и там проблему как-то решили. Белый билет могли и там организовать. Но судя по ответам из медицинских учреждений, никаких серьезных заболеваний у Сокольникова не было. По крайней мере, в Москве подобных диагнозов ему не ставили и не лечили. Мы с вами прочли все запросы и ответы на них, вы сами все должны помнить. В раннем детстве у него были проблемы с поведением, мать дважды обращалась в детскую психиатрическую больницу, в первый раз ей предложили госпитализировать ребенка и обследовать, но она отказалась, во второй раз, через три года, уже согласилась. Мальчика обследовали, выставили ему пограничную умственную отсталость и даже предложили направить в спецшколу. Но впоследствии Сокольников вполне нормально справлялся со школьной программой на уровне «троечника», так что никаких оснований освобождать его от службы в армии не было. А в Могилеве могли, конечно, договориться, если была возможность. Возможно, парню просто повезло, поступил в институт при Советском Союзе, а в Москву переводился, когда Союз распался и Беларусь стала иностранным государством. В тот момент очень многие документы застревали и терялись неизвестно где, документооборот буксовал еще долгие годы после этого. Во всяком случае, по датам именно так и получается. Летом девяносто первого поступил в Могилевский пединститут имени Кулешова, с осени девяносто второго учился уже в Москве. Он же не дурак немедленно бежать в военкомат с криком: я вернулся, ставьте меня скорее на учет, я теперь учусь на заочном, и отсрочка от призыва мне больше не полагается.

Кроме запросов, они успели проработать еще два документа: характеристику Сокольникова, выданную Московским отделением Есенинского общества, и протокол изъятия вещей и документов у старшей сестры Сокольникова. Характеристика была, как и ожидалось, приторно-сладкой и совершенно безликой. «...В литературных и политических дискуссиях проявлял выдержку, спорил спокойно, голос не повышал, был мягким и уступчивым... Ухаживал за своей девяностолетней бабушкой... Известие о зверском убийстве в коммунальной квартире, где жил А.А. Сокольников, повергает в шок всякого нормального человека. Мы не допускаем мысли, что такое злодеяние может совершить А.А. Сокольников. Мы убеждены, что следствие с самого начала пошло по ложному пути».

Петр в первый момент весьма воодушевился, прочитав бумагу, и попытался убедить Настю, что человек, любящий творчество Есенина и на общественных началах работающий в коллективе бескорыстных поклонников русского поэта, вряд ли может превратиться в жестокого убийцу.

— Видите, как его хвалят! Добросовестный, всегда готов помочь, аккуратный. Ни одного худого слова про него не сказали! И за бабушкой ухаживал.

Настя рассмеялась.

— Вы так уверены, что человек, который ухаживает за старенькой бабушкой, не может быть преступником? Одно вытекает из другого, да? Мне придется вас жестоко разочаровать. Огромное количество людей проявляют холодность в отношении близких, оставляют их без помощи и поддержки, но никогда не возьмут ни копейки из чужого кармана и не поднимут руку на живое существо. И такое же огромное число заботливых детей и внуков, ухаживающих за больными и престарелыми родственниками, оказываются убийцами, насильниками, мошенниками, ворами. Поверьте мне, одно с другим не связано, это очередная иллюзия. Поймите, Петр, есть огромная разница между характеристиками, которые дают в учебном заведении, и характеристиками из организаций, подобных этой. Ребенка нельзя исключить из школы просто так, равно как и студента — из института. Если он не прогуливает, как-то учится, не совершает преступлений, то каким бы он ни был трудным, каким бы неприятным ни был его характер, выгнать его не получится. И если лицо, составляющее характеристику, не имеет прямой заинтересованности, у него нет оснований скрывать, что школьник или студент проблемный. Ученик со сложным характером, грубый, обижающий одноклассников и все такое — отнюдь не пятно на репутации школы, поэтому они могут честно признаться, мол, было так и так. Обратите внимание на характеристику, выданную в Могилеве: способный, учился хорошо, неоднократно нарушал учебную дисциплину, пропускал занятия без уважительной причины. То есть как было, так и написали, им стесняться нечего. Для характеристики из школы мать Сокольникова постаралась, а в Могилеве уже ничего не смогла, там прошла реорганизация, пединститут стал университетом, кадры сменились, рычагов влияния не оказалось. Когда речь идет об общественной организации, в которую людей не устраивают и не пристраивают, они туда приходят сами, по доброй воле, то ситуация иная. Скажешь, что человек, допустим, нечист на руку, скользкий, необязательный, злоупотребляет доверием товарищей, выпивает, а тебя спросят: какого ж лешего вы его держали при себе? Почему не выгнали? Зачем в Есенинском обществе нужны такие персонажи, порочащие память нашего любимого поэта? И что отвечать? Что да, он пьяница и вор, но зато при организации чтений в Константинове он очень ловко все помог организовать, возил на своей машине и договаривался, с кем нужно? Ну смешно же, ейбогу! В головах полно всяких мифов, о которых мы с вами сегодня утром говорили, только я называла их иллюзиями. Если человек любит стихи и высокую литературу — он хороший человек. Это аксиома. Причем она опровергнута миллион раз, а мы все равно верим. Как утверждают мемуаристы, Сталин, например, много читал и очень любил русскую классику, а что в итоге? Все члены Есенинского общества, таким образом, априори являются хорошими людьми, достойными, честными. Цепочка иллюзий: если ты талантлив, значит, хороший человек; если ты уважаешь и любишь хорошего человека, значит, ты тоже хороший человек; если ты заботишься о поддержании памяти хорошего человека, не получая от этого материальной выгоды, то ты вообще совершенно замечательный. Ну и как при таких иллюзиях дать плохую характеристику? Никак. Все кругом хорошие, а уж поклонники русского поэта — тем более.

В тот момент в голове у Насти промелькнула какая-то мысль, вызванная ее же собственными словами, но мгновенно исчезла, не успев ни за что зацепиться.

Они перешли к следующему документу, и Настя чуть не ахнула. Ну конечно! Убежавшая мысль родилась, когда она произнесла слова «поклонники русского поэта». Вот именно! Русского. Курсовая работа и диплом Сокольникова посвящены возникновению и развитию расовых теорий. А теперь перед ней был перечень и фотографии того, что добровольно выдала сестра Сокольникова. Все это хранилось на даче. Пачка газет «За Русь», «Русское дело», «Отечество», а также несколько фотографий, на которых Андрей Сокольников красуется в компании молодых людей на фоне знамени со свастикой. Мальчик, любивший читать книги и спорить на философские темы, вырос в ксенофоба и нациста, поклонника Есенина и ненавистника всего нерусского. Бывает. Направленность и содержание газет, выходивших под постоянно меняющимися названиями в девяностые годы, Насте хорошо известны.

После обеда она запланировала анализ заключения судебно-психиатрической экспертизы, чтобы сегодня закончить разбираться со здоровьем Сокольникова и завтра двигаться дальше. Пока Петр бегает за пиццей, она успеет хотя бы бегло просмотреть документ. Начала, как обычно, с конца: с подписей членов комиссии.

Состав комиссии выглядел солидно. Председатель — доктор медицинских наук, профессор, психиатр-эксперт высшей категории. Члены комиссии — судебно-медицинский эксперт-психиатр высшей категории, заведующий стражным судебно-психиатрическим отделением; судебно-медицинский эксперт-психолог; докладчик — судебно-медицинский эксперт-психиатр 1 категории. Экспертиза проводилась стационарно, в течение почти месяца, все как положено. Интересно, почему в одном случае написано «психиатр-эксперт», а в другом — «эксперт-психиатр»? В этом есть какой-то смысл? Ладно, не суть важно.

В то время Сокольников еще не менял своих показаний и во время экспертизы рассказывал всё то же самое, что и на первых допросах. Картина в его изложении выглядела следующим образом: 20 июня он пришел домой и увидел, что сосед, Георгий Данилов, держит свою шестилетнюю дочь за шею на весу, девочка билась и кричала, Георгий тоже кричал. Сокольников молча зашел в свою комнату и какое-то время не выходил оттуда. Когда вышел, на всякий случай прихватил с собой самодельную ручку-пистолет, ее еще иногда называют стреляющей авторучкой. Соседи — люди пьющие, неадекватные, Георгий в тот вечер был явно не в себе, мало ли что. Итак, Андрей Сокольников вышел из своей комнаты, наткнулся на Людмилу Данилову, которая приближалась к нему с отверткой в руках. До того дня между Сокольниковым и соседями были постоянные конфликты, в ходе которых Даниловы, как утверждал подследственный, несколько раз пытались его убить (то подсыпали отраву в чайник, то бросались на него с ножом), поэтому когда он увидел отвертку в руках женщины, то ни секунды не сомневался: сейчас его в очередной раз попытаются лишить жизни. Недолго думая, Сокольников вытащил из кармана ручку-пистолет и выстрелил Людмиле в голову. Та упала. Из кухни выскочил разъяренный Георгий, завязалась обоюдная драка, в ходе которой Сокольникову удалось схватить с тумбочки разводной ключ и несколько раз ударить соседа по голове. Убедившись, что Людмила и Георгий Даниловы мертвы, Сокольников стал искать ребенка. Девочку он обнаружил задушенной электрическим шнуром в комнате Даниловых, на кровати. Вероятно, ее убил отец. Тела Сокольников по очереди вынес из дома, уложил в свою автомашину, вывез в Троицкий район, закопал.

Возвращаемся к материалам дела. Андрей Сокольников после приезда из Могилева какое-то время живет с родителями, после чего ему предоставляют возможность отселиться. У бабушки по материнской линии имеется комната в коммунальной квартире в центре столицы, бабушку родители забирают к себе, а любимого сыночка Андрюшеньку отпускают на свободу. Интересно, что старшей дочери родители такого подарка не предложили, хотя потребность жить отдельно у молодой женщины возникла куда раньше, чем у ее младшего брата. Сестра снимала жилье, платила за него из собственного кармана. Еще одно проявление неравенства детей в семье? Возможно.

Чем же молодой человек зарабатывал на жизнь? Судя по имеющимся справкам, на поприще труда он не надрывался, несколько месяцев был администратором у какого-то целителя, еще несколько месяцев числился директором маленького книжного магазина. Больше ни одного официального документа о трудоустройстве в деле не имелось. И это за несколько лет, прошедших с момента начала учебы на заочном отделении и до дня совершения преступления? В свидетельских показаниях и в показаниях самого Сокольникова неоднократно упоминалась работа «помощником адвоката», но с этим всё было понятно: должность неофициальная, обязанности водительско-курьерские, оплата в конверте из рук в руки. Наверное, денежки любящие родители подкидывали, да и сестра об этом говорила на допросе. Или Сокольников имел еще какой-то источник доходов, о котором никто не знал.

Живет себе, поживает юноша по имени Андрей в центре Москвы, любит все русское, ненавидит все нерусское, поддерживает контакты с молодыми нацистами-патриотами, глубоко изучает расовую теорию. С соседями по квартире, правда, не очень повезло. Не нравились они Андрюше. Быдло какое-то. Не ровня они ему, талантливому, выдающемуся, неординарному. Борцу за чистоту русской крови.

Эти Даниловы со своей примитивностью и любовью к выпивке позорят честь русской нации. Андрюша — парень деятельный, не овца какая-нибудь, покорно ждущая, когда ее поведут на заклание. Он обращается к участковому (заявление в деле есть), жалуется на Даниловых: развели в квартире грязь, не убирают места общего пользования, не платят своевременно за коммунальные услуги и телефон. Имеется даже справка об обозревании в присутствии понятых документации, имеющейся в распоряжении участкового, который добросовестно проверил состояние квартиры, поговорил с жильцами, порекомендовал Сокольникову юридические варианты решения проблемы (подача иска в суд о принудительном расселении). Появление участкового ничего не изменило, Даниловы не испугались, все оставалось, как было, конфликтность ситуации нарастала. Как оценивать утверждения Сокольникова, что соседи неоднократно предпринимали попытки убить его, подсыпали отраву в чайник, а Георгий бросался на него с ножом? Скорее всего, это ложь. Опровергнуть ее по факту невозможно, потому что Даниловы мертвы, и Андрей понимает, что врать может сколько угодно. Однако трудно поверить, чтобы человек, готовый писать заявление участковому из-за не вымытого вовремя унитаза или неоплаченного счета за телефон, смолчал и не обратился в милицию после покушения на его жизнь. Ни в показаниях сестры, ни в показаниях родителей нет ни слова о попытках зарезать или отравить Андрея, а вот о разборках с помощью участкового они были прекрасно осведомлены. И наконец, в один не особо прекрасный день, 20 июня 1998 года, наступает трагический финал, происходит... Что, собственно говоря, происходит? Для того чтобы хотя бы приблизительно восстановить картину, нужно тщательно изучать и сравнивать акты различных криминалистических и судебно-медицинских экспертиз, сопоставляя характер повреждений на трупах с выявленными следами в квартире и с обнаруженными вещественными доказательствами. Это работа долгая, кропотливая и требующая огромного профессионализма, которого у Насти нет. Но Петю, похоже, не особенно занимает вопрос, кто кого первым ударил, чем и в какую часть тела. Он хочет, чтобы Сокольников оказался невиновным, ему важно найти доказательства того, что он вообще никого не убивал и приговор в отношении него неправосуден.

Пицца, которую принес Петр, оказалась все-таки солоноватой для Насти, и ей с трудом удалось запихнуть в себя два куска, запивая огромным количеством сначала воды, потом кофе. Журналист ел с аппетитом, настроение у него поднялось.

— Анастасия Павловна, вы сегодня Шекли упомянули... — начал он.

— Да, и что?

— Вы читаете фантастику? Любите?

— Сейчас — нет, не люблю и не читаю. А в далекой молодости очень даже любила, зачитывалась Кларком, Азимовым, Шекли. Почему вы спросили?

— Просто удивился. Вы такая серьезная...

Он сбился и отчего-то смутился.

— Вы хотели сказать «старая», — заметила Настя, усмехнувшись. — Да ладно, не краснейте, все понятно. Забавная у вас логика. Азимов написал один из самых известных своих романов, «Край основания», когда ему было за шестьдесят. Кларк написал свои «Рифы Тапробаны» в восемьдесят пять лет, после этого он уже писал только в соавторстве, потому что тяжело болел рассеянным склерозом. Но ведь писал! Почти до самой своей смерти писал, еще три года после «Рифов». Получается, что если мужчина преклонных лет пишет книги в жанре научной фантастики, то это нормально, а если женщина такого же возраста эти книги читает, то это повод для удивления. Вы сексист, мой друг?

— Ну Анастасия Павловна! Опять вы меня шпыняете! Я просто спросил.

— То есть вы не сексист? Тогда осмелюсь предположить, что вы считаете бывших милиционеров туповатыми и недалекими служаками, отсюда и удивление. Старая тетка, всю жизнь носившая погоны, бабушка-пенсионерка, далекая от высокодуховного искусства — и вдруг чего-то там понимает в фантастике. Нонсенс!

Петр поперхнулся, закашлялся.

— Да шучу я, расслабьтесь. Не принимайте всерьез то, что я говорю, когда мы не занимаемся. У меня ужасный характер, это известно всем, в том числе и мне. Всегда был, а с возрастом усугубился. Я во время работы и я на кухне за чашкой кофе — это две разные женщины.

Петр нахмурился, посмотрел на нее сосредоточенно и, как ей показалось, немного настороженно.

— Вы имеете в виду, что вы двуличны?

— А вы считаете меня настолько примитивной, что я обхожусь всего двумя лицами? Любой человек многолик, многогранен, многокрасочен. У каждого из нас внутри столько всего перемешано, что никто разобраться не может, даже высокопрофессиональные психологи. Именно поэтому так опасны быстрые и поверхностные суждения о людях. Они почти всегда оказываются ошибочными. Как говорится, если женщина носит на пальце обручальное кольцо, это не означает, что она замужем.

Петр уставился куда-то поверх Настиной головы, а потом неожиданно спросил:

— А если женщина... ну, то есть девушка, носит в руке белую розу, это что-нибудь означает?

Настя пожала плечами.

— Понятия не имею. Какой странный вопрос... Она что, постоянно носит в руке розу? Каждый день с утра до вечера?

— Не знаю... В субботу на аукционе была одна девушка, Катя Волохина, она в детском хосписе работает, я вам вчера рассказывал. Сначала на пресс-конференции я розу не заметил, наверное, она на столе лежала и за табличкой было не видно. А потом она взяла цветок в руки и так и держала до конца аукциона.

Девушка, значит, была. Катя Волохина, единственная, кого он постоянно называл по имени, рассказывая об аукционе. То-то Петя в воскресенье был таким рассеянным, не мог собраться и сосредоточиться, пришлось занятия раньше положенного прекратить. Настя думала, что парень просто не выспался, дело читал всю ночь, а он, оказывается, о девушке с розой думал. Молодость! Переживания, влюбленности... Прекрасное время.

— Красивая? — спросила она, стараясь не улыбаться, чтобы не отпугнуть Петра.

— Да, белая такая, крупная, только-только бутон начал раскрываться.

Тут Настя не выдержала и расхохоталась.

— Да не роза! — выдавила она сквозь смех. — Девушка! Девушка красивая?

— Девушка, — растерянно повторил вслед за ней Петр. — Наверное, красивая. Я не всматривался.

«Ага, — подумала Настя, — не всматривался ты, как же. Уж так не всматривался, что целых два дня забыть не можешь».

— На этом, дамы и господа, наш обед окончен, — объявила она. — Переходим к акту судебно-психиатрической экспертизы.

Они вернулись в комнату и уткнулись каждый в свой экран. Читать акт было невероятно трудно, текст выполнен на принтере, и то ли порошок в картридже заканчивался, когда печатали документ, то ли от времени истаял цвет, но на фотографии все было настолько бледным, что приходилось даже в очках сильно напрягать зрение. У криминалистов есть такой термин «угасание текста». Вот именно так угасание и выглядит.

— Давайте распечатаем, — сказала Настя. — С фильтрами должно получиться более четко, иначе мы с вами глаза сломаем. А документ очень важный, мы должны изучить его от и до, не пропуская ни слова. Я успела прочитать только половину последней страницы, где сформулировано собственно заключение, и то у меня в висках заныло.

Акт распечатали в двух экземплярах, получилось действительно намного лучше, чем выглядело на фотографии. После вводной части с перечислением членов экспертной комиссии и прочих обязательных элементов шел раздел «Обстоятельства дела».

— Это можно не читать, — решительно заявил Петр. — Это всё мы и так знаем.

Настя пробежала глазами первую фразу, покачала головой.

— Я бы на вашем месте прочитала.

Петр послушно начал читать, но тут же вскинул голову и уставился на Настю:

— Откуда это взялось?

Она кивнула:

— Вот и я о том же. «Сокольников А.А. обвиняется в том, что двадцатого июня девяносто восьмого года по месту проживания совершил убийство мужа и жены Даниловых и их ребенка, девочки шести лет», — зачитала Настя. — В тех документах, которые мы успели прочитать, нет ни слова о том, что Сокольников убил ребенка. Та версия, которая прозвучала в момент явки с повинной, пока ничем не опровергнута, в убийстве девочки он не признавался. Так откуда взялось обвинение в третьем убийстве? Можно предположить, что эксперт, составлявший окончательный вариант акта, скопировал формулировку дословно из постановления следователя о назначении экспертизы, особо не заморачиваясь. Проверить это мы никак не можем, ибо первой страницы постановления у нас нет, есть только вторая, где уже идет перечень вопросов к экспертам. Но почему следователь так написал в постановлении — это вопрос хороший.

— Следователь мог ошибиться?

— Легко. Он такой же человек, как все. А устает больше многих других. Но ошибка не пустяковая, и ее должен был заметить адвокат и поднять хай. Посмотрим, возможно, именно так и произошло, это мы увидим из других документов, до которых мы пока не добрались.

Второй раздел акта начинался словами: «Со слов испытуемого, из материалов уголовного дела и медицинских документов известно следующее...» Далее следовало подробное и последовательное перечисление всех подтвержденных документами заболеваний и проблем со здоровьем. Особенности поведения тоже не были забыты, но информация основывалась на жалобах матери Сокольникова при обращении к детскому психиатру (есть записи в медкарте, приобщены к делу), а часть — на показаниях матери и самого Сокольникова во время допросов. Насколько можно им верить — сказать трудно. «В поведении неуправляем, агрессивен, бил мать и бабушку. При неудовлетворенном желании кидался на родителей с ножом, угрожал суицидом (выброситься в окно). Любил быть в центре внимания, фантазировать. Любил животных, но часто их мучил, тискал, сильно сдавливал. Любил также смотреть фильмы об убийствах, жестоких пытках. В связи с таким поведением был в возрасте 7 лет госпитализирован в детскую психиатрическую больницу... Упрям, своенравен, капризен, эмоционально холоден, жесток. Интеллект соответствует пограничной умственной отсталости... Выписан с диагнозом «Пограничная умственная отсталость, обусловленная постнатальными вредностями с невропатическим синдромом на фоне семейно-бытовой запущенности». Рекомендовано обучение в диагностическом классе с последующим переводом в школу для детей с задержкой в развитии».

— Как это может быть? — недоуменно спросил Петр. — Одновременно любил животных и мучил. Так не бывает! Или одно, или другое, но не вместе.

— Человек многогранен, — вздохнула Настя. — Никогда об этом не забывайте. Бывает всё. Кстати, вот вам яркий пример того, о чем я говорила утром. Деточка эмоционально холодна и жестока, если не дают желаемого — бьет маму и бабушку, хватается за нож, угрожает покончить с собой. И это в семь лет! А вырос в ценителя поэзии и активиста Есенинского общества. Чудны дела твои, Господи! Идем дальше.

Мать Сокольникова диагнозу не поверила, сына отдала в обычную, так называемую «массовую» школу, о том, как мальчик там учился, более или менее известно, никакой дополнительной информации в акте не обнаружилось. Единственное, что Насте не понравилось в этом разделе, это фраза «Представленные из учебных заведений характеристики положительные». Ну какие же они положительные, елки-палки?! Более или менее положительной можно считать только характеристику из школы. Из Могилева написали, что он нарушал учебную дисциплину и прогуливал без уважительных причин, а из Москвы и вовсе — ничего не знаем, приезжал два раза в год на сессии. Что ж, эксперты тоже люди, такие же, как следователи и все остальные человеки, работы у них много, работа сложная и ответственная, от нее судьба других людей зависит, поэтому внутреннее напряжение большое. А тут бумагомарание какое-то с обязательными разделами. В том, что касается результатов их собственного исследования, все будет прописано тщательно, в этом Настя не сомневалась, но в описательной части, где просто излагалась информация, собранная в других местах и из других источников, часто проскакивала халтура. Плохо, конечно, но вполне объяснимо. Торопится человек, переписывая из одного документа в другой, не обращает внимания на мелочи, которые кажутся ему несущественными. Вот, например, фраза о том, что мальчик наряду с прочими прелестями поведения любил смотреть фильмы о жестоких убийствах и пытках и в связи с этим (то есть в связи со всей совокупностью поведенческих проявлений) был в возрасте 7 лет госпитализирован в детскую психиатрическую больницу. 7 лет Андрюше Сокольникову исполнилось в 1978 году. И где, хотелось бы знать, ребенок мог в те годы с удовольствием смотреть фильмы о жестоких убийствах и пытках? Видеомагнитофонов в России в те времена еще не было, по телевизору показывали только «разрешенное и правильное», равно как и в кинотеатрах. Понятно, что информация взята из показаний сестры Сокольникова, где она рассказывает следователю о том, каким был ее брат именно в последние годы, а вовсе не в 7 лет. Кстати, мать об этих деталях благоразумно умалчивает, продолжая лепить из своего ненаглядного сыночка образ умного, доброго и неординарного человека, не способного на преступление.

Физическое состояние... Заключение терапевта: Хронический гастрит.

Неврологическое состояние... Заключение невропатолога: Знаков очагового поражения головного мозга не выявлено.

Заключение сексопатолога: Каких-либо нарушений половой функции и влечений не выявлено.

Одним словом, здоровеньким мальчиком вырос Андрюша Сокольников, несмотря на асфиксию в родах, травму головы при выпадении из коляски в возрасте 2,5 лет, пневмонию, стафилококк и прочие «постнатальные вредности».

Экспериментально-психологическое обследование... А вот здесь — внимание!

— Читаем медленно вслух, — велела Настя, — и обсуждаем каждую фразу. Вижу, вы не любитель чтения вслух, а я — с удовольствием. Поехали!

Она развернула компьютерное кресло так, чтобы свет из окна падал на страницу, и начала читать мерно, четко и без выражения:

— Подэкспертный контактен, внешне спокоен, инициативен в беседе; долго, очень обстоятельно излагает обстоятельства инкриминируемого деяния (вариант событий соответствует последней предъявляемой версии в уголовном деле). Точка. Что думаете?

— А я должен что-то думать? Вы же прочитали только одно предложение, в нем нет никакой новой информации. Или я чего-то не понимаю?

— В этой фразе есть по меньшей мере три пункта, на которые я предложила бы вам обратить внимание. Сокольников рассказывает о том, что убил Георгия и Людмилу Даниловых, а ребенка убил кто-то из родителей, скорее всего, отец. Экспертная комиссия констатирует, что данное описание соответствует последней на тот момент версии, предъявляемой в уголовном деле. Иными словами, обвинение в убийстве девочки никто Сокольникову не предъявляет. Стало быть, можно с уверенностью полагать, что в описательной части акта содержится обычная незлонамеренная ошибка. Внимание подвело. Второй момент: Сокольников долго и обстоятельно излагает ход событий, то есть подтверждает собственное признание в совершении преступления. Ни от чего не отказывается, не пытается склонить психиатров на свою сторону, не жалуется на ложность обвинения, не рассказывает о том, что в милиции из него выбивали признание и явку, не выдвигает утверждений о собственной невиновности, не симулирует психическое заболевание, благодаря которому может попробовать уклониться от уголовной ответственности, не ссылается на спасительное «не помню». Возьмем это на заметку. И третье: он внешне спокоен и инициативен в беседе. Вам понятно, что такое «инициативен в беседе»?

— Ну да, — немного обиженно ответил Петр. — Что тут непонятного? Вы меня за совсем тупого держите, Анастасия Павловна?

Она подняла руки, раскрыв ладони в примирительном жесте.

— Извините, не хотела вас задеть. Я же предупреждала: характер у меня плохой. Можем сделать предварительный вывод, что беседа доставляет Сокольникову удовольствие, он видит ее полезность для себя, ему нравится отвечать на вопросы и рассказывать даже то, о чем его не спрашивали. Следующая фраза: «При рассказе речь хорошо литературно оформленная, фразы сложные, разветвленные, описываются очень подробные детали событий, их точная последовательность, мельчайшие оттенки внешней обстановки, поведения участников, собственного психологического состояния и своих ощущений».

Настя сняла очки и сделала приглашающий жест рукой.

— Прошу. Слушаю ваши выводы.

— Не очень-то похоже на пограничную умственную отсталость, — с сомнением проговорил журналист.

— Согласна. Кстати, имейте в виду: в Международной классификации болезней такого заболевания нет. Пограничная умственная отсталость — это вариант нормы. Да, у самой нижней ее границы, но все-таки не патология, а норма. Что еще?

— Вроде всё, больше ничего не вижу.

— Меня смущают эти детали и малейшие оттенки как хода событий, так и собственного психологического состояния Сокольникова. Если бы он был профессиональным киллером, тщательно планирующим убийство и в ходе выполнения внимательно следящим за тем, чтобы все было как надо, я бы сочла, что все правильно. Это его работа, его профессия, в ней нет места эмоциям, он должен стараться избегать ошибок, делать все аккуратно и продуманно, хладнокровно, а впоследствии анализировать упущения и промахи, обогащая собственный опыт. Но речь идет о молодом человеке, самом обычном, который внезапно оказался в ситуации агрессивного нападения со стороны соседей по квартире. Ему должно быть очень страшно, идет мощный выброс адреналина, все совершается быстро... Не верю я, Петр, что в таких обстоятельствах можно зафиксировать и запомнить все детали. Конечно, всё бывает, и люди разные. Но я бы этот момент тоже запомнила, он может пригодиться впоследствии.

Она снова нацепила очки и продолжила:

— «В материалах дела даже в первой предъявляемой версии (в день ареста) имеется такая деталь, показывающая полноценное отражение окружающей обстановки: «...Почувствовал, как хрустит грудная клетка Данилова» (допрос Сокольникова А.А. от третьего сентября девяносто восьмого года). В изложении событий не менее тонко и подробно описываются собственные мысли, мотивы, логическая обоснованность последующих действий». О как! Даже логическая обоснованность! Наш Сокольников просто супергерой какой-то, не теряет выдержки и хладнокровия и сохраняет способность мыслить и действовать логично и последовательно. Запомним и это. Идем дальше: «Тем не менее, несмотря на блестящую память, проявившуюся при обсуждении инкриминируемого деяния, дал частично ложные биографические сведения и ложные обстоятельства явки с повинной». Н-да, — протянула Настя. — Супергерой у нас с вами получается какой-то подпорченный: память есть, а ума нет.

— Почему ума нет? Из чего это следует?

— Если бы ум был, Сокольников не стал бы врать экспертам-психиатрам о фактах своей биографии. Об обстоятельствах явки с повинной — еще так-сяк, можно понадеяться на то, что прокатит версия о недобросовестности следствия. Но о биографических данных-то лгать зачем? Все же проверяется документально! Все есть в деле! Это очень хороший и очень важный момент, мы его непременно отложим в памяти. Дальше идет анализ выполнения экспериментально-психологических заданий. Готовы?

— Готов, — кивнул Петр.

Глаза его блестели, ему казалось, что вот сейчас как раз и начнется самое интересное.

— «Экспериментально-психологические задания выполняет достоверно, с ориентацией на успех. Несмотря на внешнюю уравновешенность и спокойствие, наблюдаются нейротические вегетативные реакции — мышечное напряжение, гипергидроз, диспноэ».

Настя отложила распечатку. Акт судебно-психиатрической экспертизы она видела далеко не в первый раз и с медицинскими терминами более или менее разобралась еще лет тридцать назад, но очень хорошо помнила, сколько времени ей потребовалось, чтобы понять в этом документе каждое слово. Именно тогда она и добилась разрешения прослушать курс по психодиагностике, чтобы хотя бы примерно представлять, как выглядят применявшиеся в те годы тесты и как они работают. Она снова вспомнила мучительный стыд, затопивший ее, когда специалист рассказывал ей о ней же самой. Удар был болезненным, и Настя долго потом приходила в себя. «А ведь Пете сейчас точно так же муторно и неловко, как было мне, — подумала она. — Помнится, я несколько дней не могла нормально работать, даже плакала дома потихоньку от Лешки. А Петя молодец, держит удар достойно, работает как ни в чем не бывало. Он сильнее меня. А может, просто более толстокожий... В любом случае нужно перестать его дергать и шпынять хотя бы сегодня, ему и без того несладко сейчас. И почему я стала такой злой?»

— Про гипергидроз и диспноэ сами погуглите, а я пока почитаю дальше. Нам все равно придется сделать паузу, иначе вы с результатами тестов не разберетесь.

Значит, во время выполнения заданий Андрей Сокольников демонстрировал внешнее спокойствие, при этом наблюдались повышенное потоотделение и одышка. Нервничал, переживал, боялся, что выполнит задание как-нибудь не так, не сумеет показать себя в самом выгодном свете (не зря эксперт отметил выраженную ориентацию на успех).

— Ага, понял, он потел и пыхтел, — произнес Петр, оторвавшись от экрана. — Переживал сильно, для него это был большой стресс, но он старался держать себя в руках, как настоящий мужчина.

Настя уже успела пробежать глазами описание батареи тестов и теперь начала в самых общих чертах рассказывать, в чем эти тесты состоят и какие результаты могут получиться при интерпретации. Где-то у нее была папка с бланками и брошюрами, но где? Разве в этих многочисленных беспорядочных стопках и кучах разберешься? Ничего, скоро они переедут, и это автоматически повлечет за собой наведение порядка в книгах и бумагах. Как странно... Впервые за долгое время у нее не испортилось настроение при мысли о жизни в новой квартире. Неужели достаточно было всего лишь сказать себе неприятную правду, чтобы изменилось отношение к ситуации? Да, наверное.

Ну что ж, начнем, помолясь. Настя нашла папку и достала первый бланк: тест Кеттелла.

— Что-то буду показывать и объяснять, что-то будете искать сами, договорились?

Аттентивно-мнестические процессы... Помехоустойчивость при гомогенной интерференции... Переключаемость в сенсибилизированной пробе... Доминирование категориального уровня мышления... Провокационные пары... Пробы Полякова... Ассоциативный процесс в пиктограммах... Графомоторный субтест... Предметный конструктивный праксис... Сукцессивный гнозис... Батарея Векслера... Тест Рейвена...

В этом месте Настя запнулась, потом сообразила, что речь идет о хорошо известном ей тесте Равена. Разная транслитерация, принятая в разные периоды. Как Дон Кихот и Дон Кишот.

Профиль личности MMPI (компьютерная версия ACLIP)... Профиль личности Cattell... методика ПДО... Методика «Уровень невротизации и психопатизации» (компьютерная версия UPD)... Методика Басса-Дарки... Методика EPQ... Проективная методика Hand-test...

Она то и дело посматривала на часы, чтобы закончить занятия вовремя и не опоздать на встречу с дедом-профундо. Когда осталось 15 минут, Настя поняла, что проработать акт полностью они сегодня никак не успевают. Если только галопом... Нет, не нужно, здесь каждое слово на вес золота.

Разобравшись с терминами и тестами, она сказала напоследок:

— В этой части акта есть несколько вещей, важных для понимания жизни и поведения вашего героя Сокольникова. Смотрите: общая осведомленность, уровень обобщения, дефинитивное мышление и еще целый ряд характеристик, указанных на странице шестой, развиты на среднем и чуть ниже среднего уровне. То есть не на совсем уж низком, но и не на высоком. В то же время вербальный интеллект существенно выше невербального. Мы с вами уже отметили ранее литературно оформленную речь со сложными разветвленными фразами. Теперь переведите на простой русский язык то, что я сейчас сказала.

Петр улыбнулся.

— Говорит красиво и много, а думает убого и узко. Правильно? Типа «гигант речи, но не гигант мысли».

— Умница! В целях экономии времени предлагаю вам дома самому прочитать экспертизу до конца. По опыту знаю, что незнакомых вам терминов дальше будет намного меньше, если что — необходимая для понимания информация есть в интернете. Прочтите и попробуйте из всего, что мы узнали о Сокольникове, нарисовать его портрет. Нет, — она с улыбкой ткнула пальцем в листок с цитатой из Кэрола, — как минимум два портрета. Из набора одних и тех же фактов можно сложить совершенно разные истории. С психологическими портретами это правило обычно не работает, но вы попробуйте, включите фантазию. Вы же будущий писатель.

Уже стоя в прихожей, она задумчиво и чуть грустно произнесла:

— Если бы я умела писать книги, то сделала бы своим героем не Сокольникова, а его мать. Вот кто настоящий мастер иллюзий!

— Разве вам не интересен преступник, убийца? — удивился Петр.

— Уже нет. Открою вам страшную тайну: в преступлении как таковом вообще нет ничего интересного, во всяком случае, для меня. А вот то, что происходило до него, после него и вокруг него, действительно интересно. Для того чтобы кто-то мог совершить преступление, большое число людей должно питать определенные иллюзии и в отношении самих себя, и в отношении того, кто станет преступником. Без иллюзий не было бы криминала. Подумайте об этом на досуге.

Она снова бросила взгляд на часы и поняла, что пора ехать.

— Минутку, Петр, — Настя кинулась в комнату за телефоном и очками, вернулась в прихожую, скинула тапочки и достала кроссовки. — Мне нужно ехать по делам, если хотите — подвезу вас до метро.

Так, проверить сумку: кошелек, очки, телефон, ключи от машины, права и техпаспорт, ключи от новой квартиры, блокнот с записями, касающимися ремонта, ручка, сигареты, бумажные платки, расческа. Ключи от квартиры в руке. Кажется, ничего не забыла.

Они вместе вышли из дома и сели в машину. «Надо будет не забыть заправиться на обратном пути», — отметила про себя Настя, взглянув на приборную панель.

Выяснилось, что Петр направляется не на съемную квартиру, а на улицу Маршала Конева, на встречу с бывшими однокурсниками.

— Только сейчас? — изумилась Настя.

Она-то была уверена, что он, едва приехав в Москву, тут же обзвонил всех, с кем хотел бы повидаться, и со многими уже встретился. «Впрочем, что это я? — теперь она удивилась уже самой себе. — Мыслю шаблонами, живу представлениями сорокалетней давности. Когда мне было двадцать пять, как сейчас Пете, дружеские и приятельские связи и вправду зачастую ослабевали и разрывались после того, как выпускники разъезжались по разным городам. Да и разъезжаться-то было не обязательно, можно оставаться в одном городе, но, едва получив диплом, забывать друг о друге. Сейчас всё не так. Техника дает возможность постоянно оставаться на связи, а повидаться можно и при помощи видеозвонка, и волшебные слова «Петька приехал, давайте скорее соберемся!» утратили магическую привлекательность».

— Я специально не договаривался на первую неделю, не знал, какой распорядок вы установите и вообще как оно пойдет, — пояснил Петр. — Да и тех, с кем хотелось бы встретиться, всего двое. С остальными как-то не сложилось.

— Эти двое — в журналистике? Или подались в другие сферы? — поинтересовалась Настя.

— Один работает на радио, другой ушел в какой-то крупный бизнес, в отдел рекламы.

Ей пришла в голову неожиданная мысль.

— Может быть, ваши приятели общались с Ксюшей. Поговорите с ними. А вдруг они знают, откуда у нее материалы, кто передал ей флешку.

— Это важно?

— Нет, — улыбнулась она. — Но любопытно. Хочется понять, почему дело неполное. Причина ведь может оказаться чисто технической: человек торопился, устал, болело что-нибудь, одним словом, нечто вполне естественное и объясняющее, почему он фотографировал не все подряд или фотографировал все, но что-то пропустил, когда перегонял с фотоаппарата на компьютер, а с компьютера на флешку. Да фотоаппарат мог засбоить, в конце концов! Сложная современная техника живет собственной жизнью и иногда такое может выкинуть — только диву даешься. А может быть, пакет материалов сформирован с каким-то смыслом и вашей покойной подружке хотели показать только то, что хотели показать.

— Но тогда очень важно понять, кто именно и что именно хотел показать!

— Для меня — может быть, — кивнула она. — Но не для вас. Вы пишете книгу, создаете художественный вымысел. Петр, мне показалось, что вчера вы все поняли и сегодня утром мы с вами обо всем договорились. Не начинайте, пожалуйста, снова эти бессмысленные препирательства. Вы учитесь читать дело. Всё. На этом вопрос закрывается.

Ей показалось, что молодой человек расстроился, и Настя в очередной раз упрекнула себя за излишнюю резкость.

* * *

У меня есть цель. Может, не такая великая и прекрасная, как те цели, которые ставили перед собой гениальные ученые или выдающиеся политики, но она есть. Пусть маленькая, пусть скромная, если судить с позиции мирового масштаба, но она — моя, я ее люблю и я к ней иду. Очень медленно, конечно, что и говорить. Хотелось бы побыстрее, но уж как могу. Да и торопиться мне некуда, времени впереди много. Я все успею. Главное — не потерять веру в себя.

А верят в меня не все. По меньшей мере один человек веру в меня утратил. И это очень обидно и неприятно.

Я не собираюсь никому ничего доказывать специально, я просто иду к своей цели и надеюсь, что все получится. Кто надо — тот поймет, как был неправ, как ошибался, когда не верил, что я смогу.

* * *

Алла Владимировна любила опекать молодежь. Можно даже сказать, что она сделала из этого хобби. Пока рядом были муж и сын, она уделяла им много внимания и заботы и ни о каких занятиях и увлечениях, кроме работы и дома, не помышляла. Ну, если только с подружками иной раз встретится, да и то нечасто.

Когда сын уехал за границу, Алла занялась двоюродной племянницей Ксюшей. Сперва просто от скуки, от невозможности заполнить пустоту, образовавшуюся после того, как не о ком стало заботиться, кроме себя. Но очень скоро поняла, что ей нравится сам процесс. Ей нравится играть роль «любимой старшей». Красивая, яркая, живая и общительная, она в любой компании становилась центром внимания. Так было с самого детства, и Алла к этому привыкла и считала само собой разумеющимся. Однако быть центром внимания среди молодежи, а не среди своих ровесников, — нечто совсем иное. Другое качество. Более высокий уровень.

Алла Владимировна много лет преподавала в одном из московских колледжей и имела полную возможность наблюдать и оценивать отличия между сменяющимися поколениями. Ценности и ориентиры, мода и привычки, манеры и словечки — все менялось быстро, и студенты, которых она обучала сегодня, были совсем не такими, каких она выпустила, скажем, два года назад. Ей стал очевиден колоссальный разрыв между поколениями и почти полная невозможность взаимопонимания между ее ровесниками и современной молодежью. Она видела, как те, кому за пятьдесят, не могут найти общего языка с теми, кому до тридцати, слушала сетования подруг и знакомых. Да что подруги! Разве у нее, Аллы, нет собственного опыта? Со студентами всегда было трудно, а вот с сыном проблем не было, его друзья охотно приходили к ним домой и подолгу засиживались в обществе хозяйки. И только когда сын уехал и его друзья перестали приходить, Алла Владимировна начала задумываться. Она знала: о ней часто говорили за глаза, что она слишком красива для того, чтобы оказаться умной. На самом же деле Алла глупой не была. Отнюдь. Едва ощутив пустоту и осознав потребность заполнить ее доверительными отношениями с кем-то молодым, она принялась копаться в себе и в конце концов вывела формулу: «У моло-

дежи другие интеллектуальные и эмоциональные
потребности, не такие, как были в их возрасте
у нас, поэтому они избегают нашего общества, им
с нами скучно, мы ничего не можем им дать. Мы
даже не можем давать им советы, потому что наше
знание жизни основано на совершенно другом
опыте, который устарел и не годится для совре-
менности. Все теперь меняется очень быстро, и то,
что казалось и продолжает казаться нам привлека-
тельным, ценным или важным, не имеет в глазах
молодежи ни малейшего значения и ни малейшей
ценности. И если молодые с удовольствием проводят время в моем обществе, значит, во мне есть
что-то такое, что не теряет своей притягательно-
сти, несмотря на различия в воспитании, образо-
вании и образе мыслей».

Вывод звучал приятно, щекотал самолюбие, повышал самооценку. Алла Владимировна с удовольствием взяла под крыло сперва Ксюшу и ее компа-
нию, а после смерти девушки начала опекать моло-
дую семью — поженившуюся недавно пару своих
выпускников. Она любила помогать и быть полез-
ной, но, разумеется, не в ущерб собственным инте-
ресам, потому что себя саму Алла любила все-таки
чуточку больше, чем других. В отношении Пети
Кравченко она особых планов не строила, ибо парень скоро уедет из Москвы, но пока он здесь, его
можно и нужно считать подопечным, заботиться
о нем и поддерживать.

Было бы ошибкой думать, что Алла Владимировна руководствовалась исключительно сухим расче-
том. Нет, она была очень доброй и умела искренне
сопереживать и сочувствовать. Поэтому, когда Владимир Юрьевич заговорил с ней о девушке из хо-

списа, которую они видели на аукционе в субботу, сердце Аллы отозвалось немедленно.

— Поговори с Петей, пусть обратит внимание на девочку. Если у него не получится то, чем он сейчас занят, он сможет раскрутить свое имя на публикациях о паллиативной помощи тяжело больным и о том, какие замечательные, какие необыкновенные и самоотверженные люди посвящают этому свою жизнь. Девочка совершенно потрясающая, росла без матери, с отцом конфликт и разрыв отношений, а она не озлобилась, не ушла в ненависть и зависть, а все душевное тепло щедро отдает больным детям. Это дорогого стоит! Одинокая маленькая девочка, слабенькая и бедная, противостоит миру равнодушия и жадности. Какой образ, Аллочка!

— Почему же непременно бедная? Может, отношения с отцом разорваны в эмоциональном плане, а финансово он ее полностью обеспечивает.

— Да ты видела, как она одета? Какие у нее очки? А дети, которые были с ней, как одеты? Все чистенькое, наглаженное, но куплено явно в секонд-хенде, давно вышло из моды.

— Ну да... Шикарной она никак не выглядит. Но она замужем, так что не очень-то одинокая, — заметила Алла.

— Я же фигурально выражаюсь. Но согласись, стать глашатаем информации о детских хосписах и их проблемах — штука более благородная, чем очередное разоблачение правоохранительной системы, которое всем уже в зубах навязло. Да и более выигрышная, если уж на то пошло. Хотя, — Климанов бросил на Аллу чуть смущенный взгляд, — наверное, я пристрастен. Просто очень уж девочка мне понравилась, зацепила чем-то. А насчет мужа я бы с тобой как раз поспорил. Что может дать ей молодой парнишка? Какую поддержку, какое тепло? Он сам только-только от мамкиной юбки оторвался, в нем нет той взрослой силы и мудрости, которые ей нужны.

— Откуда ты знаешь? Может, он как раз взрослый мужчина, намного старше нее.

— Да ты вспомни, какие у него брат и сестра! — воскликнул негодующе Владимир. — Они же маленькие еще. Мы с тобой на пресс-конференции не были, но Петя посидел в зале, послушал, кое-что мне пересказал. Журналисты эту Волохину про мужа спрашивали, она сказала, что он учится в мединституте.

— Вообще-то да, — задумчиво согласилась Алла. — Похоже, муж у нее пацан совсем. Наверное, я могла бы ей помочь, у меня есть знакомые в крупном бизнесе, да и мои бывшие студенты в больших компаниях работают. И у тебя связи хорошие в этой сфере, ты же столько лет в мэрии протрубил, все разрешения через тебя шли. Может быть, удалось бы что-то организовать в плане спонсорской помощи. Пожалуй, надо съездить к ней в хоспис, познакомиться, поговорить.

«И вообще взять девочку под крыло», — добавила она, но, разумеется, не вслух. Володя, конечно, старый друг, но есть вещи, которые не следует говорить даже ему.

Они знакомы тысячу лет, еще с тех пор, когда сама Алла была замужем, а Климанов как раз развелся со второй женой. Началось все с бурного, страстного, но непродолжительного романа, плавно перешедшего в добрые, доверительные и устойчивые отношения, уютные, удобные и ненапрягающие. Они никогда не жили вместе, но времени друг с другом проводили много. Иногда, примерно раз в месяц, ложились в постель, но в основном ходили в театры, на выставки, на всякие мероприятия или просто болтали обо всем на свете. Если бы Аллу спросили, любит ли она Владимира Климанова, она бы страшно удивилась. Любовь? При чем тут любовь? Только дружба и привычка, психологический комфорт. Любит ли ее Климанов, она даже и не задумывалась, ибо уверена была, что да, любит. Ведь он больше не женился, так и живет холостяком, хранит ей верность.

Но то, что он говорил о девочке из хосписа, неприятно, тревожно как-то царапнуло Аллу Владимировну. Девочка просто потрясающая, но ей нужен взрослый, опытный, сильный мужчина рядом, а не сопляк, едва оторвавшийся от мамкиной юбки. Примерно так сказал Владимир, и Алла услышала за этими словами некую угрозу своей личной жизни. Что, если Володя вдруг станет для этой девочки, Кати Волохиной, тем самым взрослым и опытным? Девочка, конечно, страшненькая, Алла даже в свои далеко не юные годы даст ей сто очков вперед, но Володя никогда не был ценителем внешней красоты, уж это-то ей хорошо известно, видела она фотографии его бывших жен, что первой, что второй. Не является ли его горячее сочувствие и интерес к девочке проявлением чего-то ей, Алле, совершенно ненужного, опасного? Володя умный, спокойный, далекий от эксцентричности, но... Привлекательность молодой свежести никто пока не отменял.

«Я готова начать ревновать, — сказала себе Алла Владимировна. — Фу, какая гадость. Да полно, я ли это? Девочка занята хорошим делом, благородным, добрым. Она нуждается в помощи, и если я могу помочь, то надо помочь».

Воскресенье они с Климановым, как чаще всего бывало, провели вместе до самого вечера, потом началась свистопляска с Петей и полицией, Владимир поехал за паспортом и за Каменской, потом в полицию за Петей, а Алла, чтобы отвлечься и не нервничать, нашла в интернете сайт хосписа, в котором работала Екатерина Волохина. Адрес, телефоны, электронная почта, персонал... Далековато, что и говорить, но она за рулем, навигатор есть, доберется, не маленькая. Как раз и занятий у нее в понедельник по расписанию нет, достаточно появиться в колледже, быстренько сделать необходимое — и можно съездить, не откладывая в долгий ящик. Решено: если с Петей ничего страшного и все обойдется, завтра она съездит к Кате Волохиной и познакомится с ней.

* * *

Встреча с бригадой мастеров затянулась до позднего вечера. Настя была уверена, что все пройдет «быстро и не больно»: она подпишет договор, утвердит смету, отдаст деду-профундо ключи и первые деньги, обсудит какие-то основные моменты и спокойно поедет домой. Ну, еще надо не забыть сфотографировать паспорта всех членов бригады. Риск нарваться на мошенников все равно остается, уж сколько раз Настя с Чистяковым через это проходили... Конечно, паспортные данные — не панацея, они мало кого выручали в трудный момент, но хоть что-то.

Всё, однако, как показывает практика, происходит не так, как ожидается. Как только Настя выразила твердое согласие заключить договор, сын деда достал рулетку и принялся молча и деловито обмерять всю квартиру, его жена ходила за ним по пятам и записывала цифры в тетрадь, а внук по имени Данила, усевшись на пол и приладив на коленях большой пластиковый планшет, укрепил на нем чистые листы бумаги и делал какие-то наброски.

— Сметочка у нас вышла приблизительная, на глазок, — пояснил дед. — Сейчас мы все замерчики сделаем, Даня план начертит, мы на нем все быстренько разметим в соответствии с вашими пожеланиями, тогда суммы выйдут более точные.

Ну вот, началось. Настя с тоской подумала, что слишком рано обрадовалась. Эти мастера — такие же, как и большинство тех, с кем они с Лешкой уже имели дело. Теперь суммы начнут расти каждый день, а трудности, которые необходимо срочно преодолевать, иначе невозможно дальше работать, будут возникать каждые полтора-два часа. Плавали, знаем.

— Сумма может оказаться значительно больше? — безнадежно спросила она.

— Значительно — нет, вряд ли, — покачал головой дед. — У нас опыт большой, мы работаем давно, в таких подсчетах не ошибаемся. Если только финансовый кризис страну не накроет, конечно. Бывает, что в итоге и меньше получается, чем мы изначально прикидывали. Вы скажите сразу, какая у вас идеология?

Настя вопросительно подняла брови.

— Идеология? В каком смысле?

— Что вы предпочитаете: самое дешевое из хорошего или самое лучшее из дешевого? Про самое дорогое не спрашиваю, иначе вы бы с нами не связались.

Она озадаченно посмотрела на деда, потом рассмеялась.

— Конечно, лучшее из дешевого. Боюсь, что даже на самое дешевое из хорошего у нас денег не хватит.

— Ясно. Вы работаете?

— Я... Ну да, работаю, конечно. Работающая пенсионерка.

— Работа офисная? Или в свободном полете?

— Всякая бывает. А что?

— Так нам же нужно планировать, когда вас на закупки возить. Если вы с девяти утра работаете и до шести, значит, по вечерам, после вашей работы. Или, если хотите, можно утром, до работы, есть места, где с семи утра торгуют, но это далеко, в области, так что вставать вам придется очень рано.

Настя ушам своим не верила.

— Меня?! На закупки?! Зачем?

— Ну а как же иначе? — невозмутимо ответствовал дед-профундо своим глубоким мягким басом. — Вы должны своими глазами видеть, где, что и по какой цене мы покупаем. Желательно, чтобы и платили вы сами. И выбирали, соответственно, тоже сами, не по картинкам в интернете, а вживую. Нам в руки деньги будете давать только за работу. Ну в самом крайнем случае — на какие-то непринципиальные мелочи. Иначе о каком доверии может идти речь? Вы нас не знаете, мы вас не знаем. С чего это мы должны друг другу доверять? Так оно, знаете ли, спокойнее будет и вам, и нам.

— Господи, а я-то в чем могу вас обмануть? Ну, вы — меня, это да, это я понимаю, сталкивалась уже. Но я — вас?

— А вдруг вы мне деньги фальшивые дадите? Был у нас такой случай, не удивляйтесь. Взяли сумму у заказчика на покупку плитки, начали расплачиваться — в магазине скандал, две купюры по пять тысяч поддельные, вызвали полицию, нас с Данькой в околоток отвезли, мурыжили до ночи, еле отбились. Плитку нужно покупать, а денег теперь не хватает, говорим клиенту, мол, так и так, у вас были две фальшивые купюры, уж не знаем, кто вам их подсунул, но теперь вам придется добавить на плитку. А он в полный отказ пошел. Говорит, мол, ничего не знаю, у меня все деньги из банка получены, ни рубля добавлять не стану, платите из своего кармана, и вообще вы все врете и пытаетесь меня развести, потому что мои деньги не могут быть фальшивыми, я их в банке забандероленными получал. Ну, короче, такое... И вообще, клиенты разные бывают, сегодня одно говорит, когда закупку обсуждаем, а завтра, когда уже все купили, идет на попятный и утверждает, что мы договаривались на другой цвет, другую фирму, другую форму. Или недоволен, что на картинке было одно, а в жизни не так смотрится. Оно и понятно, фотографии для сайта делают так, что все смотрится конфеткой, а на самом деле выглядит проще, грубее или сделано халтурно. Заказчик на картинку понадеется, выберет заочно, а потом мы виноватыми оказываемся. У клиентов риски большие в ремонте, это правда, но и нам лишней головной боли не надо.

К подобной постановке вопроса Настя, не очень-то опытная в вопросах организации ремонта, готова не была. Но подумав несколько минут, пришла к выводу, что дед, пожалуй, прав. Лучше один раз потратить время и сделать все как следует, чем потом без конца переделывать и исправлять, потратив суммарно времени намного больше, а заодно и нервов, и денег.

Выезжать на закупки, как пообещал дед, придется не больше трех-четырех раз, если подойти к делу с умом. С продуманно составленным списком, в котором ничего не забыто и нет ничего лишнего, все обычно проходит без проблем. Если у заказчика свободное время только до или после работы, то, конечно, выездов получится куда больше, а если заказчик может потратить, скажем, весь день, то в три-четыре раза легко можно уложиться.

— Так когда поедем? — нетерпеливо спросил профундо. — Завтра с утречка? Нам в первую закупку только расходные материалы понадобятся, никакого декора, вам даже думать ни над чем не придется. Плиточка, паркет, сантехника, красочка, обои и все прочее — это во вторую закупку обычно идет. Потом уже, когда все это сделаем, пойдут светильники, шторы, полочки-подставочки и всякие красивости. Розеточки, выключатели, всё такое. Иногда бывает, что четвертый раз ехать нужно.

В десять придет Петя, занятия с ним платные, не благотворительность, и накануне вечером менять план неприлично. И опять рано вставать... Нет, после минувшей ночи Настя к очередному подвигу готова не была. В среду? Но в среду она собралась на концерт. Отменять занятия не хочется, неловко. Вставать ни свет ни заря не хочется тоже, а вечером не получается.

— В четверг, — неуверенно предложила она. — Но зато на весь день. Я попробую договориться.

— В четверг? — в голосе деда звучало неприкрытое разочарование. — Это нам еще два дня простаивать? Сегодня понедельник только. Если бы вы могли хоть два часа завтра с утра выделить, мы бы самое необходимое уже купили и начали работать. Чего время терять?

Два часа... Он прав, конечно. Прежние бригады с удовольствием брали у Чистякова деньги и немедленно приступали к работе, простаивать никто не любил, но вот что, в каком количестве, какого качества и по какой цене они приобретали, было неизвестно. Да, они предоставляли накладные, чеки, квитанции, но толку-то от них, если схемы мошенничества хорошо известны и липовыми документами от липовых фирм давно уже никого не удивишь. Заказчик, владеющий профессией, никак не связанной со строительством и ремонтом, как правило, не знает, сколько цемента, песка и всякого такого расходуется на квадратный метр, и когда нечистый на руку бригадир уверяет, что нужно, к примеру, 5 мешков, клиенту неведомо, сколько из этого пойдет на работы в его доме, а сколько уплывет в неизвестном направлении. Мало кто перепроверяет, предпочитают доверять.

Настя решительно взялась за телефон. Петр долго не отвечал на звонок, наверное, веселился в шумной мужской компании и не слышал. Когда он ответил наконец, голос его показался Насте расслабленным и каким-то усталым. Предложению начать завтра не в десять утра, а на два часа попозже и, соответственно, на два часа позже закончить, он обрадовался. Сегодня ему не удастся лечь спать вовремя, что очевидно, а так хочется выспаться!

Дед тоже обрадовался.

— Вот и славно, — заговорил он довольным тоном. — Завтра с утречка начнем, сколько успеем, остальное в четверг доберем, и работа пойдет, движение будет. Движение — самое главное, стоять никак нельзя.

«Движение — самое главное, — повторяла про себя Настя по дороге домой, мечтая только об одном: рухнуть в постель и заснуть. — Стоять никак нельзя. Завтра в восемь утра встреча с дедом и внуком на заправке у МКАД, значит, выезжать из дома в семь, вставать в шесть. Встреча на заправке... Что-то я хотела... Ах да, заправиться. Может, тогда уж завтра?»

Посмотрела, сколько осталось бензина. До дома она, пожалуй, доедет, а вот до противоположной стороны МКАД завтра точно недотянет. Значит, придется сейчас. «Я ненавижу этот ремонт. Ненавижу эту новую квартиру. Ненавижу саму себя за лень, трусость и слабость. Но я очень люблю своего мужа. И свою работу. Надо как-то это все совместить. Но как?»

* * *

В небольшом двухэтажном здании, где располагался хоспис, места едва хватало для самых необходимых помещений. Ни о каких отдельных кабинетах для персонала речь не шла, и даже психолог, в обязанности которого входила поддержка отчаявшихся и горюющих родителей и родственников, вынужден был проводить беседы в общем холле на первом этаже, в специально выгороженном диванчиками углу. Второй должности психолога штатное расписание не предусматривало, Катя числилась в штате на должности администратора, но это было пустой формальностью, позволявшей платить ей зарплату, если на счету хосписа появлялись деньги. Она была и санитаркой, и детским психологом (что соответствовало диплому), отвечала за привлечение и использование волонтеров, рассылала письма и запросы и изучала полученные ответы (если эти ответы вообще приходили) в надежде найти оборудование и препараты надлежащего качества и по доступным ценам, уговаривала транспортные компании пойти навстречу и выделять транспорт для медработников, обслуживающих больных детей на дому, со значительной скидкой... Много чем занималась Катя Волохина в хосписе, занимая стол в комнате, где находились рабочие места еще пятерых человек. Впрочем, рабочее место — это громко сказано. У двери — вешалка для верхней одежды, вдоль всех стен — шкафы с документацией, в самом углу — тумбочка с электрическим чайником, чашками и сахарницей, в центре — шесть маленьких столов, составленных тремя парами, сотрудники сидят по двое лицом друг к другу. Тесно, душно, но что поделать. Никто не роптал, ведь хоспис деньгами не богат, каждая свободная копейка тратится на детей, платить зарплату большому числу работников возможности нет. Штат минимальный, работает каждый за двоих, а то и за четвертых, без дополнительной оплаты, на чистом энтузиазме. А поскольку работы много, то и рассиживаться за столом некогда. Сделал то, что предусмотрено функциональными обязанностями, и бегом в стационар, посмотреть, что нужно сделать, чем помочь, где помыть, где подтереть, кого успокоить, кому почитать, кого перевернуть, кому белье сменить, к кому медсестру позвать, потому что раствор в капельнице заканчивается... Терминальная стадия — всегда трудно, тяжело невыносимо, и морально, и физически. А санитарок, сиделок и уборщиц всегда и всюду не хватает, даже в дорогих частных клиниках, где, казалось бы, зарплаты должны быть повыше и платят ее регулярно. Что уж говорить о хосписе...

Уже десятый час вечера, а Катя все еще не ушла домой. И не потому, что работы сегодня как-то особенно много. В принципе работа в хосписе не заканчивается никогда, она есть постоянно, ведь больные не перестают болеть с окончанием рабочего времени персонала, и если есть желание и возможность, то найдется, что сделать нужного и полезного, круглые сутки. Если работа не сменная, как у сестричек и докторов, то каждый сам решал, уйти ли домой в положенный час или еще поработать.

Ей просто не хотелось идти домой, не имея в голове принятого твердого решения. Дома ей придется встретиться со Славиком, и нужно будет как-то себя вести. Как? Эта мысль весь день не давала ей покоя, но она с самого начала, как только закончила тот ужасный телефонный разговор с мужем, знала: пока не примет решение — домой не пойдет, а приняв решение, уже не отступит от него ни на миллиметр. Работа весь день валилась из рук, Катя делала чудовищные ошибки в письмах, ставила не те адреса, ссылалась не на те документы, спохватывалась, переделывала, ругала себя. Когда ее позвали из стационара, попросили подойти успокоить малыша, не дававшего поставить капельницу, Катя на полдороге вдруг разрыдалась и даже до палаты не смогла дойти. Медсестра так перепугалась, что немедленно побежала к психологу: ну как же, Катя Волохина, мотор, движущая сила, эпицентр всего учреждения, самая преданная делу, самая деятельная и неунывающая — и вдруг стоит посреди коридора и рыдает так, что трясется вся.

В тот момент Катя готова была именно психологу — пожилой спокойной женщине, которая мягко обняла ее и отвела назад в кабинет, — рассказать о своей беде. Она уже набрала в грудь воздух, чтобы начать говорить, но подошла сотрудница:

— Катюша, к тебе пришли.

— Кто?

— Не знаю, какая-то дама, одета хорошо, на машине приехала. В холле ждет.

«Может, новый спонсор объявился, — подумала Катя, судорожно ища в кармане бумажную салфетку, чтобы вытереть лицо. — Разговоры подождут, дело в первую очередь». После субботнего мероприятия некоторые материалы появились в интернете уже в воскресенье, а сегодня, в понедельник, их было еще больше, Катя проверяла. А вдруг и в самом деле пресс-конференция дала свой результат, и эта хорошо одетая дама — представитель какого-нибудь бизнес-лорда, возжелавшего оказать посильную помощь? Как было бы хорошо! Им так нужны два новых детских инвалидных кресла, и стойки для капельниц уже совсем древние, где-то списанные и приобретенные хосписом практически даром, разваливаются на ходу. Не говоря уж о предметах гигиены и расходных материалах, надобность в которых никогда не заканчивается.

Выбежала из кабинета, заскочила в туалет, плеснула на лицо холодной воды, глянула в зеркало. Нет, все равно видно, что плакала. Ну и пусть. Дело прежде всего.

Пока спускалась со второго этажа в холл, почти успокоилась. Подошла к незнакомке, красивой яркой блондинке с темными глазами, улыбнулась и удивилась, что улыбка далась ей без усилий.

— Здравствуйте, я Екатерина Волохина. Мне сказали, что вы меня спрашивали.

— Здравствуйте, я — Алла Владимировна, можно просто Алла. Я была в субботу на аукционе и вот подумала, что...

Катя не понимала, как так получилось, но именно ей, этой совершенно незнакомой посторонней женщине, она рассказала о себе и Славике. Сначала Алла спросила, где они могут поговорить, и Катя отчего-то постеснялась вести ее, такую красивую и нарядную, в тесную и душную рабочую комнату. Пришлось сказать, что переговорной у них в хосписе нет, и предложить побеседовать прямо здесь, в холле. В ответ Алла посмотрела на часы и спросила, нет ли поблизости какого-нибудь приятного кафе. Видимо, Катя не сумела скрыть колебания, услышав про кафе, на которое у нее банально не было денег, потому что Алла Владимировна тут же добавила:

— Будьте моей гостьей.

Почему Катя немедленно согласилась? Почему, когда Алла уже в кафе внимательно посмотрела на нее и тихо спросила: «Вы чем-то расстроены? Что-то плохое случилось?», она, Катя, всё рассказала. Вот просто взяла и вывалила перед ней всю кучу негатива, накопившегося в душе. Про мать-наркоманку, которой было наплевать на мужа и дочь. Про отца, чьи надежды она не оправдала и который из-за этого отказался от нее. Про мужа, который ее предал. Про Женю и Светочку, которых она не может бросить на произвол судьбы.

Они разговаривали долго. Потом Алла уехала, договорившись обязательно встретиться с Катей на следующий день, то есть завтра. А Катя вернулась в хоспис, села за свой маленький столик, включила компьютер, уставилась невидящими глазами в экран и начала вспоминать весь разговор, перебирая по фразам, по словам, обдумывая и то, что говорила Алла, и то, что говорила она сама.

— Катя, пойми, твой муж — сам еще ребенок, — говорила ей Алла, легко и быстро перешедшая на «ты». — Он мальчик. Сейчас ему двадцать один, а когда вы поженились, вообще было девятнадцать. Всего девятнадцать! Он сущее дитя! Будь снисходительна к нему, ведь ты старше, значит ты умнее, мудрее, у тебя больше жизненного опыта...

— Катенька, он просто ужасно устал. Он ребенок, взваливший на себя взрослую мужскую ношу. Да еще и не всякий мужик вдвое старше справился бы, уверяю тебя. Твой Славик сорвался от усталости и невыносимого напряжения. Человек в таком состоянии может наговорить много такого, чего он потом сам себе не простит. Но самое главное — он этого на самом деле не думает. Просто когда человек сильно устает от напряжения, он слабеет, а в ослабевшую душу мгновенно влезают бесы, которые заставляют нести всякую ахинею и творить чудовищные глупости. Поверь мне, Катенька, то, что ты думаешь о нем сегодня, неправильно и несправедливо... Вспомни, что ты думала о нем вчера. И позавчера. И все месяцы, что вы были вместе. Вот это и есть правильное, а вовсе не то, что ты думаешь сегодня под влиянием момента. Он сорвался и сказал, ты сорвалась и подумала. Просто момент оказался неподходящим, скользким, тяжелым, ну не знаю каким еще... Но это именно момент, мгновенный срыв, а ты собираешься этим маленьким моментом перечеркнуть два с лишним года.

— А как же момент истины? — возражала Катя. — Есть ведь такое понятие. Вот и у меня сегодня случился момент истины, а не срыва.

— Истина — это не то, что есть на самом деле, — ответила Алла, — а то, что мы об этом думаем. Вот так, и только так. Иначе не выживешь...

Дети звонили ей по очереди, то Женя, то Светочка.

— Кать, ну ты где? Мы уже все съели, что ты приготовила, там только Славикино осталось. Можно мы за мороженым сбегаем?

— Вам пора спать ложиться, — отвечала Катя, — уже поздно.

— Мы без тебя не ляжем! Ну когда ты придешь?

— Еще немножко поработаю и приеду, не волнуйтесь. Славик придет — разогрейте ему суп и жаркое. Посуду помыть не забудьте.

— Да знаем мы! — с досадой воскликнул Женя. — Давай возвращайся быстрее, Светка с математикой зашилась, а мне завтра сочинение сдавать, надо, чтобы ты ошибки проверила.

Наконец около десяти вечера Катя Волохина заперла кабинет, спустилась на первый этаж и вышла на улицу. Можно возвращаться домой. Она приняла решение.

ГЛАВА 8

Вторник

В о вторник утром Петр Кравченко проснулся в настроении, которое называл «боевая готовность номер один». Вчерашняя встреча с бывшими однокурсниками сначала протекала вяло и скучно, слушать рассказы о том, кто с их курса где теперь работает и как живет, было почему-то неинтересно, а других общих тем, как выяснилось, не было. И вообще, странный народ эти москвичи! Всего три года прошло после выпуска, а все как чужие, ей-богу. Никто ни с кем не общается, каждый вскапывает свою делянку и по сторонам не глядит. Спросил ребят про Ксюшу, выяснилось, что никто из них с ней не контактировал, они даже и не знали, что девушка умерла. Но сделали вид, что огорчились, даже выпили в молчании за упокой ее души.

Петр чувствовал себя неловко и почему-то виновато. Сам написал, потом позвонил, сам предложил встретиться, а теперь видел, что парни не больно-то радуются, выполняют долг вежливости, а сами сожалеют о потраченном впустую времени и мечтают, чтобы все поскорее закончилось и можно было вернуться к привычным делам. Для оживления разговора попробовал обкатать с ними заумные идеи Каменской, которые самому Петру не нравились и казались дикими, лишенными логики и оторванными от действительности.

— Фигня это всё, — услышал он в ответ. — Я иду по улице, ко мне подходит чувак, просит телефон позвонить или пятьсот рублей на билет, я отказываю, чувак бьет меня в рыло, разбивает нос, течет кровь, остается отек и синяк. Ну и где тут иллюзия? Разбитый нос — это иллюзия, что ли?

Петр понял, что бывший однокурсник не потрудился вникнуть, слушал вполуха и теперь несет полную чушь. Второй собеседник оказался чуть более внимательным, но идеи Каменской тоже не поддержал.

— Преступления — результат иллюзий? — презрительно переспросил он. — Ну смотри: маньяк нападает на девушку и насилует ее. Какие уж такие иллюзии она питала относительно себя самой, которые сделали ее жертвой? Она про себя думала, что она — не девушка, не особь женского пола, и поэтому не может вызывать у мужчин сексуальный интерес? Таких девчонок нет, а если и есть, то это либо трансуха, либо уже почти патология. Среднестатистическая девчонка прекрасно осознает свою половую принадлежность и никаких иллюзий относительно этого не питает. А все равно становится жертвой.

Но в целом посидели неплохо, хотя и без особого веселья и задушевности, зато выпили хорошо, в меру, ровно столько, чтобы, с одной стороны, расслабиться, с другой — проснуться на следующий день без головной боли и в хорошем настроении. Можно было бы выпить и побольше, тогда, может быть, и развеселились бы, и оживились, но ведь завтра всем на работу идти. Петр предлагал встретиться в пятницу или в субботу, но оба заявили, что такой теплой солнечной осени не было очень давно и теперь неизвестно, когда еще будет в следующий раз, и они по пятницам сразу после работы уезжают на все выходные за город со своими компаниями не то на чьи-то большие дачи, не то в пансионаты. При московском климате просто грех бездарно терять такие погожие дни. Петра, конечно, задело это брошенное вскользь слово «бездарно», означающее, что для них встреча с однокурсником, приехавшим из далекого города, есть не что иное, как пустая трата времени. Но... Проглотил молча, сам для себя сделал вид, что не заметил.

К себе возвращался на такси, собрался было поболтать с водителем, но тот, как оказалось, очень плохо говорил по-русски и свободно владел только словами, относящимися к адресам и стоимости поездки. Чтобы не ворошить в душе тягостное чувство, оставшееся от встречи, Петр вернулся мыслями к тому, что говорила сегодня Каменская. И не только вечером, ближе к концу занятий, но и с самого утра. «Старая дура, — злобно думал он. — Наплела про меня всякой ерунды. Я совершенно не такой! Корчит из себя великого психолога. Можно подумать, она умеет всех насквозь видеть. Можно подумать, я такой простой, примитивный и меня можно полностью раскусить за три дня. Да что она вообще понимает! Лёвкину эту защищает, выгораживает, будто лучшая подруга. А может, они и вправду знакомы, дружат? Потому и защищает, и отговаривает меня от темы злоупотреблений в следствии. Морочит мне голову какими-то психологическими портретами, зубы заговаривает. Что она может понимать?! Пенсионерка, ветошь рваная. Вобла сушеная».

Приведя себя такими мыслями в состояние здорового злого энтузиазма, Петр остаток пути, а потом и дома, пока мылся и пил чай перед сном (была у него такая привычка), продумывал речь, которую завтра скажет Каменской. Заявит, что не согласен с ее теориями, разобьет их в пух и прах, приведет убойные аргументы, доказывающие, что полковник в отставке Анастасия Павловна Каменская городит полную ерунду. Тогда она пригнется, притихнет и перестанет вести себя с ним как ментор с недоумком.

Речь выстраивалась стройной и убедительной, даже, пожалуй, красивой, тягостный неприятный осадок от дружеских посиделок исчез. Петр заснул в хорошем расположении духа, а проснулся в настроении просто превосходном. Боевая готовность номер один!

* * *

Тот факт, что состоятельные люди активно строятся в Подмосковье и в Новой Москве, не был новостью для Насти. И все равно она не ожидала, что строительный рынок, куда ее привезли утром, так огромен и многолюден. А ведь этот рынок далеко не единственный, их много. Сколько же денег, и белых, и серых, и черных, крутится там, где люди строят или ремонтируют жилье! Миллиарды рублей! Какая часть из них заработана честно, а какая — украдена, получена мошенническим путем или в виде взяток и откатов? Понятно, что вторая часть куда больше первой.

Она совершенно ничего не понимала в тех товарах, покупать которые ее заставлял дед-профундо. Ходила рядом с ним и с внуком Даней, послушно доставала кошелек, платила, кивала, делала слабые попытки вникнуть в суть, но очень скоро оставила их, сочтя бесплодными. Думать об Андрее Сокольникове было намного интереснее. Едва проснувшись, она снова выборочно просмотрела акт судебно-психиатрической экспертизы, сунула распечатку в папку, а папку — в сумку, и потом в дороге, стоя на светофорах, несколько раз перечитала полностью. Да, тут есть о чем подумать.

К двенадцати часам Настя не только успела вернуться домой, но и выпила кофе с бутербродом, и минут пятнадцать полистала дело, найдя пару документов, которые нужно непременно проработать с Петром. В описи эти документы звучали тускло и не обнадеживали. Например, справка из РЭУ. Крайне маловероятно, что в такой справке содержатся факты, важные для характеристики личности обвиняемого. Однако ж, как выяснилось, нашлись и там кирпичики, годящиеся для основания фундамента.

Петр явился с двумя плоскими квадратными коробками в руках. Значит, не забыл про обед, молодец.

— Вы вчера много говорили про всякие иллюзии, в частности, что без иллюзий не было бы преступлений. Я считаю, что вы не правы. Я с вами не согласен, — заявил он прямо с порога, едва сняв обувь и сунув ноги в шлепанцы.

Ну, кто ж ожидал другого... Настя кивнула, но ничего не ответила, молча вернулась в комнату, уселась в рабочее кресло, развернулась лицом к дивану и ждала, пока Петр устроится, а его ноутбук загрузится.

— Начнем работать, — сказала она. — Если захотите получить совет, подайте сигнал голосом.

Поймала недоуменный взгляд журналиста, слегка приподняла брови, дескать, что вас так удивило? Я сказала что-то непонятное?

— Сигнал голосом — это как? — спросил он неуверенно.

— Словами. Если сочтете, что вам нужен совет, скажите об этом вслух.

— Какой совет? Насчет чего?

— Насчет вашего мнения. Точнее, насчет вашего горячего желания непременно высказать его. Собственно, само мнение вы уже и так озвучили, и я его услышала: вы со мной не согласны. Так как, нужен совет?

Парень растерялся, но все-таки кивнул.

— Тогда ответьте, зачем вы мне только что заявили, что не согласны?

— Ну как... Вы вчера изложили свою теорию, я ее обдумал и говорю, что не согласен. И могу доказать, что вы не правы. Вот, например...

— А зачем? — оборвала она. — Для чего мне так необходимо знать, что вы со мной не согласны? Допускаю, что я не права, ничего страшного, это нормально — ошибаться и быть неправым. Но для чего вам, лично вам, нужно, чтобы я это понимала? Ради чего вы готовы тратить силы, чтобы меня переубедить?

— Ну... — Он растерялся еще больше и тут же кинулся в атаку: — А что, высказывать свое мнение и несогласие — это ненормально, по-вашему? Вас что, нельзя критиковать? С вами нельзя спорить?

Вам можно иметь свою точку зрения, а другим запрещается? Да?

Настя улыбнулась.

— Не запрещается. Но во всем должен быть смысл. Предположим, я действительно заблуждаюсь и вы сейчас простыми и понятными аргументами докажете мне, что я ошибаюсь, а правы именно вы. Вы перевербуете меня в свои сторонники, и я откажусь от своих пагубных идей. Что дальше? Лично для вас что это будет означать? Что изменится в вашей собственной жизни, если я начну думать как-то иначе? У вас появится больше денег? На вас обрушится мировая слава? Вас полюбит девушка королевских кровей? Что произойдет? Каков конечный смысл этой вашей перевербовки? Только не нужно мне петь песни о том, что вы хотите мне добра и если я перестану думать неправильно и начну вслед за вами думать правильно, то моя старая никчемная жизнь изменится к лучшему. Не льстите себе, Петр, на чистого альтруиста, заботящегося о душевном состоянии стариков, вы мало похожи.

По краске, залившей его лицо, Настя поняла, что накануне не ошиблась. Он и в самом деле исступленно сопротивлялся ее словам о внутреннем конфликте и неуверенности в себе, о страстном желании «всем доказать» и паническом страхе перед возможными критическими нападками, мысленно опровергал то, что она говорила, и называл ее глупой старухой, которая ничего не понимает. Ей тоже когда-то в юности, был такой грех, казалось, что те, кому за сорок, уже не живут полноценно, а доживают свой век, ничего не понимая в жизни молодых, и только мешают, лезут со своими дурацкими советами и наставлениями.

Петр молчал, переводя взгляд с клавиатуры ноутбука на свои колени и обратно. Настя терпеливо ждала.

— Вот именно, — наконец сказала она. — Вы умный человек и отдаете себе отчет, что в моей жизни ваше мнение никакой роли не играет и сыграть не может. И я, между прочим, вашего мнения не спрашивала, не интересовалась, согласны ли вы со мной, но вы тем не менее сочли нужным выступить с декларацией. Потому что это нужно не мне, а вам. Лично вам. Вы меня убедите в своей правоте, я с вами соглашусь, и это даст вам возможность думать: «Я ее переспорил, она приняла мои аргументы, она согласилась, что была неправа. Значит, я умнее. Я лучше. Я выше». После чего вашу нежную душу затопит чувство глубокого удовлетворения, а возможно, и восторженного экстаза. Ну а как же! Вы поднялись еще над кем-то, победили в споре, заняли более высокую позицию. Вы не сделали ничего полезного для людей, никому не помогли в трудную минуту, вы всего лишь создали себе очередную иллюзию возвышения и превосходства. Вам стало хорошо, иными словами, ваша выгода очевидна. А моя выгода в чем? В чем для меня польза? Да ни в чем! Вы просто меня использовали, решили собственную проблему за мой счет.

— Зачем вы так, Анастасия Павловна... Насчет использования — это как-то вообще уж... По-вашему, выходит, что спорить нельзя? И отстаивать свое мнение, бороться за него, тоже неправильно?

Настя покачала головой. Ну и мешанина царит в головах у людей! Свалили все в одну кучу, а потом разводят руками и разобраться не могут. Отстаивать... Бороться... Слова-то какие! Красивые слова.

Только они теряют смысл и красоту, когда употребляются без разбора в качестве затычек к каждой бочке.

— Не нужно путать разные вещи. Есть врачебный консилиум, на котором медики обсуждают, какой диагноз выставить больному и какую тактику лечения избрать. Если у кого-то из них есть мнение, отличное от мнения большинства, то его непременно нужно озвучить. Пусть другие обдумают и, возможно, примут более взвешенное решение, от которого напрямую зависит жизнь человека, его судьба и судьба его близких. Когда речь идет о проектировании в строительстве, никаким мнением пренебрегать нельзя, ибо непродуманное решение чревато угрозой для жизней многих людей: дом рухнет, мост обвалится. В парламенте обсуждают новый закон — начинается жаркая полемика, и это совершенно естественно. Поймите, есть решения, влияющие на жизнь не только того, кто это решение принимает, и здесь очень важно учесть по возможности максимальное число рисков, поэтому при принятии таких решений споры, дискуссии и разные мнения не только допустимы, они абсолютно необходимы. Но есть личные, индивидуальные теории, например, отношения к жизни, придуманные кем-то исключительно для собственного употребления. А есть и просто оценочные суждения, например, книга плохая или книга хорошая. Вы утверждаете, что кино получилось неудачное, а ваш друг считает, что фильм отличный. И вот спорите вы до обморока, доказывая друг другу каждый свою правоту. Ну, доказали. И что? Наступил мир во всем мире? От того обстоятельства, что с вами согласны не только вы-любимый, но и кто-то еще, улучшается ваша самооценка, а больше не меняется ничего. И обратите, пожалуйста, внимание: сейчас, в данный момент, я высказываю свою позицию, но о вашем согласии с ней не спрашиваю.

— Это я уже понял, — слабо усмехнулся Петр. — Спорить вы не любите. Вы любите только свое мнение.

Настя расхохоталась.

— Вам, наверное, кажется, что вы меня укололи, уели? Ничего подобного. Дорогой Петр, любить то, что сам придумал, до чего сам дошел, совершенно естественно для любого человека. Глупо стесняться этого и уж тем более глупо упрекать за такое. Спорить я действительно не люблю, тут вы правы. Не вижу в этом смысла, если речь не идет о судьбоносном решении. Если мы с вами примем за аксиому, что для человека нормально любить и ценить то, до чего он сам додумался или что он сам, без всякой подсказки, почувствовал, то в сухом остатке результат спора выглядит примерно так: победитель дискуссии уверен, что то, что он любит, — хорошо; побежденный приходит к выводу, что то, что он любит, — плохо. Один радуется и торжествует, другой подавлен и угнетен. У одного самооценка и уверенность в себе повышаются, у другого понижаются. Вот, собственно говоря, и весь итог спора. Поэтому я стараюсь не высказывать своего мнения, если меня не спрашивают. В этом и состоит мой совет, которого вы вообще-то не просили. Именно поэтому я сказала: захотите совет — подайте сигнал. Лезть с непрошеными советами — дело неблагодарное. Если мне в какой-то момент важно будет услышать ваше мнение, я скажу об этом, не сомневайтесь.

Петр уже вполне справился с растерянностью, перестал отводить глаза и теперь смотрел на Настю даже с некоторой долей дерзости.

— Анастасия Павловна, что я слышу?! Неужели может настать великий момент, когда вам захочется услышать еще чье-нибудь мнение, кроме вашего?

— Обязательно настанет, — весело заверила она. — И он не за горами, сей великий момент. Замечу а propos, что выслушивать чужое мнение иногда очень полезно, даже если речь не идет о значимых решениях.

— Ну Анастасия Павловна! — Петр теперь уже окончательно развеселился. — Вы же только что прочли мне лекцию о том, что чужое мнение чаще всего бесполезно и высказывать его не нужно. А теперь говорите наоборот. У меня разрыв шаблона! Только я не понял...

— Чего? А propos? Это по-латыни, означает «кстати, между прочим».

— Вы знаете латынь?

— Нет, конечно, но в университете изучала, на первом курсе. Обязательный предмет. Кое-что еще помню. Давайте быстренько зашьем крупными стежками ваш порванный шаблон и начнем работать, а то время идет. Вы невнимательны к словам. Я говорила о том, что высказывать свое мнение бессмысленно. Высказывать, подчеркиваю. А вот слушать бывает полезно. Потому что когда слушаешь и не соглашаешься, то автоматически начинаешь вырабатывать собственную систему аргументов, подкрепляющих твое несогласие. Иными словами — начинаешь чуть глубже обдумывать вопрос, а это уже неплохо. Кроме того, чужое мнение, если с ним не спорить, а просто принять к сведению как информацию, дает прекрасный материал для понимания другого человека. Вернемся к нашему Сокольникову. Можно до хрипоты спорить с ним и с теми, кто поддерживает идеи расовой чистоты. А можно сделать определенные выводы о личности Сокольникова и о вариантах его поведения. Домашнее задание выполнили?

Вопрос был риторическим. Если Петр накануне поехал после занятий в гости к друзьям, то вряд ли нашел время и силы для составления целых двух вариантов психологического портрета. Разве что сегодня с утра, но маловероятно. Молодые мужчины, университетские друзья, три года не виделись, разговоры за полночь, выпивка, утром спал долго и еле оторвал голову от подушки. Какие уж тут портреты.

— Вы же знаете, мы встречались с...

— Да, помню. Ладно, тогда давайте прямо с листа. Или вы экспертизу тоже до конца не дочитали?

— Почему? Дочитал, но...

— Все ясно, — вздохнула она. — Беда. Вы так обиделись и так яростно ненавидели меня вчера, особенно после того, как выпили, что отвергли всё, связанное со мной, в том числе и задание. Ненависть — хорошее чувство, вы имеете на него полное право, только не нужно поддаваться иллюзиям. Очень удобно думать: «Я его или ее ненавижу, и все, что от него или от нее исходит, плохо и неправильно. Все, что он или она делает, все, что говорит, — все плохо, и я этого не приемлю». Подобная позиция ведет к очень опасным заблуждениям и роковым ошибкам. Мысль о том, что если человек для вас хорош, то он хорош и прав вообще всегда и во всем, является вредной иллюзией. И не менее вредной является иллюзия противоположная, а вы ей легко поддались. Всё, работаем. Мы с вами остановились на разделе «Психическое состояние».

Испытуемый в ясном сознании, всесторонне ориентирован. Во время беседы настроение ровное, держится сдержанно. Контактен, словоохотлив. Психически больным себя не считает, бреда, обмана чувств не обнаруживает. ...Оттеняет характеризующие его положительно моменты, замалчивая или приглушая факты, представляющие его в неблагоприятном (с его точки зрения) свете. Так, замалчивал факт пребывания в детстве в психиатрической больнице...

Настя оторвалась от распечатки, которую медленно зачитывала вслух.

— Обратите внимание на эту фразу, Петр, она важна.

— А что тут особенного? Любой человек старается выпятить свои положительные стороны и затушевать отрицательные или сомнительные. Это про каждого можно сказать.

— Вы правы, но речь не об этом. Вчера мы с вами говорили о том, что Сокольников лжет о фактах, которые легко проверяются и опровергаются. Он мог солгать экспертам-психиатрам о том, что любит селедку и не любит шоколад. Это одна песня. А солгать во время экспертизы о факте, напрямую связанном с предметом самой экспертизы, песня совсем другая. Здравомыслящий человек даже со средним интеллектом понимает, что если экспертиза медицинская, то врачам предварительно дадут все-все-все имеющиеся на этом свете медицинские документы, и если очень хочется обмануть, то нужно придумать невероятно правдоподобное объяснение, почему документов нет или в них написано не так. Сокольников же тупо врет. Он даже не задумывается о том, что существуют документы и люди, особенно судебные эксперты, все проверяют и перепроверяют многократно. Он уверен, что достаточно сказать — и все поверят. Проще говоря, он умный, а все кругом идиоты. Вот этот момент, эта характеристика для нас важна.

Обстоятельства правонарушения излагает в версии, данной на следствии, подробно, с деталями, фиксацией взаимного пространственного расположения, что представляется маловероятным...

— И об этом мы с вами тоже вчера говорили, — сказала она. — Помните? Я сомневалась, что Сокольников, не будучи профессиональным убийцей, сохранил такое хладнокровие и самообладание, убивая двух человек. А может быть, и трех, с этим пока ясности нет. Вот и эксперты засомневались, им представляется маловероятным, что человек может с такой четкостью запомнить в стрессовой ситуации все детали.

— Но вдруг он действительно какой-то невероятно спокойный? — возразил Петр. — Видите, все отмечают, и в экспертизе, и в разных характеристиках, что он спокойный и уравновешенный. Никто нигде не отмечает, что он взрывной, агрессивный, легко впадает в гнев или еще что-то. Есть же люди суперфлегматичные, прекрасно владеющие собой, умеющие не терять самообладания ни в каких ситуациях.

— Есть, — покладисто согласилась Настя. — С этим невозможно спорить. Читаем дальше.

Несмотря на внешнее спокойствие, демонстрируемое при рассказе о преступлении, оживляются вегетативные реакции, свидетельствующие о вол-

нении. Временами выдержка отказывает, особенно при оценке судебной ситуации...

— Ну и как вам? А теперь добавьте к этому гипергидроз и диспноэ, которые мы отметили вчера в заключении психолога. И не забудьте о вспышках ярости и гнева в детстве, на которые указывала мать, когда водила сына к детскому психиатру. Вам по-прежнему хочется сделать из Сокольникова супергероя, эдакого Бэтмена российского розлива или Джеймса Бонда? Дальше в заключении приводятся цитаты из высказываний самого Сокольникова во время беседы с психиатром: «Суда не будет, я это для себя решил твердо», «Не хочу, чтобы злорадствовали». Прокомментируйте, пожалуйста, эти слова.

— А как... ну, то есть я не понял, почему Сокольников считает, что суда может не быть. Что значит «я это решил твердо»? — с удивлением переспросил Петр.

— Вот и мне интересно. Предположения есть?

— Если только он запланировал покончить с собой до суда, — выдвинул свой вариант Петр.

— Отлично, принимаю. Еще?

— Или ему адвокат ясно дал понять, что все на мази, со всеми договорился, следователям дал, судье тоже конверт занес...

— Судья еще не назначен, потому что предварительное следствие не окончено и дело в суд не передано. Но в принципе схема годится: адвокат заблаговременно договорился с председателем суда, в котором будет слушаться дело, что судью назначат покладистого, сговорчивого, умеющего «правильно» вести судебные заседания. Но такой вариант годится именно как схема, в жизни он не особенно надежен.

— Почему?

— В девяносто восьмом году в судах работали юристы еще советского призыва. С ними не так просто было договориться. Звонок или намек из горкома партии или откуда-то повыше — это да, срабатывало, но при советской власти все так жили. А вот конвертик от адвоката с риском спалиться перед операми — в те годы еще было странновато, да и брезговали многие. Но, повторяю, как схема — пойдет. Еще какие объяснения? Не забывайте, Сокольников говорит не о том, что не будет обвинительного приговора, он говорит, что не будет самого суда. Конечно, он не юрист и может не видеть разницы в терминах, для него слова «суд» и «приговор» имеют одинаковый смысл, поэтому примем допущение, что он хотел сказать: на суде меня оправдают, обвинительного приговора и реального срока лишения свободы не будет. Но тут нам сильно мешают слова «Я это для себя решил твердо».

— Да-а, — протянул Петр задумчиво. — Тогда кроме запланированного самоубийства ничего другого не остается. Что еще он мог сам твердо решить, чтобы избежать суда?

— Не знаю, пока ничего в голову не приходит. Если бы он сказал «я знаю точно, что суда не будет», мы могли бы предполагать всякие договоренности на разных уровнях. А «я твердо решил» — это совсем про другое. Насчет злорадства что скажете?

— Это, похоже, из того же разряда, что и ориентация на успех. Правильно?

— Думаю, да. Зависимость от чужого мнения и сторонних оценок. Хочу, чтобы все думали, что я крутой, и не хочу, чтобы меня считали лохом и неудачником. Я даже готов умереть, только бы не злорадствовали в мой адрес. Разобрались, идем дальше.

Обнаруживает хорошую память, довольно обширный запас знаний, мышление логичное, последовательное, уровень мышления категориальный. Структурных нарушений не выявлено. Эмоциональные реакции адекватны. За время пребывания в отделении поведение упорядоченное. Суицидных, агрессивных тенденций не обнаруживал...

— Получается, я опять глупость сморозил? — огорченно спросил Петр. — Раз суицидных тенденций врачи не усмотрели, значит, Сокольников не собирался покончить с собой.

— Вот и нет. Тут вы как раз очень даже правы, как мне кажется. И расхождение между заключением психиатра и вашими логическими выводами подтверждает вашу правоту. Вы сейчас не отвлекайтесь, я вам потом объясню. Итак, дальше у нас с вами идет последняя часть акта, собственно Заключение. Читаем.

Подэкспертный Сокольников Андрей Александрович... психическими заболеваниями, слабоумием не страдает... В детстве (в 1978 году) ему устанавливался диагноз «Пограничная умственная отсталость, обусловленная постнатальными вредностями с невропатическим синдромом», который в дальнейшем не подтвердился... При настоящем клиническом обследовании у Сокольникова также не выявлено признаков снижения памяти, интеллекта, неадекватных поведенческих реакций, а также какой-либо психотической (бреда, обмана чувств) симптоматики... В момент совершения инкриминируемых ему действий Сокольников А.А. каким-либо временным расстройством психической

деятельности не страдал, мог (и может в насто-
ящее время) осознавать фактический характер
и общественную опасность своих действий и ру-
ководить ими.

— Видите, как все замечательно, — заметила Настя, дочитав до этого места. — Здоровый молодой
человек, ни о какой невменяемости речь на суде
идти не будет. Ваши надежды на то, что вам удастся
сделать из него второго Бруно Людке, не оправдались.

— Бруно Людке? Это кто?

— Был такой персонаж в Германии в первой половине прошлого века, слабоумный, на которого повесили серию убийств и объявили маньяком.
Если интересно — найдите в интернете, там есть
информация. Права была мать Сокольникова, когда
не поверила диагнозу детских психиатров и не отдала сына в спецкласс. У меня, честно говоря, мелькнула в самом начале мысль, что он попытается си-
мулировать психическое расстройство или адвокат
вместе с мамой уломают экспертов написать в заключении нужные слова. Тогда это объясняло бы
его уверенность в том, что суда якобы не будет, то
есть не будет срока в колонии. Но Сокольников изо
всех сил старался произвести хорошее впечатление
и выглядеть умным и адекватным. На попытки си-
муляции даже намека нет. Для него важно, чтобы на
его счет не злорадствовали, поэтому получить диагноз и признание невменяемым он категорически
не согласился бы. Читаем дальше.

Характерологический тип — эпилептоидный,
что выражается в эгоцентризме и эгоизме, склон-
ности к кумуляции аффективных переживаний,
сочетании сентиментальности с жестокостью,

склонности к эмоциональным переживаниям негативного спектра, ригидности установок и поведенческих реакций. Выраженность черт характера не достигает даже степени акцентуации, подэкспертный способен хорошо корректировать особенности своего характера в соответствии с социальными и ситуационными требованиями и направлять их в русло социально-положительной деятельности. В личностных методиках проявился высокий уровень лживости, желания исказить результаты в свою пользу, дать ответы с высоким социально-положительным смыслом... Из юридически значимых личностных черт подэкспертному свойственны лживость, особенно в экспертной ситуации, и жестокость.

Настя отложила в сторону распечатку, сняла очки.

— Все термины понятны?

— Да, вроде разобрался.

— Тогда я попрошу вас развить тему лживости, и особенно в экспертной ситуации. Не торопитесь, подумайте, вспомните все, что мы с вами на сегодняшний день прочитали и обсудили. Посмотрите в третьем томе справку из РЭУ, она поможет подкрепить суждение.

— Справку из РЭУ? А там-то что может быть, кроме состояния жилого помещения?

— А вы посмотрите. Следователь Гусарев, напарник Лёвкиной, был умным и профессиональным, он понимал, какая информация ему нужна для дела, и знал, где и как ее получить.

В справке, помимо всего прочего, было написано то, что Насте и без того было понятно: если кто-то из жильцов коммунальной квартиры не оплачивает вовремя коммунальные услуги, это не может быть поводом для серьезного затяжного конфликта с соседями, ибо лицевые счета разделены. Оплата телефонной связи — да, момент проблемный, а вот электричество, вода, вывоз мусора, отопление... Сокольников же жаловался не только на то, что соседи — пьяницы и грязнули, не убирают места общего пользования и не выбрасывают свой мусор, но и — чаще всего! — на то, что они не платят вовремя за квартиру. Ему-то какая разница, платят они или нет? Пусть голова болит у коммунальных служб, у Мосгаза и у Мосэнерго. Старший инженер РЭУ, опираясь на имеющиеся документы, сообщил в справке, что задолженности по оплате у Даниловых действительно бывали, но всего несколько раз и кратковременные, не дольше месяца, то есть не такие, чтобы принимать серьезные меры и отключать электричество или, например, перекрывать подачу газа. Это можно делать в отдельных квартирах, где один хозяин, но не в коммунальных. Неужели Андрей Сокольников этого не знал? Маловероятно. Тогда зачем гнал волну, обвиняя соседей во всех смертных грехах? Наверное, затем же, зачем лгал во время экспертизы. Если много и красиво говорить, то тебе поверят и проверять не станут. В общем, очередная иллюзия. Любопытно, кто ему внушил такую иллюзию? Мама? Кто-то другой? Или сам додумался?

Сегодня Петр справлялся с заданиями намного лучше, чем прежде. То ли посиделки с друзьями и спиртным оказали благотворное воздействие, то ли здоровый сон, то ли злость на противную Каменскую. А может быть, количество учебных часов переросло в качество, и журналист понял наконец, чего от него требует Настя, к какому стилю работы подводит. Пусть с паузами, ошибками и подсказками, но до конечного вывода он все-таки добрался. Андрей Сокольников лгал упоенно и безоглядно, причем очень по-детски, примерно так же, как лжет ребенок, уверенный в том, что легко может обмануть взрослого. «Потерял дневник», чтобы не показывать плохую оценку или написанное учителем замечание и требование привести в школу родителей. «Училка заболела», чтобы не идти к первому уроку и поспать еще полчаса. «На завтра ничего не задали», чтобы не делать уроки, а вместо этого играть на плейстейшн или смотреть мультики и ролики. Все примитивно, все легко проверяется, но ребенок думает, что достаточно умен, а окружающие глупее и ему поверят. Одна только история с бесценными семейными реликвиями чего стоит! Даже если бы Сокольниковы действительно были потомками известной исторической личности, даже если бы у них действительно имелись подобные ценности, какой человек в здравом рассудке будет хранить их в комнате коммунальной квартиры и при этом запасной ключ от своей комнаты держать в холодильнике, который стоит на общей кухне, то есть в доступном для любого желающего месте? И это при наличии пьющих соседей! О ценностях и о том, где и как они хранятся, были якобы осведомлены все члены семьи, то есть не только сам Андрей, но и мама с папой, и сестра. И что, никому из них не пришло в голову, что с такими предметами нужно обращаться как-то иначе, более бережно? Вся семья состоит сплошь из слабоумных? При проверке жалоб на кражу их всех должны были допросить или хотя бы опросить. Наверняка так и сделали, но никаких документов в материалах нет. Однако это вовсе не означает, что их нет в деле. Их по каким-то причинам пропустили. В описи они, вполне возможно, указаны, но кратко: «Допрос Сокольниковой». Которой из них — матери или дочери? На какую тему? Какого числа? Если фотография не сделана или пропущена, то и не узнаешь. Единственное, что можно утверждать точно: историю с похищенными реликвиями поддерживала мать Андрея, ибо писала на эту тему многочисленные жалобы. Что думали насчет кражи ценностей его отец и сестра — неизвестно, протоколов их допросов нет, в написании бесчисленных жалоб они не участвовали. Такое впечатление, что отец и сестра самоустранились от процесса, а вот матушка под чутким руководством защитника, а возможно, и самостоятельно бросила все силы на то, чтобы вытащить сына. Кто придумал байку про украденные ценности? Сам Сокольников, а мать поддержала? Или мать, через адвоката подавшая сыну столь «блестящую» идею? А может, то была инициатива адвоката?

Итак, Андрей Сокольников характеризуется тем, что сильно преувеличивает как собственный ум, так и глупость окружающих. Самоуверенный, самовлюбленный, изрядный сноб.

— Давайте еще разок пробежимся по жалобам, — предложила Настя. — Суть жалоб характеризует человека не хуже его лжи.

Они принялись листать файлы шестого тома. «Господи, как мелко, какой бледный текст, я ничего не вижу», — с досадой думала Настя. Но не распечатывать же все тома!

— Не понял, — протянул недоуменно Петр. — Тут ходатайство матери на ту же тему, опять про кражу фамильных ценностей и про то, что дело против сына сфабриковано. Но с датами непонятка.

Ффух! Слава богу, можно не ломать глаза, а послушать.

— Она пишет, что Андрей никак не мог совершить убийство соседей, потому что в период с середины июня по середину августа вообще не жил в квартире на Чистых прудах. Он жил по другому адресу, у своего товарища, писал диплом. Вот, дословно: «С восемнадцатого июня до середины августа сын живет по другому адресу, так как пишет диплом, а в квартире на Чистопрудном у него очень плохие условия, так как соседи пьют, дерутся и общаются с пьяными друзьями». Как так может быть? Он окончил институт два года назад, мы же с вами копию диплома видели, там и тема дипломной работы указана, и даты все проставлены. Помните, мы с вами еще обсуждали, где и кем он работал, пока учился на заочном, и потом два года после института. Почему же мать Сокольникова говорит, что он летом девяносто восьмого писал диплом? Он что, еще где-то учился? Получал второе образование? И чуть дальше она возмущается, что у сына в течение первых двух месяцев следствия не было адвоката. Как же не было, если мы с вами все ордера видели, их там куча! Да, адвокаты часто менялись, но они всегда были, вы сами проверяли.

— Отлично! — радостно воскликнула Настя. — Просто супер! Петр, я вас поздравляю, вы только что нашли ответ на мой вопрос. Мать Сокольникова лжет точно так же, как ее сынок, пребывая в полной уверенности, что никто проверять не станет, ей поверят на слово, ведь она такая хорошая, такая замечательная, как же можно ей не поверить?

Надо полагать, говорить неправду она мальчика в прямом смысле не учила, она всего лишь внушала ему, что она необыкновенная умница и сокровище, а все прочие, в том числе и психиатры, придумавшие какую-то там пограничную умственную отсталость, — дураки, которые ничего не понимают. Но при этом сама лгала совершенно по-детски, самоуверенно и нахально, а сынок все видел и мотал на ус, перенимал. Если и мать, и сын демонстрируют схожие модели поведения, мы можем более или менее уверенно полагать, что саму модель мы сформулировали верно. Пойдемте есть пиццу, а после обеда займемся социально-положительными ориентирами, на которые указывают эксперты.

* * *

Звонок Татьяны Образцовой застиг Настю в тот самый момент, когда она усилием воли оторвала себя от материалов уголовного дела и собралась заняться переводом.

— Как вы там отдыхаете? — спросила она.

— Замечательно! Спасибо тебе, Настюша, еще раз, выручила нас всех.

— Да ерунда, — отмахнулась Настя. — Мне и самой ужасно интересно. Ты же знаешь, я люблю копаться, особенно в документах.

— А мальчик как? Справляешься?

— Мальчик чудесный. Колючий, ершистый, упрямый, умница, в общем, настоящий журналист. Вцепился в несчастную Лёвкину как клещ, мечтает доказать злоупотребления и фальсификацию дела.

— Лёвкина? Рита?

— Да, Маргарита Станиславовна. Ты ее знаешь?

— Ну, — рассмеялась Татьяна, — знаю — это сильно сказано. Пересеклись однажды на торжественном сходняке по случаю Восьмого марта, там помимо прочего лучших женщин-следователей награждали. Меня в том году в нашем округе признали лучшей, а в Центральном — Лёвкину. Потом, как водится, фуршет в обществе коллег и руководства, я подошла к Лёвкиной, представилась, поздравила. Познакомились, постояли, поболтали ни о чем. Она мне показалась очень приятной дамой.

— С другими обсуждала ее?

— Ну а как же! Или я не женщина? — в голосе Татьяны зазвучало лукавство. — Сплетни и слухи — наше всё, сама знаешь. Тебя что-то конкретное интересует?

— Например, любовные связи с коллегами. Не было разговоров?

— Не слышала такого, да это и маловероятно. У Лёвкиной свекор был генералом ФСБ, а муж — не то майором, не то подполковником, сейчас уже точно не припомню, но в той же конторе. Не стала бы она такими семейными связями рисковать ради прокурорского или милицейского следователя. Про нее все говорили, что она умная и работу свою знает отлично. А что, в деле ты видишь что-то сомнительное? Что-то не так?

— Не знаю, Танюша. Вроде всё нормально. А всё равно что-то скребет, — призналась Настя. — Но я никуда не лезу, ты не бойся, я твои указания выполняю тщательно.

— Кто в надзоре?

Фамилию Настя помнила, но на всякий случай заглянула в блокнот. Годы идут, не может она так уверенно полагаться на свою память, как прежде. Эх...

— Зампрокурора округа Темнова.

— Ее знаю, она потом в Генеральную перешла. У этой мышь не проскочит. Если она документ подписала, то можешь спать спокойно. Интересно, она до сих пор работает или уже на пенсии? Знаешь, — голос Татьяны вдруг стал тихим и задумчивым, — собственный возраст редко ощущается адекватно, да и в зеркале видишь себя прежнюю, а не нынешнюю, а вот когда узнаешь, что тот, кто младше тебя, или даже твой ровесник, уже на пенсии, тогда и понимаешь, сколько тебе на самом деле лет. У тебя такого не бывает?

— Бывает. Даже чаще, чем хотелось бы. Но не будем о грустном. Расскажи в двух словах про поездку.

— Если именно в двух, то райское наслаждение!

«Собственный возраст редко ощущается адекватно», — мысленно повторяла Настя Каменская, закончив разговор. Вот бывает же так: стоило ей подумать о том, что дети переоценивают себя, не понимая своего истинного возраста, и в этот же день кто-то другой заводит разговор на ту же тему, но применительно к старению. Неужели закон парных случаев действительно существует и работает?

* * *

Она всегда умела быть... нет, не незаметной, а просто никакой. Нейтральной. Такой, чтобы не вызывать гнева или раздражения. Она есть, она здесь, рядом, у всех на виду, но не дает ни малейшего повода ни для обиды, ни для злости, ни даже для обыкновенного замечания. С отцом Катя Горевая прошла отличную школу, и теперь, когда она уже два года носит фамилию «Волохина», это умение ей тоже пригодилось.

Накануне вечером она вернулась домой поздно. Женя и Светочка уже спали, Славик сидел на кухне, уткнувшись в ноутбук. Плечи опущены, вся его фигура выражает настороженность и готовность к скандалу. Как же плохо он знает свою жену! Два года — огромный срок, а он так ничего и не понял в ней. Два года... А в самом деле, много это или мало? Вот Алла, ее новая знакомая, приходившая сегодня в хоспис, сказала, что раз Катя старше своего мужа, то, стало быть, должна быть умнее и мудрее. То есть, по словам Аллы, выходило, что те два года разницы в возрасте очень даже существенны. И отец, когда кричал, что Катя собирается выйти замуж за малолетку, считал, что два года — это много. Сама же Катя, принимая решение вступить в брак, не видела вообще никакой разницы между своими двадцатью одним и Славкиными девятнадцатью. По ее ощущениям два года были полной ерундой. Почему же теперь она думает, что двух лет более чем достаточно, чтобы хорошо узнать человека?

— Ты поел? — спросила она ровным голосом, в котором не было ни холода, ни тепла.

— Я тебя ждал.

Голос неуверенный, глаза прячет.

— Ты сегодня наговорил мне кучу гадостей, — так же спокойно и ровно проговорила Катя. — Но с этим мы будем разбираться завтра. А сегодня мы только поужинаем и ляжем спать. И это не обсуждается, хорошо?

Она и деткам в больницах всегда говорила эти волшебные слова, особенно если малыш боялся предстоящей операции или процедуры. «С этим мы будем разбираться завтра, а сейчас почистим и съедим мандаринку, и я почитаю тебе сказку». Никто не рассказывал маленькой Кате про феномен отложенной жертвы, о ней речь зашла уже в институтском курсе психологии, но девочка интуитивно чувствовала, что и как сказать и сделать, чтобы успокоить болеющего ребенка. Сейчас все хорошо, сейчас будет вкусное и интересное и ничего болезненного и страшного. А плохое — оно ведь наступит только завтра, да и то есть чудесное слово «мы». «Мы будем разбираться». Малыш не останется со своей бедой, со своим страхом один на один.

Славик понял, что казнь откладывается, и заметно приободрился.

— Где ты была? Уже совсем поздно, а ты даже не позвонила. Я волновался, — произнес он чуть более уверенно.

— Я была на работе. Если бы ты волновался, ты бы сам позвонил. Поставь, пожалуйста, суп греться, я пока переоденусь.

Ужинали в молчании, так же молча вымыли, вытерли и убрали в шкаф посуду.

Катя была уверена, что проведет ночь без сна, но даже удивиться не успела, как почувствовала, что уходит в тяжкую обволакивающую дрему. Она была еще совсем молоденькой и просто не замечала, как сильно устает за день.

Проснулась, как и запланировала, в пять утра, без будильника. Этому она тоже научилась за годы жизни под жестким контролем отца: проснуться пораньше, сделать уроки, не выученные накануне, потому что после школы бегала в больницу, и в половине восьмого появиться пред строгими очами Виталия Владимировича, изображая приятную отцовскому взору картинку «дочь-школьница, умытая, одетая и собранная, выходит с рюкзачком, набитым учебниками и тетрадями, чтобы ехать в школу».

Славик тяжело сопел во сне, уткнувшись лицом в подушку, он любил спать, лежа на животе. Дети тоже спали крепко, Светочка — свернувшись калачиком, у Жени одеяло съехало на пол, обнажив длинную, еще по-детски неуклюжую ногу с огромной для его лет ступней. «Высоченным вырастет, — с ласковым умилением подумала Катя. — Намучается с одеждой и обувью». Она тихонько накрыла мальчика одеялом и, ступая на цыпочках, вышла в кухню. Залпом выпила стакан воды из-под крана, потом прокралась в ванную и быстро умылась. Душ принимать не стала, чтобы не шуметь. Белье, джинсы и тонкий джемперок она еще с вечера вынесла в прихожую. Маленькая Катя Горевая давно научилась жить в соответствии с заранее составленными графиками и по возможности все продумывать заранее, а повзрослевшая Екатерина Волохина это умение продолжала совершенствовать.

Она выскользнула из квартиры и помчалась к метро. Расписание электричек изучено еще вчера, и Катя точно рассчитала, во сколько нужно выйти из дома, чтобы успеть к нужному поезду. Конечно, будет не очень хорошо, если окажется, что дядя Дима теперь живет в другом месте, но звонить и узнавать было не с руки, и Катя просто надеялась на лучшее. Она помнила, что от платформы до его дома минут пятнадцать быстрым шагом. Вряд ли Дмитрий Алексеевич уезжает из дома раньше семи утра, так что она отлично успевает, еще небось и ждать придется.

Все шло по плану: метро, вокзал, билетный автомат, электричка, полупустой вагон, платформа. А вот это что-то новенькое: маршрутка от платформы до остановки «Савиново». Именно так назывался большой комплекс таунхаусов, где жил «правая рука» Виталия Горевого. Раньше такой маршрутки не было. Впрочем, раньше много чего не было. Раньше. До свадьбы, до Славика, до разрыва с отцом. В те времена, когда Катя иногда бывала здесь. Ладно, маршрутка — это хорошо, но деньги нужно экономить, при более чем скромном бюджете семьи Волохиных 25 рублей могут образовать заметную дыру. Лучше прогуляться быстрым шагом, тем более что и планом это предусмотрено.

Вот и знакомая вывеска дорогого супермаркета, а сразу за ним начинались длинные ряды трехэтажных таунхаусов с красивыми ухоженными газонами по фасаду и уютными внутренними двориками, откуда в хорошую погоду доносились запахи еды, готовившейся на мангалах и барбекю. Катя нашла удобную позицию, чтобы видеть входную дверь нужного дома и не особо бросаться в глаза. Если Дмитрий Алексеевич по-прежнему сам за рулем, то будет выезжать из гаража, а если босс предоставил своему любимчику машину с водителем, то пассажир выйдет на крыльцо. Гаражная дверь тоже отлично просматривается, так что все в порядке. Катя его не упустит. Только бы не оказалось, что дядя Дима в отпуске или в отъезде.

Она знала, что Дмитрий Алексеевич женился довольно поздно, дети у него совсем маленькие, а жена очень красивая и, по Катиному мнению, очень глупая. Впрочем, за те два года, в течение которых Катя не контактировала с отцом и его окружением, жена могла и поменяться, у них, у богатых бизнесменов, это легко. Зачем семье из четырех человек целых три этажа? Что на них делать? У самой Кати тоже семья из четырех человек, и им тесно в маленькой однокомнатной квартирке, это правда, но трех комнат хватило бы за глаза. А три этажа... Да, она выросла в большом доме, где их было всего трое — отец, Катя и постоянно проживающая с ними очередная гувернантка, остальной персонал был приходящим. И девочка, как ни силилась, не могла уяснить, для чего нужны такие хоромы. Слова «престиж», «репутация», «имидж» оставались для нее пустым звуком. Чтобы построить такой дом, поддерживать его и платить зарплату персоналу, нужны огромные деньги, которые, по ее мнению, лучше было бы отдать на благотворительность, например, на помощь детским больницам.

Она попыталась представить, как могла бы жить в таком таунхаусе со Славиком, Женей и Светочкой, а также с детками, которые родятся у них с мужем, но ей почти сразу стало скучно. Она не умела мечтать. Катя Волохина умела планировать и делать.

Без четверти семь дверь дома открылась, на крыльце появился Дмитрий Алексеевич в спортивном костюме. Он и раньше был не особо стройным, а за те два года, что Катя его не видела, сильно располнел и обрюзг. Похоже, на пробежку собрался, решил заняться собой. То ли здоровье стало подводить, то ли женщину новую завел...

Увидев подошедшую Катю, он остолбенел.

— Катерина? — в голосе его послышался нескрываемый страх. — Что случилось? Ты зачем здесь?

Она все понимала. Знала крутой нрав отца, его привычку мгновенно расправляться с неугодными или неудобными, знала, какие зарплаты, премии и бонусы он выплачивает тем, кто на него работает.

Ну, не до рубля и копейки, разумеется, но масштаб представляла себе довольно точно. У Кати Волохиной никогда не было стремления судить и осуждать других, она умела принимать то, что есть. И к Дмитрию Алексеевичу у нее никаких претензий не имелось. Жена, дети, их нужно обеспечивать, да и себя не забыть. Все поговорки про близкие к телу рубашки и собственные шкуры она помнила превосходно, от зубов отскакивало.

— Здравствуйте, Дмитрий Алексеевич, — вежливо проговорила Катя. — Вы не переживайте, ни о чем просить не буду, конфликт с моим отцом вам не грозит. Мне нужно только спросить кое о чем.

Лицо Щетинина чуть расслабилось, но через секунду снова напряглось.

— Спросить? О чем?

— Мой муж к вам приходил?

Молчание. Взгляд у мужчины вопросительно-выжидающий. Вроде как «договори до конца, объясни, в чем твой интерес, тогда я подумаю, как тебе ответить и сказать ли тебе правду».

— Мне написала Людмила Алабина, — продолжила Катя после паузы. — Вы ей говорили, что к вам обращался Славик, просил помочь. Мне нужно знать, когда это было и что конкретно он вам сказал. Больше ничего.

— Ничего особенного он не говорил. Просил помочь найти подработку, чтобы платили хорошо.

— Подработку? А вы-то тут при чем? — удивилась она. — Вы же не в больнице работаете.

— Я в кругах вращаюсь, — важно ответил Щетинин. — У состоятельных людей, чтоб ты знала, тоже есть старые больные родители, нуждающиеся в уходе. И не каждый старик согласится, чтобы за ним ухаживала женщина, многие стесняются. Старушки — милое дело, а старики всякие бывают. Вот твой Славик и просил устроить его на подработку в состоятельную семью ухаживать за лежачим стариком.

— Понятно. А вы что ответили?

Дмитрий Алексеевич смутился, но всего на один короткий миг. Очень короткий.

— А что я должен был ответить? Будто ты своего отца не знаешь. А у меня семья.

— Да, — кивнула Катя, — я понимаю. Без обид, дядя Дима. Мне просто нужно знать. Что еще Славик говорил?

— Да что говорил? — Щетинин пожал плечами. — Уговаривал меня, унижался, просил помочь ради тебя, рассказывал, как ты колотишься, как устаешь и на работе, и дома на хозяйстве, а еще институт... Он тебя очень жалел, хотел, чтобы тебе полегче было.

— Институт? — переспросила она, приподняв брови. — Какой еще институт? Я его уже год как окончила.

— Так это и было давно, ты еще диплом тогда писала. А ты разве не знала, что твой муж ко мне приходил?

— Нет.

— Надо же... Не врешь, Катерина? Я был уверен, что ты в курсе и вообще ты сама его ко мне послала.

— Нет, — твердо повторила она. — Я только из письма Людмилы узнала.

— Вот Людка болтушка! — с досадой произнес Дмитрий Алексеевич. — Вода ни в одном месте не держится. Зачем она тебе написала? Хотела чего-то? Или что? И как она тебя нашла?

— Через интернет, как все сейчас друг друга находят, не бином Ньютона. Она ничего не хотела, просто предложила общаться, если будет желание. Чего вы так испугались-то, дядя Дима?

Катя посмотрела на него насмешливо и даже почти весело. А вот Щетинин, похоже, отчего-то рассердился, не то от этого ее взгляда, не то от неловкости самой ситуации. На поставленный вопрос он почел за благо не отвечать.

— Бросила бы ты своего сопляка, — заговорил он назидательным тоном. — Все равно не получится у вас нормальной жизни. Разведись, выгони его, пусть катится со своими спиногрызами куда хочет, а ты возвращайся к отцу, он тебя примет, я точно знаю. И будет тебе полная чаша и помощь во всем. Ну, Катерина? Решайся, послушай совета знающего человека, я дело говорю. У Виталия Владимировича никого не осталось, кроме тебя, Юлька, средняя, в Бельгии с новым папашей кайфует, Людка никогда в жизни его не простит, ее мать так накрутила и ненавистью накачала, что...

Он махнул рукой и вздохнул.

— Виталий Владимирович только на тебя и надеялся, всю душу в тебя вложил, думал, ты нормального мужа найдешь, планировал сделать его сначала партнером, а потом весь бизнес ему передать, когда старость придет. Внуков ждал. А ты... Зачем тебе этот студент никчемный? Он же слабак, нытик, ты с ним только маяться будешь, а толку никакого.

— Вы правы, дядя Дима, — улыбнулась Катя. — Старших надо слушать, они дают правильные советы. Спасибо вам.

Щетинин выглядел озадаченным, похоже, таких слов он не ожидал.

— Странная ты, Катерина...

— Я знаю, — кивнула она. — Мне всю жизнь это говорят.

— Но... — начал было Дмитрий Алексеевич, однако Катя глянула на часы и перебила его, не дослушав:

— И не бойтесь так ужасно, отец ничего не узнает, я вам обещаю. Расслабьтесь. Все будет хорошо.

Легко развернулась и помчалась прочь. Расписание утренних электричек в сторону Москвы она тоже изучила вчера и переписала в телефон, но и без подглядывания в записи помнила, что очередная пойдет через 20 минут. Она успеет.

Если в 6 утра из Москвы в область мало кто ехал, то ближе к половине восьмого из области в столицу направлялись толпы. Вагон набит битком, окна, как обычно, не открывались, стояли духота и запахи пота, туалетной воды и какой-то еды. И все равно эти электрички были лучше многих из тех, на которых Кате доводилось ездить в других областях, где их самодеятельный театр давал спектакли и концерты в домах престарелых и инвалидов, больницах и хосписах. Там во многих местах сохранились еще старые вагоны с деревянными жесткими сиденьями, да и сами вагоны были обшарпанными и неухоженными, а окна — давно не мытыми, иногда даже битыми. Говорят, раньше и из Москвы ходили электрички с такими же вагонами. Раньше... Раньше... Отвратительное слово какое! Катя невольно поморщилась и тряхнула головой. Не имеет значения, что было раньше. Важно только то, что сейчас, потому что от этого зависит, что будет завтра. Цель — это важно. План — это важно. А воспоминания — ненужный хлам. И уж тем более сожаления.

Со всех сторон ее худенькое невысокое тело облепили хмурые молчаливые дядьки, по виду — гастарбайтеры, снимающие жилье подешевле и подальше в области и каждый день мотающиеся в столицу на работу или на ее поиски. Катя почувствовала себя плотно сжатой и вполне устойчивой, полезла за телефоном и набрала текст сообщения Славику: «Сегодня буду поздно, не волнуйтесь, у меня важная встреча, еду приготовлю днем». Подумала несколько секунд и добавила: «Целую» и смайлик с сердечком. Она ведь вчера пообещала мужу серьезный разговор сегодня вечером, и он не знает, чего ждать, так пусть уж не волнуется лишний раз, ему и без того не сладко.

Ах, Славик, Славик... В курсе психологии были какие-то разговоры о внутреннем ребенке, внутреннем взрослом и всё такое, Катя уже не очень отчетливо помнила, но сейчас, стоя в битком набитом вагоне пригородной электрички, стала наконец осознавать простые истины, известные многим. Ведь сколько раз бывало, что малыш, которого она уговаривала потерпеть и не бояться, кричал ей в ярости, захлебываясь слезами:

— Ты плохая! Ты злая! Я тебя ненавижу! Уйди! Не трогай меня! Ненавижу!

И ей никогда не приходило в голову, что на эти слова можно и нужно обижаться. Да ясно же, что ребенок вне себя от страха, боли и паники, разве можно обижаться на сказанное в таком состоянии? Подобных ситуаций было великое множество, и Катя Горевая-Волохина всегда принимала их с пониманием и сочувствием. Разве то, что вчера наговорил ей Славик, чем-то отличается? Да абсолютно ничем! Всё ровно то же самое. Человек вымотался, устал,

устал и от чисто физической нагрузки, от недосыпания, и от давящей огромной ответственности за каждого больного, за младших брата и сестренку, да даже и за жену, в конце концов. То, что он говорил вчера, — неправда. Точно так же, как неправдой была ненависть, выплескиваемая больными детками. Это только по форме кажется ненавистью, а по сути это всего лишь крик отчаяния. Крик маленького мальчика, вырвавшегося из оболочки взрослого самостоятельного молодого мужчины.

Ничего этого она объяснять Славику не собирается, просто скажет ему вечером, что все забыто и нужно двигаться дальше. В конце концов, даже если в его словах была какая-то крупица правды, обдумывать и тем более обсуждать это бессмысленно. Всё уже сделано, дети переехали в Москву и учатся в московской школе, разрыв их старшего брата с женой ударит в первую очередь именно по Жене и Светочке. Содержать их самостоятельно Славик не сможет, тем более нужно будет платить за жилье, и что им делать? Возвращаться к пьющим родителям и ставить на себе крест? Славик их не отпустит одних, уедет вместе с ними, переведется назад в свой областной институт, но детским онкологом, как он мечтает, ему стать вряд ли удастся, онкологическая наука сосредоточена в Москве, Санкт-Петербурге и Обнинске. У себя на родине Славик ничему не сможет научиться. Ну и пусть он на самом деле не любит Катю, пусть женился на ней только по расчету, ради детей, возлагая надежды на помощь богатого папочки Горевого, пусть. Сейчас это уже не имеет значения. Это было раньше. Это уже сделано. И переделать невозможно. Нужно думать о том, что происходит сегодня и будет происходить завтра.

А сегодня она пойдет к Алле Владимировне, с которой познакомилась только вчера. Алла сама пригласила ее и пообещала обсудить в спокойной обстановке возможные варианты получения спонсорской помощи.

* * *

Петр был расстроен. Зол. Обескуражен. Разочарован. Полон недоумения. Возвращаться в съемную квартиру не хотелось, но и находиться у Аллы Владимировны стало настолько невмоготу, что он ушел, сославшись на большой объем «домашнего задания», и теперь бессмысленно бродил по улицам, пытаясь определиться с собственными желаниями. А ведь вечер начинался так славно!

Накануне, в понедельник, ему позвонила Алла и пригласила прийти во вторник вечерком на чашку чаю.

— Я познакомилась с этой чудесной девочкой, Катей Волохиной, на которую ты обратил внимание во время аукциона, — сказала она, — и завтра она придет ко мне. Будет Володя, мы обсудим перспективы получения финансирования, у нас много знакомых, которые могут оказаться полезными. Тем более у Володи огромный опыт в бюрократической сфере, он подскажет всякие процедурные и законодательные тонкости. Приходи, Петенька, может, и ты что-то дельное подскажешь со своей журналистской точки зрения. Надо помочь девочке, она делает нужное и благородное дело.

Этих слов было бы вполне достаточно, Петр не то что готов был согласиться — он бы стал сам напрашиваться, если бы Алла не пригласила. Но она добавила, слегка понизив голос:

— Мне показалось, девочка тебе приглянулась. Нет?

— Алла Владимировна, она же замужем, — с деланым возмущением возразил Петр.

— Так вот, имей в виду, там не все благополучно. У тебя есть шанс, Петенька, не упусти его. Приходи обязательно, я пообещала Кате помочь с поддержкой в интернет-изданиях, так что без тебя никак не обойтись, ты же всякие ходы-выходы знаешь. Жду тебя к восьми часам, отказы не принимаются.

После звонка Аллы настроение у Петра резко скакнуло вверх, вечер понедельника он провел с однокурсниками и не выполнил почти ничего из того, что велела сделать Каменская, но, несмотря на это, во вторник, то есть сегодня, занятия прошли так успешно и эффективно, что эта сушеная вобла Анастасия Павловна даже похвалила своего ученика. Особенно ее порадовал вопрос, который Петр задал после того, как они проработали огромный по объему акт второй судебно-медицинской экспертизы, проводимой в целях идентификации личностей тех, чьи останки были обнаружены в Подмосковье.

— Анастасия Павловна, я не понял, как это может быть, — озадаченно проговорил Петр. — Экспертиза назначена перед самым Новым годом, двадцать восьмого декабря, заключение экспертов датировано началом февраля. То есть только в начале февраля стало точно известно, что извлеченные из земли останки принадлежали Георгию, Людмиле и Наташе Даниловым. Правильно я понял? Первая экспертиза, которую проводили в сентябре, указала только пол, примерный возраст и характер травм. Так ведь?

— Так, — согласилась Каменская.

— Тогда почему во всех документах, составленных до февраля девяносто девятого года, пишется, что Сокольников обвиняется в убийстве семьи Даниловых? Как следователи могли быть уверены, что останки принадлежат действительно Даниловым? Или такое у вас в юриспруденции разрешено и считается нормальным?

Каменская почему-то ужасно обрадовалась, прямо засияла вся.

— Петр, вы большая умница! Я все ждала, когда же вы спросите, и была уверена, что вообще внимания не обратите. Я вас поздравляю, вам удалось в короткий срок настроить свой мозг на правовое мышление.

Петр, ожидавший получить в ответ очередную лекцию, прочитанную менторским тоном, так обрадовался похвале, что растерялся и не нашел ничего лучше, чем буркнуть в ответ цитату из старого фильма, который очень любила смотреть его мама:

— Учителя были хорошие.

Каменская приподняла брови, взглянула удивленно.

— Только не говорите мне, что это ваш любимый фильм, все равно не поверю. Мама, наверное, смотрит?

— Ага. Диск крутит, но когда по телику показывают — тоже не отрывается. Никогда не понимал, что она в этом фильме нашла. Попробовал один раз посмотреть и бросил, меня не вставило. А вам, наверное, тоже нравится? Вы же цитату на счет «и» угадали, а в ней ведь никаких запоминающихся слов нет, самая обычная фраза, и вы сразу угадали, что из того фильма.

— Я не угадываю, у меня просто память хорошая. Была когда-то, в молодости, — с улыбкой уточнила она. — Но за комплимент спасибо, мне было приятно. На самом деле я действительно очень рада, что мой первый ученик оказался настолько умным и способным. Так что я ни при чем, вся заслуга — исключительно ваша. Сейчас я быстро объясню принцип, и пойдем дальше.

Оказалось, что принцип состоял в установлении связки «оценка информации — календарь». Ну прямо как в старом анекдоте о соединении пространства и времени при помощи формулы «от забора и до обеда»! Петр был самым обыкновенным среднестатистическим мальчишкой, юношей, молодым человеком и, как многие, любил детективы, как книжные, так и киношные. Но в них почему-то рассказывалось в основном о том, «как узнали» и «как поймали», и ни слова не говорилось о таких вещах, как правила, процедуры, сроки, статьи Уголовно-процессуального кодекса. Следствие не может длиться вечно, законом предусмотрен жесткий срок, по истечении которого нужно либо получать разрешение на продление работы по делу, либо признавать, что не справился, и дело прекращать. И срок этот не сказать чтоб уж очень велик.

— Есть информация, несущая новое знание, необходимое для продолжения работы, — объясняла Каменская, — а есть информация, просто подтверждающая то, что следствию уже и так известно и в чем нет никаких сомнений. Самый примитивный пример: обнаружен труп, в теле нож, на рукоятке есть следы рук. Чья рука держала этот нож в момент убийства? Вопрос крайне важный и требующий срочного ответа, поэтому экспертиза назначается немедленно, и тут же начинаются звонки и просьбы сделать поскорее, вне очереди. Теперь представьте ситуацию, когда преступление происходит на глазах у кучи свидетелей, которые не растерялись и вызвали полицию еще в самом начале конфликта, когда ссора только разгоралась. Преступник бьет жертву ножом, в этот момент подоспели стражи порядка и взяли злодея с поличным прямо на месте происшествия, буквально с ножом в руках. До кучи добавим еще и видео, которые некоторые присутствующие снимали на телефоны, нынче это вошло в моду. Иными словами, ответы на вопросы «кто убил?» и «как убил?» у следствия есть в первый же день. А экспертизу ножа назначать все равно нужно, без нее никак. Так вот эту экспертизу, которая с точки зрения оперативной информации — ни уму, ни сердцу, можно назначить прямо перед самым окончанием установленного законом срока предварительного следствия и тут же накатать бумагу с ходатайством о продлении сроков, потому что экспертное заключение, дескать, еще не готово, а без него не обойтись. Пример, конечно, грубый и малореальный, зато наглядный. В случае с Сокольниковым произошло в точности то же самое: он признался в убийстве, указал личности потерпевших, принес их паспорта, указал места захоронения. Проверка показала, что люди действительно пропали, а в указанных местах действительно находятся значительно разложившиеся трупы. Ну какие могут быть сомнения в том, что это Даниловы? В принципе — никаких. Но есть закон, есть правила. Необходимо провести идентификацию, иначе в суде дело развалится в две секунды. Теперь вспомните, что я вам говорила про дежурного прокурора.

Петр напрягся и смутно припомнил какой-то разговор о том, что некий документ подписан 1 января...

— Это было очередное продление сроков следствия, — напомнила Каменская. — А экспертизу назначили аккурат двадцать восьмого декабря. Дело возбудили третьего сентября, в начале ноября продлили, и третьего января подходил очередной срок. Идентификация разложившегося трупа — песня о-очень долгая, это чрезвычайная сложная и трудоемкая экспертиза, необходимая с точки зрения закона, но в данном случае не дающая никакого толчка расследованию. Идеальный вариант для продления сроков, вот ее и подтянули поближе к нужной дате. Еще очень хорошо играют в этом смысле свидетели, которых якобы необходимо допросить, потому что они могут располагать важной для следствия информацией, но которых не представляется возможным в данный момент разыскать. Отпуска, пребывание в больницах с тяжелыми заболеваниями, длительные командировки и так далее. Вплоть до безвестного отсутствия. Ничего нового такой свидетель на самом деле не расскажет, это все понимают прекрасно, но закон есть закон, его приходится соблюдать хотя бы формально.

— То есть создавать видимость соблюдения? — ехидно уточнил Петр.

Он ожидал, что Каменская рассердится на этот выпад и кинется защищать своих коллег, но она миролюбиво улыбнулась.

— Да, можно и так сказать. Так будет даже правильнее, ибо все, как я вам уже говорила, есть всего лишь иллюзия. Видимость.

В этот день впервые к концу занятий Петр не чувствовал себя уставшим, даже жалел, что пришлось заканчивать. Если бы не приглашение Аллы, сулившее знакомство с девушкой, обладающей такой удивительной улыбкой, он, наверное, попросил бы Каменскую позаниматься с ним еще несколько часов. То, что еще вчера казалось ему невыносимо скучным и пресным, неожиданно стало увлекательным и ярким. Он искренне огорчился, когда вобла предупредила, что в четверг занятий не будет.

— Я понимаю, что вы ограничены во времени, — сказала она. — Поэтому готова предложить вам вторую половину дня в четверг или работу без выходных. Или и то, и другое.

— И можно без хлеба? — лукаво спросил Петр, не устоявший перед чисто мальчишеским желанием «проверить» старшего и более сильного. А так ли уж хороша память у этой занудной тетки?

Занудная тетка проверку прошла и весело рассмеялась.

— Всё понятно, советское игровое кино вы не уважаете, а вот советские мультики очень даже смотрели, и не по одному разу.

Одним словом, всё, абсолютно всё в этот день складывалось удачно и повышало настроение. До того момента, как Петр познакомился с Катей Волохиной.

Она уже была у Аллы, когда он пришел. И Владимир Юрьевич сидел тут же. Все трое оживленно обсуждали, с кем, когда и где лучше всего встретиться и поговорить, как построить разговор, о чем просить, что обещать взамен. Петр некоторое время не мог вписаться в общую беседу, сидел молча и наблюдал за девушкой, жадно ловя те моменты, когда она улыбалась. Интересно, что имела в виду Алла, когда говорила, что у Кати с мужем не все благополучно? И откуда, кстати, ей об этом известно? В субботу они даже знакомы не были, а уже в понедельник Алла продемонстрировала такую информированность... Впрочем, зачем об этом думать? Наверное, у них, у женщин, есть какие-то свои признаки, приметы, по которым они с первого взгляда распознают неблагополучие в личной жизни.

Наконец деловая часть «про бизнес и деньги» закончилась, перешли к вопросам информационного обеспечения, и Петр включился в беседу, кое-что объяснил, кое-что посоветовал, ответил на вопросы. Потом компания разделилась, Алла всегда как-то очень ловко умела устроить так, чтобы гости общались по двое, по трое, кому с кем интересно, но при этом сохранялось ощущение общности, одной компании. Петр давно это заметил, еще в те годы, когда встречался с Ксюшей, и они порой заваливались в гости к ее тетке чуть ли не всей группой, человек по восемь-десять. Хотелось бы знать, можно ли этому научиться? Есть здесь какие-то секреты, овладев которыми можно так же красиво организовывать большие группы людей, чтобы никому не было скучно? Или это дается только от природы и научиться этому нельзя?

Через десять минут негромкого разговора с Катей он почувствовал некоторое неудобство. Еще через десять минут — недоумение. И еще через десять — раздражение. Он не хотел слушать о больных детях, о неизлечимых заболеваниях, о страданиях самих детей и их родителей, о проблемах хосписа. Об умирании. Само слово вызывало в нем ужас и отвращение. Но Кате Волохиной интересно было говорить только об этом.

Он хотел говорить с девушкой об умных книгах, об интересных фильмах, обсуждать идеи. Катя же, как выяснилось, читала совсем мало и в основном в детстве, кино не любила и не смотрела, и общих тем, которые оказались бы приятны и привлекательны им обоим, все никак не находилось.

Единственным более или менее нейтральным пунктом разговора оказалась роза, которая была у Кати в руке во время аукциона. Петр спросил, что она означает, и Катя без тени смущения поведала о неизвестном поклоннике.

— Понятия не имею, кто это может быть, но мне всегда очень приятно, — говорила она. — Думаю, это кто-нибудь из родителей наших деток, которым мы помогаем на дому.

— Разве ты не хочешь узнать точно, кто это? — удивился Петр.

Ему, журналисту, привыкшему собирать факты и стремиться к точному знанию, было непонятно подобное равнодушие.

— Не хочу. Какое это имеет значение? Важно, что кто-то ценит нашу работу, признает ее важность. Паллиативная помощь умирающим и их близким на восемьдесят процентов состоит из моральной поддержки, но мало кто это понимает. Розы и есть такая же поддержка, только не для умирающего, а для меня.

Странная девица... Петр и сам не заметил, как мысленно назвал Катю девицей, хотя прежде всегда думал о ней как о «девушке» или «Кате».

— И давно тебе приносят эти розы?

— Давно. Почти год уже. Я всегда так радуюсь!

— А муж как на это смотрит? Или ты от него скрываешь своего поклонника?

На Катином лице отразились недоумение и даже как будто возмущение.

— Ничего я не скрываю! Муж знает, он тоже радуется за меня, ему приятно, что меня заметили и оценили.

— Неужели не ревнует? — не поверил Петр.

— Славик? Да что ты, он же умный и добрый, иначе я бы его не любила.

Наврала Алла насчет того, что не все благополучно в семейной жизни Кати Волохиной. А может, не наврала, а просто ошиблась. Конечно, история с розами — полный бред, поверить в который невозможно. Наверняка эта Катя с ее любовью к разговорам о чужих страданиях и смертях сама покупает себе по одному цветку, а всем впаривает байку про тайного поклонника, чтобы набить себе цену и выглядеть более интересной и значимой. Плавали, знаем.

Улыбка девушки уже не казалась Петру прелестной и обворожительной, лицо ее становилось в его глазах все более обыкновенным и даже почти некрасивым, а после в очередной, наверное, уже сотый раз произнесенного слова «умирание» он понял, что больше не выдержит ни секунды.

Ему захотелось сбежать.

И он сбежал. Быстро, трусливо и невнятно.

Он слонялся по улицам, пытаясь разобраться в собственных мыслях. Все не то, чем кажется. Все не так, как видится. Получается, что все — иллюзия. И выходит, что сушеная зануда Каменская права, что ли?

Однако, если отвлечься от личности самой Кати и от неприятных ощущений, вызванных горьким разочарованием и еще чем-то, что Петру никак не удавалось сформулировать, следует признать, что дело, которым она занимается, действительно важно и необходимо, но в то же время мало кем оценивается по достоинству. Алла считает, что нужно помочь, если есть возможность. Ее любовник, писатель-неудачник Климм, настоятельно рекомендует писать не о деле Сокольникова, а о проблемах паллиативной помощи, в особенности — детям. Если бы Катя Волохина в реальной жизни оказалась такой же, какой ее видел в своих мечтах Петр и в какую уже почти готов был влюбиться, то сейчас он уже не колебался бы, наверное. Бросил старое уголовное дело и переключился на новую тему, разработка которой позволила бы ему часто, а то и постоянно бывать рядом с девушкой, а там — кто знает...

Но Катя оказалась совсем не такой. И снова в сознании шевельнулась мысль, вызвавшая неприятное чувство. Но и в этот раз Петр Кравченко не сумел ее зафиксировать. Или не захотел?

Конец первого тома

Оглавление

Литературно-художественное издание

Александра Маринина

ДРУГАЯ ПРАВДА

Том 1

Ответственный редактор *О. Дышева*
Художественный редактор *А. Сауков*
Технический редактор *Н. Духанина*
Компьютерная верстка *В. Андриановой*
Корректор *И. Федорова*

ООО «Издательство «Эксмо»
123308, Москва, ул. Зорге, д. 1. Тел.: 8 (495) 411-68-86.
Home page: www.eksmo.ru E-mail: info@eksmo.ru
Өндіруші: «ЭКСМО» АҚБ Баспасы, 123308, Мәскеу, Ресей, Зорге көшесі, 1 үй.
Тел.: 8 (495) 411-68-86.
Home page: www.eksmo.ru E-mail: info@eksmo.ru
Тауар белгісі: «Эксмо»
Интернет-магазин : www.book24.ru

Интернет-магазин : www.book24.kz
Интернет-дүкен : www.book24.kz
Импортёр в Республику Казахстан ТОО «РДЦ-Алматы».
Қазақстан Республикасындағы импорттаушы «РДЦ-Алматы» ЖШС.
Дистрибьютор и представитель по приему претензий на продукцию,
в Республике Казахстан: ТОО «РДЦ-Алматы»
Қазақстан Республикасында дистрибьютор және өнім бойынша арыз-талаптарды
қабылдаушының өкілі «РДЦ-Алматы» ЖШС,
Алматы қ., Домбровский көш., 3«а», литер Б, офис 1.
Тел.: 8 (727) 251-59-90/91/92; E-mail: RDC-Almaty@eksmo.kz
Өнімнің жарамдылық мерзімі шектелмеген.
Сертификация туралы ақпарат сайтта: www.eksmo.ru/certification

16+

Сведения о подтверждении соответствия издания согласно законодательству РФ
о техническом регулировании можно получить на сайте Издательства «Эксмо»
www.eksmo.ru/certification
Өндірген мемлекет: Ресей. Сертификация қарастырылмаған

Подписано в печать 12.07.2019. Формат 84x108$^1/_{32}$.
Гарнитура «GaramondCTT». Печать офсетная. Усл. печ. л. 18,48.
Тираж 55000 экз. Заказ № 6965.

Отпечатано в ООО «Тульская типография».
300026, Россия, г. Тула, пр. Ленина, 109.

Москва. ООО «Торговый Дом «Эксмо»
Адрес: 123308, г. Москва, ул. Зорге, д.1.
Телефон: +7 (495) 411-50-74.   **E-mail:** reception@eksmo-sale.ru

По вопросам приобретения книг «Эксмо» зарубежными оптовыми
покупателями обращаться в отдел зарубежных продаж ТД «Эксмо»
E-mail: international@eksmo-sale.ru

*International Sales: International wholesale customers should contact
Foreign Sales Department of Trading House «Eksmo» for their orders.*
international@eksmo-sale.ru

По вопросам заказа книг корпоративным клиентам, в том числе в специальном
оформлении, обращаться по тел.: +7 (495) 411-68-59, доб. 2261.
E-mail: ivanova.ey@eksmo.ru

Оптовая торговля бумажно-беловыми
и канцелярскими товарами для школы и офиса «Канц-Эксмо»:
Компания «Канц-Эксмо»: 142702, Московская обл., Ленинский р-н, г. Видное-2,
Белокаменное ш., д. 1, а/я 5. Тел./факс: +7 (495) 745-28-87 (многоканальный).
e-mail: **kanc@eksmo-sale.ru**, сайт: www.kanc-eksmo.ru

Филиал «Торгового Дома «Эксмо» в Нижнем Новгороде
Адрес: 603094, г. Нижний Новгород, улица Карпинского, д. 29, бизнес-парк «Грин Плаза»
Телефон: +7 (831) 216-15-91 (92, 93, 94).   **E-mail:** reception@eksmonn.ru

Филиал ООО «Издательство «Эксмо» в г. Санкт-Петербурге
Адрес: 192029, г. Санкт-Петербург, пр. Обуховской обороны, д. 84, лит. «Е»
Телефон: +7 (812) 365-46-03 / 04.   **E-mail:** server@szko.ru

Филиал ООО «Издательство «Эксмо» в г. Екатеринбурге
Адрес: 620024, г. Екатеринбург, ул. Новинская, д. 2щ
Телефон: +7 (343) 272-72-01 (02/03/04/05/06/08)

Филиал ООО «Издательство «Эксмо» в г. Самаре
Адрес: 443052, г. Самара, пр-т Кирова, д. 75/1, лит. «Е»
Телефон: +7 (846) 207-55-50.   **E-mail:** RDC-samara@mail.ru

Филиал ООО «Издательство «Эксмо» в г. Ростове-на-Дону
Адрес: 344023, г. Ростов-на-Дону, ул. Страны Советов, 44А
Телефон: +7(863) 303-62-10.   **E-mail:** info@rnd.eksmo.ru

Филиал ООО «Издательство «Эксмо» в г. Новосибирске
Адрес: 630015, г. Новосибирск, Комбинатский пер., д. 3
Телефон: +7(383) 289-91-42.   E-mail: eksmo-nsk@yandex.ru

Обособленное подразделение в г. Хабаровске
Фактический адрес: 680000, г. Хабаровск, ул. Фрунзе, 22, оф. 703
Почтовый адрес: 680020, г. Хабаровск, А/Я 1006
Телефон: (4212) 910-120, 910-211.   **E-mail:** eksmo-khv@mail.ru

Филиал ООО «Издательство «Эксмо» в г. Тюмени
Центр оптово-розничных продаж Cash&Carry в г. Тюмени
Адрес: 625022, г. Тюмень, ул. Пермякова, 1а, 2 этаж. ТЦ «Перестрой-ка»
Ежедневно с 9.00 до 20.00. Телефон: 8 (3452) 21-53-96

Республика Беларусь: ООО «ЭКСМО АСТ Си энд Си»
Центр оптово-розничных продаж Cash&Carry в г. Минске
Адрес: 220014, Республика Беларусь, г. Минск, проспект Жукова, 44, пом. 1-17, ТЦ «Outleto»
Телефон: +375 17 251-40-23; +375 44 581-81-92
Режим работы: с 10.00 до 22.00.   **E-mail:** exmoast@yandex.by

Казахстан: «РДЦ Алматы»
Адрес: 050039, г. Алматы, ул. Домбровского, 3А
Телефон: +7 (727) 251-58-12, 251-59-90 (91,92,99).   E-mail: RDC-Almaty@eksmo.kz

Украина: ООО «Форс Украина»
Адрес: 04073, г. Киев, ул. Вербовая, 17а
Телефон: +38 (044) 290-99-44, (067) 536-33-22.   **E-mail:** sales@forsukraine.com

**Полный ассортимент продукции ООО «Издательство «Эксмо» можно приобрести в книжных
магазинах «Читай-город» и заказать в интернет-магазине:** www.chitai-gorod.ru.
Телефон единой справочной службы: 8 (800) 444-8-444. Звонок по России бесплатный.

Интернет-магазин ООО «Издательство «Эксмо»
www.book24.ru
Розничная продажа книг с доставкой по всему миру.
Тел.: +7 (495) 745-89-14. E-mail: imarket@eksmo-sale.ru

ISBN 978-5-04-104636-1

9 785041 046361 >

INTERNATIONAL BOOKS
7513 Santa Monica Blvd.
West Hollywood, CA 90046